Marjolaine Séguin
Groupe 305

L’arbre d’amour et de sagesse

Où sont donc nés les contes, et pourquoi, et comment ?

Une femme l’a su, aux premiers temps du monde. Cette femme, en vérité, était l’épouse d’une brute. Son mari la battait. Elle était résignée, sans espoir, sans révolte. Un jour, elle fut enceinte. Elle se dit alors qu’elle ne pouvait plus se permettre d’être ainsi rossée, sous peine de perdre l’enfant qu’elle portait dans le ventre. Elle réfléchit donc au moyen d’amadouer son homme. Elle se creusa la tête. Rien ne vint. Elle se creusa le cœur. Alors une réponse germa au plus secret de son être. Et quand au soir, son mari, comme à son habitude, leva sur elle son bâton, elle se mit soudain à raconter une histoire qu’elle ignorait connaître. Et cette histoire était si belle, si émouvante, si prodigieuse que la brute l’écouta, et que le bâton oublia de s’abattre sur son dos.

Ainsi neuf mois durant, toutes les nuits, cette femme inventa des histoires pour préserver la vie qu’elle portait dans le ventre. C’est ainsi que sont nés tous les contes de la Terre.

Non point changer la vie mais l’aider à éclore. Voilà pourquoi sont au monde ces récits parfois millénaires qui ont atteint à la gloire insurpassable des œuvres : l’anonymat. Car je ne suis pas l’auteur de ceux qui sont dans ce livre. Je n’ai fait que les raviver, les ranimer, les restaurer, comme d’autres restaurent de vieux châteaux. J’ignore qui en sont les premiers auteurs. D’ailleurs, qu’importe ? Ils sont au monde parce qu’ils sont nécessaires, comme l’air, comme la lumière du jour, comme les arbres.

H. G.

Henri Gougaud est né à Carcassone en 1936. Il est l’auteur de différents ouvrages consacrés à la science-fiction, et fut, en 1977, lauréat de la bourse Goncourt de la nouvelle. Il a écrit de nombreuses de chansons pour Jean Ferrat, Juliette Gréco et Serge Reggiani.

Henri Gougaud

L'arbre d'amour et de sagesse

Contes du monde entier

Éditions du Seuil

TEXTE INTÉGRAL

EN COUVERTURE :
Rovinski, *La Chouette*,
gravure sur cuivre coloriée, Musée des Beaux-Arts
Pouchkine, Moscou. Droits réservés.

ISBN 2-02-021594-2
(ISBN 2-02-012073-9, 1re publication)

Pour Aurélien

Europe

FRANCE

La mère des contes

Où sont donc nés les contes, et pourquoi, et comment ? Une femme l'a su, aux premiers temps du monde. Qui l'a dit à la femme ? L'enfant qu'elle portait dans son ventre. Qui l'a dit à l'enfant ? Le silence de Dieu. Qui l'a dit au silence ?

Il était pour la première fois, dans la grande forêt des premiers temps, un rude bûcheron et son épouse triste. Ils vivaient pauvrement dans une maison basse, au cœur d'une clairière. Ils n'avaient pour voisins que des bêtes sauvages et ne voyaient passer, dehors, par la lucarne, que vents, pluies et soleils. Mais ce n'était pas la monotonie des jours qui attristait la femme de cet homme des bois et la faisait pleurer, seule, dans sa cuisine. De cela elle se serait accommodée, bon an, mal an. Hélas, en vérité, son mari avait l'âme aussi broussailleuse que la barbe et la tignasse. C'était cela qui la tourneboulait. Caressant, il l'était comme un buisson d'épines, et quand il embrassait en grognant sa compagne, ce n'était qu'après l'avoir battue. Tous les soirs il faisait ainsi, dès son retour de la forêt. Il poussait la porte d'un coup d'épaule, empoignait un lourd bâton de chêne, retroussait sa manche droite, s'approchait de sa femme qui tremblait dans un coin, et la rossait. C'était là sa façon de lui dire bonsoir.

Passèrent mille jours, mille nuits, mille roustes. L'épouse supporta sans un mot de révolte les coups qui lui pleuvaient chaque soir sur le dos. Vint une aube d'été sur la clairière. Ce matin-là, comme elle regardait son homme s'éloigner sous les grands arbres, sa hache en bandoulière, elle posa les mains sur ses hanches et pour la première fois depuis le jour de ses épousailles elle sourit. Elle venait à l'instant de sentir une vie nouvelle bouger là, dans son ventre. « Un enfant ! » pensa-t-elle, tremblante, émerveillée. Mais son bonheur fut bref, car lui vint aussitôt plus d'épouvante qu'elle n'en avait jamais enduré. « Misère, se dit-elle, qui le protégera si mon mari me bat encore ? En me cognant dessus, il risque de l'atteindre. Il le tuera peut-être avant qu'il ne soit né. Comment sauver sa vie ? En n'étant plus battue. Mais comment, Seigneur, ne plus être battue ? » Elle réfléchit à cela tout au long du jour avec tant de souci, de force et d'amour neuf pour son fils à venir qu'au soir elle sentit germer une lumière.

Elle guetta son homme. Au crépuscule il s'en revint, comme à son habitude. Il prit son gros bâton, grogna, leva son bras noueux. Alors elle lui dit :

— Attends, mon maître, attends ! J'ai appris aujourd'hui une histoire. Elle est belle. Écoute-la d'abord, tu me battras après.

Elle ne savait rien de ce qu'elle allait dire, mais un conte lui vint. Ce fut comme une source innocente et rieuse. Et l'homme demeura devant elle captif, si pantois et content qu'il oublia d'abattre son bâton sur le dos de sa femme. Toute la nuit elle parla. Toute la nuit il l'écouta, les yeux écarquillés, sans remuer d'un poil. Et quand le jour nouveau éclaira la lucarne, elle se tut enfin. Alors il poussa un soupir, vit l'aube, prit sa hache et s'en fut au travail.

Au soir gris, il revint. Elle l'entendit pousser la porte à grand fracas. Elle courut à lui.

— Attends, mon maître, attends ! Il faut que je te dise une nouvelle histoire. Écoute-la d'abord, tu me battras après !

A l'instant même un conte neuf naquit de sa bouche surprise. Comme la nuit passée son époux l'écouta, l'œil rond, le poing tenu en l'air par un fil invisible. Le temps parut passer comme un souffle. A l'aube elle se tut. Il vit le jour, se dit qu'il lui fallait partir pour la forêt, prit sa hache, et s'en alla.

Et quand le soir tomba vint encore une histoire. Neuf mois, toutes les nuits, cette femme conta pour protéger la vie qu'elle portait dans le ventre. Et quand l'enfant fut né, l'homme connut l'amour. Et quand l'amour fut né, les contes des neuf mois envahirent la terre. Bénie soit cette mère qui les a mis au monde. Sans elle les bâtons auraient seuls la parole.

Père Long-Nez

L'Un était roi, et l'Autre aussi. Entre eux était une forêt. L'Un la voulait, et l'Autre aussi. Cette forêt était épaisse, elle était vaste et sans chemins. L'Un l'envahit, et l'Autre aussi. On se battit sous les grands arbres. L'Un fut blessé, et l'Autre aussi. Au bord d'un fleuve forestier l'Un établit son campement, et l'Autre en face fit de même. L'Un réfléchit, et l'Autre aussi.

— Comment venir à bout de l'Un ? demanda l'Autre à son Conseil.

— Comment donc écrabouiller l'Autre ? demanda l'Un à ses ministres.

Les uns restèrent silencieux, les autres se firent pensifs.

« La réponse est dans la forêt », se dit alors un jeune garde. Était-il de l'armée de l'Un ? Peut-être de l'armée de l'Autre ? Comment savoir ? Il faisait nuit. Il s'en alla par le sous-bois, suivit au hasard une étoile, puis la perdit dans les feuillages, vit un grand chêne. Il y grimpa. Il découvrit une clairière. Au milieu d'elle un feu brûlait. Quatorze enfants étaient autour. Le jeune garde s'étonna. « Que diable font ces enfants-là ? » Puis il s'étonna plus encore : « Quel est donc cet homme qui vient ? »

Cet homme était Père Long-Nez. Les enfants crièrent son nom en le voyant sortir de l'ombre. Ils s'agrippèrent à son gilet autour du feu de la clairière.

— Holà, mes lutins, mes loupiots, holà, holà, dit le bonhomme en s'asseyant au milieu d'eux. Mon nez me dit, mes tout jolis, que vous avez faim de nouvelles. J'en ai, j'en ai, cueillies de frais !

— Racontez-nous, Père Long-Nez !

— Vous savez que deux mauvais rois se font la guerre dans ce bois sans que l'un gagne et l'autre perde.

— Nous le savons, Père Long-Nez !

— Et savez-vous aussi pourquoi cette guerre n'en finit pas ? C'est que ni l'un ni l'autre roi ne peut en un clin d'œil bâtir un pont de bois sur le fleuve qui les sépare. Que l'un sache, et l'autre, surpris, serait trucidé dans son lit. Heureusement tous deux ignorent qu'il suffit de poser sur l'eau une branche de l'Arbre Rouge pour qu'apparaisse en un instant une merveille de pont neuf. Motus, enfants, que rien ne sorte de vos belles bouches menues. Car vous connaissez notre loi : Qui dira ce qu'il ne doit pas statue de pierre deviendra !

Le jeune garde dans son chêne entendit cela tout du long. Il attendit le point du jour, puis descendit de son feuillage. Dans la clairière, plus personne. « Où donc trouver cet Arbre Rouge ? » se dit-il. Il chercha longtemps. Il le vit enfin, sur un roc. Son tronc, ses branches et ses feuilles étaient couleur de fond de ciel quand le jour se lève ou se couche. Il coupa une branche rouge, la cacha sous sa veste rouge, courut, tout rouge, au campement. Le roi dans son fauteuil de roi se reposait devant sa tente.

— Majesté, dit-il, cette nuit votre armée franchira le fleuve.

— Faudrait un pont, grogna le roi.

— Majesté, il sera bâti entre le premier coup des douze de minuit et largement avant que le douzième tinte.

— Et toi, si tu te vantes, lui répondit le roi, tu mourras à peu près entre l'aube prochaine et largement avant que soit midi sonné !

Le soir venu le jeune garde vint s'accroupir au bord de l'eau, posa dessus sa branche rouge. Aussitôt jaillit de la berge un bel arc-en-ciel de bois dur qui s'en fut tout tranquillement se planter de l'autre côté. L'armée franchit le fleuve et surprit l'ennemi dans son premier sommeil. Ce fut un beau carnage. Le roi vaincu s'enfuit avec quelques lambeaux de piétaille boiteuse. Dans le camp des vainqueurs on fit huit jours bombance. Au matin du neuvième le vaincu s'en revint avec des troupes fraîches. Le vainqueur dut s'enfuir. Il repassa le pont. Or, il détestait perdre. Il se renfrogna donc, ordonna que l'on pende un vieux général borgne, que l'on jette en prison dix-neuf colonels et que l'on gronde fort quatre-vingts capitaines. Le jeune garde alors pensa qu'il était temps d'aller tendre l'oreille aux bruits de la forêt. Il revint au grand chêne, grimpa dans le feuillage, attendit, vit le feu, quatorze enfants autour. Il vit enfin sortir Père Long-Nez du bois.

— Bonsoir, mes voyous, mes jocrisses, mes godelureaux, mes petits ! Avez-vous appris la nouvelle ? L'un a bâti un pont, l'autre a perdu la face, et l'un s'est cru vainqueur, et l'autre est revenu, et l'un assurément va mordre la poussière.

— Va-t-il mourir, Père Long-Nez ?

— Il se peut, mes fils, il se peut, car il ignore tout des vertus mirifiques de la grotte des Septs-Mendiants. Silence, enfants, écoutez-moi, que diable ! Au cœur le plus vert de ce bois est un rocher couleur de brume. Dans ce rocher est un creux noir, et dans ce creux est une poudre si pénétrante et si maligne qu'une pincée jetée au vent suffit à obscurcir la vue de dix mille hommes, pour le moins !

— Dix mille hommes, Père Long-Nez ?

— Motus, enfants ! Que rien ne sorte de vos belles bouches menues. Car vous connaissez notre loi : Qui dira ce qu'il ne doit pas statue de pierre deviendra !

Le jeune garde au petit jour descendit en hâte de l'arbre, s'en fut de verdure en verdure jusqu'au plus vert de la forêt, vit le rocher couleur de brume, vit le creux noir, emplit son grand mouchoir de poudre et s'en revint au campement. Le roi était devant sa tente à regarder souffler le vent.

— Sire le roi, où va la brise ?

Le roi, grognon, lui répondit :

— Direction sud-est, force trois.

— Majesté, attaquons sur l'heure, et permettez que je chevauche au premier rang de votre armée. Je vous promets une victoire franche, simple et jubilatoire.

— Fort bien, lui dit le roi, va donc, mène mes troupes. Et si tu t'en reviens vainqueur, c'est promis, je t'offre ma fille !

Ce fut une étrange bataille. Dix mille ennemis aveuglés s'en furent combattre à plat ventre l'eau du fleuve à grands coups d'épée. Le soir même on signa la paix. Le jeune garde, triomphant, précédé de cent olifants vint porter au roi la nouvelle. Le lendemain on publia les bans du mariage promis. La princesse et le jeune garde s'en furent promener au bois sans témoins, sauf un écureuil et trois rossignols en colloque. Ils parlèrent un peu d'amour, d'avenir, de choses et d'autres, puis :

— Bel ami, dit la princesse, comment en un instant de nuit votre joli pont fut bâti ? Et votre merveilleuse poudre, quel moulin a bien pu la moudre ?

Le jeune garde répondit :

— A vous, ma prochaine épousée, je ne veux rien dissimuler.

Il conta ce qu'il avait vu, dans la forêt, du haut du chêne, et ce qu'il avait entendu des secrets de Père Long-Nez. Et quand il eut enfin tout dit, il se sentit durci, raidi, mal dans sa peau de bas en haut.

— Qu'avez-vous ? lui dit la princesse.

Elle lui tapota les joues. Il ne sentit rien. Il était en pierre. Elle appela ses gens à l'aide, on accourut, on s'exclama. A la princesse on demanda comment s'était fait ce prodige. Elle gémit et répondit :

— Il m'a dit ceci, et ceci.

A peine son récit fini, la voici elle aussi pâlie, tout empêtrée, toute pierreuse. Le roi vint en se dandinant derrière sa grosse bedaine. Il n'embrassa qu'une statue en pleurant comme une fontaine.

On décréta cent jours de deuil. Le vin, la viande et l'amourette furent déclarés illégaux. On vêtit de noir les chevaux. Or, un jour d'entre ces jours sombres, il advint qu'un vieux chambellan (buveur, gourmet, friand de cuisse) se prit à penser que peut-être Père Long-Nez savait comment réincarner les deux amants. La nuit même il s'en fut au chêne, grimpa dedans, vit les enfants dans la clairière autour du grand feu crépitant, et dans la lueur de la lune vit paraître un vieillard fringant, l'air tout content, malin en diable.

— Holà, mes amours, mes agneaux, mes lurons, mes bonheurs de vivre !

— Bonsoir, bonsoir, Père Long-Nez !

— J'ai d'époustouflantes nouvelles. Ah, cessez donc de frétiller, car j'ai hâte de vous les dire. Sachez, enfants, qu'un jeune garde a tout surpris de nos secrets. D'une branche de l'Arbre Rouge il a fait un pont sur le fleuve. D'une poignée de poudre fine il a plongé l'armée adverse dans le noir plus noir que café. Le roi lui a donné sa fille, et savez-vous ce qu'il a fait ? Il a tout dit à sa princesse, et le voilà pétrifié.

— Ce benêt n'a pas su se taire ! Tant pis pour lui, Père Long-Nez !

— Ce n'est pas tout, mes bien-aimés ! La princesse à son tour a dit ce que son fiancé lui avait dit. Que croyez-vous qu'il arriva ? De chair en pierre elle tomba. En vérité, c'est bien dommage, car elle allait se marier. Ah, si ces beaux brigands savaient qu'au cœur du cœur de la forêt est une source d'eau limpide sous un miroir presque invisible, ils pourraient se tirer d'affaire. Mais voilà, ils ne savent pas ! Il suffirait, sachez-le bien, qu'une goutte de cette eau-là touche le front des deux pierreux pour qu'aussitôt la vie revienne, et la chaleur, et le bon sang ! Mais surtout, mes enfants, motus. Car vous connaissez notre loi : Qui dira ce qu'il ne doit pas statue de pierre deviendra !

Le chambellan au petit jour descendit en hâte du chêne, chercha la source, la trouva, emplit une fiole de verre, revint où étaient la princesse et le jeune garde empierrés, les aspergea abondamment. Alléluia ! La vie revint, et la chaleur, et le bon sang. On s'embrassa, on pleura presque, on rit beaucoup, on festoya. Parmi le peuple en grande joie un seul demeura taciturne : le chambellan. Il était sage. Il savait que bon gré mal gré son lourd secret un jour ou l'autre lui déborderait de la bouche, et qu'il risquait fort de finir en sculpture de cathédrale. Il s'en revint donc au grand chêne, se cacha dans les feuilles drues, entendit en bas, près du feu :

— Bonsoir, bonsoir, Père Long-Nez ! Vous avez un air à nous dire de l'imprévu réjouissant !

— Réjouissant en vérité, mes galopins, mes doux artistes ! Figurez-vous qu'on se marie dans le royaume d'à côté. Un chambellan, fieffé brigand, a surpris nos conversations. Et maintenant, mes petits rois, l'effroi lui dévore le foie. Il aurait dû penser plutôt qu'il n'est pas de pire fardeau qu'une parole inavouable. Notez bien, il pourrait survivre, s'il connaissait notre oranger.

— Quel oranger, Père Long-Nez ?

— Celui qui dénoue les secrets. Il suffirait qu'il aille dire à cet arbre miraculeux ce qui lui pèse tant sur l'âme. Son secret descendrait en terre et s'enfuirait par les racines, et rejoindrait les eaux du fleuve, et s'en irait à l'océan où est la mémoire du monde, et lui pourrait aller sa route sans poids ni peur, tout librement.

Le chambellan au petit jour dégringola de son feuillage, chercha, trouva, dit tout à l'arbre, et le secret s'en fut en terre, s'en fut au fleuve, à l'océan, s'en fut à la grande mémoire, s'en fut au vent, revint partout.

Et l'on fit mille jours de fête pour la princesse et son amant.

L'homme qui courait après sa chance

Il était une fois un homme malheureux. Il aurait bien aimé avoir dans sa maison une femme avenante et fidèle. Beaucoup étaient passées devant sa porte, mais aucune ne s'était arrêtée. Par contre, les corbeaux étaient tous pour son champ, les loups pour son troupeau et les renards pour son poulailler. S'il jouait, il perdait. S'il allait au bal, il pleuvait. Et si tombait une tuile du toit, c'était juste au moment où il était dessous. Bref, il n'avait pas de chance.

Un jour, fatigué de souffrir des injustices du sort, il s'en fut demander conseil à un ermite qui vivait dans un bois derrière son village. En chemin, un vol de canards laissa tomber sur lui, du haut du ciel, des fientes, mais il n'y prit pas garde, il avait l'habitude. Quand il parvint enfin, tout crotté, tout puant, à la clairière où était sa cabane, le saint homme lui dit :

— Il n'y a d'espoir qu'en Dieu. Si tu n'as pas de chance, lui seul peut t'en donner. Va le voir de ma part, je suis sûr qu'il t'accordera ce qui te manque.

L'autre lui répondit :

— J'y vais. Salut l'ermite !

Il mit donc son chapeau sur la tête, son sac à l'épaule, la route sous ses pas, et s'en alla chercher sa chance auprès de Dieu, qui vivait en ce temps-là dans une grotte blanche, en haut d'une montagne au-dessus des nuages.

Or en chemin, comme il traversait une vaste forêt, un tigre lui apparut au détour du sentier. Il fut tant effrayé qu'il tomba à genoux en claquant des dents et tremblant des mains.

— Épargne-moi, bête terrible, lui dit-il. Je suis un malchanceux, un homme qu'il vaut mieux ne pas trop fréquenter. En vérité, je ne suis pas comestible. Si tu me dévorais, probablement qu'un os de ma carcasse te trouerait le gosier.

— Bah, ne crains rien, lui répondit le tigre. Je n'ai pas d'appétit. Où vas-tu donc, bonhomme ?

— Je vais voir Dieu, là-haut, sur sa montagne.

— Porte-lui mon bonjour, dit le tigre en bâillant. Et demande-lui pourquoi je n'ai pas faim. Car si je continue à n'avoir goût de rien, je serai mort avant qu'il soit longtemps.

Le voyageur promit, bavarda un moment des affaires du monde avec la grosse bête et reprit son chemin.

Au soir de ce jour, parvenu dans une plaine verte, il alluma son feu sous un chêne maigre. Or, comme il s'endormait, il entendit bruisser le feuillage au-dessus de sa tête. Il cria :

— Qui est là ?

Une voix répondit :

— C'est moi, l'arbre. J'ai peine à respirer. Regarde mes frères sur cette plaine. Ils sont hauts, puissants, magnifiques. Moi seul suis tout chétif. Je ne sais pas pourquoi.

— Je vais visiter Dieu. Je lui demanderai un remède pour toi.

— Merci, voyageur, répondit l'arbre infirme.

L'homme au matin se remit en chemin. Vers midi il arriva en vue de la montagne. Au soir, à l'écart du sentier qui grimpait vers la cime, il vit une maison parmi les rochers. Elle était presque en ruine. Son toit était crevé, ses volets grinçaient au vent du crépuscule. Il s'approcha du seuil, et par la porte entrouverte il regarda dedans. Près de la cheminée une femme était assise, la tête basse. Elle pleurait. L'homme lui demanda un abri pour la nuit, puis il lui dit :

— Pourquoi êtes-vous si chagrine ?

La femme renifla, s'essuya les yeux.

— Dieu seul le sait, répondit-elle.

— Si Dieu le sait, lui dit l'homme, n'ayez crainte, je l'interrogerai. Dormez bien, belle femme.

Elle haussa les épaules. Depuis un an la peine qu'elle avait la tenait éveillée tout au long de ses nuits.

Le lendemain, le voyageur parvint à la grotte de Dieu. Elle était ronde et déserte. Au milieu du plafond était un trou par où tombait la lumière du ciel. L'homme s'en vint dessous. Alors il entendit :

— Mon fils, que me veux-tu ?

— Seigneur, je veux ma chance.

— Pose-moi trois questions, mon fils, et tu l'auras. Elle t'attend déjà au pays d'où tu viens.

— Merci, Seigneur. Au pied du mont est une femme triste. Elle pleure. Pourquoi ?

— Elle est belle, elle est jeune, il lui faut un époux.

— Seigneur, sur mon chemin j'ai rencontré un arbre bien malade. De quoi souffre-t-il donc ?

— Un coffre d'or empêche ses racines d'aller chercher profond le terreau qu'il lui faut pour vivre.

— Seigneur, dans la forêt est un tigre bizarre. Il n'a plus d'appétit.

— Qu'il dévore l'homme le plus sot du monde, et la santé lui reviendra.

— Seigneur, bien le bonjour !

L'homme redescendit, content, vers la vallée. Il vit la femme en larmes devant sa porte. Il lui fit un grand signe.

— Belle femme, dit-il, il te faut un mari !

Elle lui répondit :

— Entre donc, voyageur. Ta figure me plaît. Soyons heureux ensemble !

— Hé, je n'ai pas le temps, j'ai rendez-vous avec ma chance, elle m'attend, elle m'attend !

Il la salua d'un grand coup de chapeau tournoyant dans le

ciel et s'en alla en riant et gambadant. Il arriva bientôt en vue de l'arbre maigre sur la plaine. Il lui cria, de loin :

— Un coffre rempli d'or fait souffrir tes racines. C'est Dieu qui me l'a dit !

L'arbre lui répondit :

— Homme, déterre-le. Tu seras riche et moi je serai délivré !

— Hé, je n'ai pas le temps, j'ai rendez-vous avec ma chance, elle m'attend, elle m'attend !

Il assura son sac à son épaule, entra dans la forêt avant la nuit tombée. Le tigre l'attendait au milieu du chemin.

— Bonne bête, voici : Tu dois manger un homme. Pas n'importe lequel, le plus sot qui soit au monde.

Le tigre demanda :

— Comment le reconnaître ?

— Je l'ignore, dit l'autre. Je ne peux faire mieux que de te répéter les paroles de Dieu, comme je l'ai fait pour la femme et pour l'arbre.

— La femme ?

— Oui, la femme. Elle pleurait sans cesse. Elle était jeune et belle. Il lui fallait un homme. Elle voulait de moi. Je n'avais pas le temps.

— Et l'arbre ? dit le tigre.

— Un trésor l'empêchait de vivre. Il voulait que je l'en délivre. Mais je t'ai déjà dit : je n'avais pas le temps. Je ne l'ai toujours pas. Adieu, je suis pressé.

— Où vas-tu donc ?

— Je retourne chez moi. J'ai rendez-vous avec ma chance. Elle m'attend, elle m'attend !

— Un instant, dit le tigre. Qu'est-ce qu'un voyageur qui court après sa chance et laisse au bord de son chemin une femme avenante et un trésor enfoui ?

— Facile, bonne bête, répondit l'autre étourdiment. C'est un sot. A bien y réfléchir, je ne vois pas comment on pourrait être un sot plus sot que ce sot-là.

Ce fut son dernier mot. Le tigre enfin dîna de fort bon appétit et rendit grâce à Dieu pour ses faveurs gratuites.

La chèvre

Il était une fois un paysan sans terre. Il n'avait pour tout bien qu'une vieille masure plus qu'à moitié ruinée par mille pluies et vents. Par le toit passait l'eau, par les murs sifflaient les bourrasques. Aurait-il vécu seul, il s'en serait contenté, car il n'était pas homme à envier les riches. Mais sa femme, en mourant à la Noël passée, lui avait laissé cinq filles et sept garçons à nourrir et vêtir. C'était pour eux que l'homme se faisait du souci et cherchait à gagner quelques sous dans les fermes voisines. Mais les temps étaient durs, les récoltes maigres, et les bourses des maîtres étaient souvent comme des fontaines muettes.

Vint un nouvel hiver. Pas le moindre croûton à donner aux enfants. Que faire, Dieu du Ciel ? Le pauvre homme pria, tourna dans sa maison comme un loup en cage, puis un soir n'y tint plus. Il descendit au village, décidé à voler une miche de pain, quelques restes de viande à l'étal du boucher, quelques légumes secs, bref, de quoi régaler sa nichée d'affamés. Il faisait, ce soir-là, vent froid et nuit obscure. L'homme, grelottant dans son manteau troué, s'avança au hasard par les ruelles. Les volets étaient fermés, les portes verrouillées. Dehors, pas un vivant, sauf lui qui cheminait, la savate hésitante.

Il fit halte soudain, bouche bée, les yeux ronds. Dans un passage étroit entre deux murs branlants à l'abri de la bise, devant lui, à dix pas, une chèvre venait. Elle était magnifique, haute comme un taureau. Son pelage était blanc, et ses cornes si longues qu'elles touchaient aux deux murailles opposées. Ses yeux flamboyaient. Elle baissa la tête, gronda, gratta le sol. Un bouquet d'étincelles jaillit de son sabot. Une chèvre, cela ? « Seigneur, pensa l'homme, je rêvais d'un agneau, et me voilà devant le diable capricorne ! » Il se mit à trembler, mais ne recula pas. Lui vint entre les dents un Pater Noster effaré, qu'il récita d'un trait.

— Donnez-nous aujourd'hui notre pain quotidien, dit-il, les yeux fermés.

Il les rouvrit. La chèvre était toujours à quelques pas de lui, mais elle semblait maintenant une bête ordinaire évadée d'un enclos. Ses yeux avaient perdu leur éclat effrayant, son corps sa démesure, ses cornes leur ampleur. L'homme pensa : « Démon ou pas, ma belle, dès demain tu gonfleras les joues de mes enfants. » Il l'empoigna aux quatre pattes, la chargea sur sa nuque et s'en alla en courant.

Or, comme il remontait à sa masure, la chèvre sur son dos se fit soudain si lourde qu'il en faillit piquer du nez sur le sentier pentu. Il fit un pas, trois pas, dix pas à si grand-peine qu'il ploya les genoux. Il rassembla ses forces, gravit encore un bout de chemin, en geignant. Alors il entendit dans son oreille droite ces mots secs et tranquilles :

— Je ne suis pas une chèvre.

— Je m'en moque, dit l'homme.

Il resserra sa prise.

— Serais-tu la fille du diable, mes enfants dès demain te mangeront rôtie.

— Bien, répondit la bête. Écoute donc, bonhomme. Je connais une caverne, à quelques pas d'ici, où les cailloux sont d'or. Rends-moi la liberté, et je t'y conduirai.

— Conduis-moi d'abord, puisque tu sais parler. Je ne te lâcherai qu'après avoir palpé ces prétendues merveilles.

La chèvre dit « à droite », « à gauche » et « va tout droit ». Ils allèrent ainsi par les rocailles, les chênes verts, les buis et les ronciers jusqu'au seuil d'un grand trou au pied d'une falaise.

— Entre, dit la bête.

Il entra. Il ne vit rien que des cailloux ordinaires et de petits os de rats.

— Prends-en dans ton manteau autant que tu le pourras, dit encore la chèvre. Allons, fais-moi confiance.

L'homme obéit, noua aux quatre coins son vêtement rempli et le traîna dehors. Le soleil se levait au fond des garrigues. L'homme épuisé s'assit sur une pierre, dénoua son fardeau, laissa aller la chèvre. Les cailloux rassemblés étaient d'or véritable, les ossements de rats étaient des diamants parfaits.

— Merci, bonne bête, grand merci, dit l'homme, sans oser rien toucher, tant il s'émerveillait.

Mais la chèvre s'était évaporée dans le matin naissant. Alors l'homme content dit merci aux rochers, à la montagne, au ciel, aux arbres, au vent d'hiver, merci au soleil neuf, aux horizons lointains.

Et sa vie désormais fut tranquille et légère.

Le forgeron de Pont-de-Pile

Autrefois, près de Pont-de-Pile était un forgeron taciturne, têtu, solitaire, païen comme un taureau et tant habile à ouvrager le fer aussi bien que l'or et l'argent qu'il avait du travail pour trois ans d'avance. Sept garçons avaient voulu s'engager au service de cet homme redoutable. Ils en étaient tous morts après trois jours d'épreuves. En vérité, le forgeron de Pont-de-Pile n'avait jamais toléré d'autre assistant qu'un énorme loup noir qui galopait nuit et jour dans une roue grinçante au-dessus du feu et manœuvrait ainsi le soufflet de la forge. Cet homme, disait-on, n'avait pour tout soleil que le brasier de l'enfer.

Un jour, le fils d'une voisine vint frapper à sa porte. Il avait seize ans, sa mine était fringante, son œil déluré.

— Garçon, que me veux-tu ? lui dit l'Obscur.

— Forgeron, j'aimerais apprendre le métier.

— Entre, répondit l'autre.

Le garçon s'avança dans l'ombre de l'atelier. Le forgeron lui dit :

— Je veux un homme fort.

L'apprenti empoigna une enclume et la jeta par la lucarne. Elle pesait bien cent livres. Elle tournoya dans l'air et s'en fut fracasser au loin la cime d'un rocher.

— Je veux un homme adroit, gronda le forgeron.

Le garçon prit un bout de toile d'araignée dans un coin du plafond, la dévida sans que le fil se brise, en fit une pelote aussi légère qu'une boule de brume. Le forgeron la réduisit en poudre d'un revers de main et dit encore :

— Je veux un homme hardi.

Alors le garçon ouvrit la porte de la prison circulaire où galopait le loup noir. Il prit la bête par le cou, coupa sa queue, trancha ses pattes et la jeta sur le bois ardent du foyer.

— Je t'engage, lui dit le forgeron. Tu seras bien payé.

— Maître, vous êtes bon. Je le serai aussi, répondit le garçon.

Au soir, il retourna chez sa mère, prit quelques provisions, mit son sac à l'épaule et s'en revint rôder autour de la forge. Il attendit la nuit derrière une meule de foin. Quand les étoiles au ciel furent toutes allumées il vit s'entrebâiller la porte. Son maître apparut sur le seuil, regarda prudemment à droite, puis à gauche.

— Viens, ma fille, viens là, dit-il à voix basse, viens, reine des Vipères !

— Père, me voici, répondit une voix.

Une fille sortit de l'ombre et s'avança sur le sentier. Elle était grande et grosse. Une fleur de lys noire était plantée dans son chignon.

— Un nouvel apprenti vous est venu, dit-elle. Je l'ai vu et j'en suis amoureuse.

— Je vous marierai donc, répondit l'homme. Va maintenant, va vite, il est bientôt minuit et je n'ai que le temps de me préparer.

La reine des Vipères disparut. Le forgeron descendit à la rivière à travers le grand pré, sous les peupliers bruissants. Le garçon le suivit. Il vit son maître au bord de l'eau se mettre nu, puis ôter sa peau d'homme, le torse par en haut avec la tête et les cheveux, les jambes par en bas du nombril aux orteils. L'homme apparut alors comme une loutre de belle taille. Il cacha sa défroque dans un tronc de saule et se glissa dans l'eau sombre. Ce qu'il y fit ? Comment savoir ? A l'aube il revint à la rive, se rhabilla, et s'en retourna parmi les brumes dans sa maison au bout du pré.

Ce matin-là, comme huit heures sonnaient au clocher :

— Bonjour, maître, dit le garçon.

Il prit son service, et de ce jour travailla dur, sans se préoccuper de rien d'autre que d'apprendre l'art de forger. Un soir de mois d'août, après un an passé, le forgeron lui dit :

— Dans trois mois le marquis de Lagarde marie sa fille aînée. On m'a commandé les bijoux de la noce. Demain tu iras donc t'installer au château avec les outils et les métaux précieux qu'il faut. Tu dégrossiras l'ouvrage. Je viendrai dans deux mois terminer ton travail.

L'apprenti s'en alla. Un atelier d'orfèvre lui fut aménagé près des écuries du château. La fille cadette du marquis vint le voir un matin, et de ce matin-là ne passa pas un jour sans qu'elle ne revînt. Elle s'asseyait près de lui, le regardait travailler sans rien dire, puis au soir allumait la lampe sur la table et tout à coup s'enfuyait, silencieuse, légère. Un jour elle parla.

— Ce que tu fais est beau. C'est pour ma sœur aînée. Feras-tu mieux encore pour une autre ?

L'apprenti répondit :

— Pour l'aimée de mon cœur je ferai le plus beau collier qui soit au monde. Elle se mettra nue. De ce collier parfait j'ornerai sa gorge. Il sera ainsi fait que ni diable ni Dieu ne pourront l'arracher. Il sera sa chair d'or. Et sa vertu sera telle qu'aussi longtemps qu'elle le portera mon aimée ne pourra penser qu'à moi. Tant que le bonheur sera sur ma tête, à son cou ce collier brillera comme un soleil. Si le malheur me vient, il deviendra rouge. Alors trois jours durant elle s'apprêtera. En voile blanc et robe de mariage elle demandera qu'on la mette au cercueil. Elle s'endormira, chacun la croira morte. Elle vivra pourtant. Quand le malheur enfin ne sera plus sur moi j'irai la réveiller, et nous nous marierons.

— Apprenti, forge-moi ce collier magnifique.

En sept heures il fut fait. La fille se mit nue. L'apprenti déposa le collier sur sa poitrine. A l'instant même il fut inséparable d'elle.

— Je suis ta bien-aimée, dit-elle. Et maintenant ne passera pas un jour sans que je pense à toi.

Elle alla s'enfermer dans sa chambre. Son père ni sa mère, sa sœur ni ses servantes ne surent rien de son pacte d'amour.

Le forgeron de Pont-de-Pile arriva le lendemain au château. Il trouva les bijoux de la noce parfaits. Il n'y retoucha rien. Il reprit donc le chemin de sa forge avec son apprenti. Le soir de leur retour il lui servit à boire et versa dans son vin une poudre dormitive. Le garçon vida sa timbale. A peine l'eut-il reposée qu'il tomba le front contre la table. Son maître lui lia les chevilles et les poignets, enfonça un torchon dans sa bouche, alluma un grand feu dans la forge et affûta ses ciseaux à découper le fer. Le lendemain matin l'apprenti s'éveilla.

— Tu es en mon pouvoir, lui dit le forgeron. Si tu ne veux pas souffrir les tourments de l'enfer, épouse ma fille, la reine des Vipères !

Le garçon bâillonné répondit d'un remuement de tête. Il fit « non » en grognant. Alors l'homme empoigna ses ciseaux et d'un coup trancha son pied gauche.

— Épouse, c'est un ordre !

Les yeux étincelants l'apprenti à nouveau fit « non ». Son maître lui trancha le pied droit.

— Épouse, mille diables !

Le tourmenté cracha son bâillon et hurla que jamais il ne prendrait pour femme une fille-vipère. Alors le forgeron amena son cheval, coucha le garçon sur l'encolure et l'emporta à travers vents et forêts jusqu'au bord de l'océan où était un désert de rocs. Au milieu de ce désert se dressait une tour sans portes ni fenêtres. Au pied de cette tour l'homme leva la tête et appela trois aigles qui planaient dans les nuées.

— Portez ce moins que rien là-haut sur la terrasse, leur dit-il. Quand il acceptera d'épouser ma fille-vipère, venez me prévenir.

Et comme les oiseaux enlevaient le jeune homme :

— Garçon, l'or et l'argent ne te manqueront pas. Je veux que tu travailles. Mes aigles tous les soirs te paieront d'un croûton de pain et d'une gourde d'eau.

Au sommet de la tour l'apprenti fut posé. Là était une forge ouverte sur le ciel. Il y resta sept ans, s'échinant chaque jour pour son maître et travaillant la nuit, en secret, pour lui seul. Il se forgea d'abord une hache, se fit un ceinturon de fer garni de trois crochets, cisela deux pieds d'or qu'il planta au bout de ses jambes infirmes. Enfin il ouvragea deux grandes ailes aux plumes d'argent fin. Quand tout cela fut fait, un soir il appela la reine des Vipères. Une voix dans l'ombre lui dit :

— Que me veux-tu ?

— Je renie mes amours. Je veux bien t'épouser.

La voix lui répondit :

— Si tu n'as pas menti, ton martyre est fini. Je viendrai te chercher demain au coucher du soleil.

Quand l'heure fut venue le garçon lia ses pieds d'or à ses chevilles, boucla sa ceinture et prit sa hache. Quand le soleil tomba au fond du jour la reine des Vipères apparut près de lui. Il leva son arme et l'abattit sur sa tête avec tant de force qu'il trancha son corps de haut en bas. De son sang ruisselant naquit un serpent à figure de fille. Il le trancha aussi. Il accrocha la tête au premier croc de fer rivé à sa ceinture. Au deuxième croc il accrocha le corps. Il revêtit enfin ses ailes d'argent et s'envola dans le vent noir.

A minuit il posa le pied derrière l'atelier silencieux de son maître. Il attendit un peu, puis il le vit sortir, descendre au bord de la rivière, se dépouiller de tout, vêtements, peau humaine, se faire loutre et se glisser dans l'eau. L'apprenti s'approcha, prit sa peau encore tiède dans le saule creux et l'accrocha au troisième croc de sa ceinture. Après quoi il prit son vol, et tournoyant sur la rivière obscure :

— Forgeron, m'entends-tu ? dit-il.

— Que veux-tu, grand oiseau ?

— Je ne suis pas oiseau, je suis ton apprenti. J'ai enduré

sept années les tourments de l'enfer. Ta fille est en morceaux, pendue à ma ceinture, et ta peau d'homme aussi.

Le forgeron gémit lamentablement et plongea dans l'eau noire. De ce jour, personne ne le revit jamais.

L'apprenti s'en alla droit au château de Lagarde. Le jour naissait. Dans le verger était une chapelle. Il en brisa la porte. A la lueur de l'aube il vit sa bien-aimée dans son cercueil. Il lui dit doucement :

— Avez-vous bien dormi ?

Elle lui répondit :

— J'ai mis mon voile blanc, ma robe de mariage. Ai-je fait comme il faut ?

Ils sortirent ensemble au soleil du jardin.

Le péché de l'ermite

Il était une fois un ermite parfait, si pur, si simple et si doux que Dieu l'aimait autant que son enfant Jésus. Cet intime du Ciel ne lui avait jamais causé la moindre peine, tant il était limpide. Il vivait de presque rien dans la grotte creusée au flanc de la montagne verte où il allait cueillir des fruits sauvages et des herbes à tisanes pour les humbles festins qu'il s'offrait le dimanche. La semaine, il accrochait son sac à un clou dans le roc, devant sa porte, et si quelque bonne âme y déposait du pain, il mangeait. Sinon, il se nourrissait de prières.

« Comment donc le tenter ? se dit un jour le diable. Comment empoisonner ce cœur dans lequel tous les jours la Sainte Vierge vient arroser ses fleurs ? » Il espionna son homme, flaira l'empreinte de ses pas, entre son crâne et ses orteils chercha la moindre porte par où s'insinuer dans son corps. Il ne put en trouver. Il s'irrita, pesta, s'en alla enfin trouver Dieu.

— Seigneur, lui dit-il, je demande justice.

— Contre qui, fils maudit ?

— Contre toi, répondit Satan. Tu abuses de ta toute-puissance. Il est, dans une grotte, un ermite inaccessible au mal. Pourquoi interdis-tu qu'il soit, comme les autres, soumis à mes méchancetés ? Soit dit sans t'offenser, c'est du favoritisme. Mon métier, ici-bas, est de tourmenter les gens. C'est toi qui l'as voulu. Tu me dois les moyens de travailler tranquille.

— Fort bien, répondit Dieu. Tente cet homme, je t'en

donne le droit. Je n'ai pas de souci, tu ne le vaincras pas. Sa chambre est déjà prête au paradis.

— Merci, Seigneur, et bonsoir ! dit Satan.

Il courut chez l'ermite. Il le trouva assis devant sa porte, occupé à dîner d'un croûton et d'une cruche d'eau.

— Salut, lui dit Satan. Sais-tu qui je suis ?

— Le diable, répondit tranquillement l'ermite.

— Dieu m'a permis de troubler ton repos. J'aimerais te voir commettre une faute majeure.

— Parle, dit l'autre. Je t'écoute.

— Assassine quelqu'un.

— Non, répondit l'ermite.

— Tu renâcles ? Parfait. Viole une femme.

— Trop grave. Trop bestial. Diable, trouve autre chose.

— Bois plus que de raison. C'est un péché sans conséquence. Tu ne peux refuser.

L'ermite soupira :

— S'il faut que je perde la tête, je veux bien l'oublier un moment dans un flacon d'alcool.

A peine eut-il parlé qu'une fiole de gnole apparut devant lui, sur l'herbe. Il la prit par le col, but, rougit, s'étouffa, cracha, reprit son souffle et gronda :

— C'est terrible !

— Encore une goulée, lui dit le diable. Courage !

L'ermite renfonça le goulot dans sa bouche, but deux lampées, toussa.

— C'est éprouvant, dit-il.

Il ricana pourtant, puis à nouveau leva le coude sans que le diable ait à l'aider, engloutit la fiole à moitié, la laissa choir enfin et déclara, l'œil allumé :

— C'est chaud. C'est bon. C'est diabolique.

Il hoqueta et partit d'un grand rire. Or, comme il se tapait sur les cuisses en s'exclamant de plus belle, une femme parut sur le sentier.

— Bonjour, saint homme, lui dit-elle. Je vous ai apporté quelques pommes de mon jardin.

— Vous me plaisez extrêmement, lui répondit l'ermite.

La mine enthousiaste il empoigna ses hanches, la culbuta dans un buisson et se coucha sur elle en hurlant comme un vieux loup. Elle appela à l'aide. Son mari, qui ramassait du bois à quelques pas de là, accourut en grande hâte. Quand il vit le bonhomme tout empêtré sous les jupons de sa femme, il le saisit par la nuque et l'arracha rudement à son plaisir coupable. Alors l'autre, hagard, ramassa à deux poings un quartier de roc, le leva en ahanant au-dessus de sa tête et l'abattit, les yeux fermés. Quand il les rouvrit l'homme gisait à ses pieds, le crâne fracassé.

— Je crois qu'il est mort, dit Satan, l'air modeste.

Il cueillit une fleur et la mit à sa bouche. L'ermite, dégrisé, se prit le front et dit, épouvanté :

— Seigneur Dieu, qu'ai-je fait ?

Le diable répondit :

— Des trois fautes tu as choisi la moindre. Tu as péché trois fois. Boire trop n'était rien. Mais violer une femme et tuer son mari, voilà qui te promet de longs jours en ma compagnie.

Sifflotant, les mains aux poches, il fit mine de s'en aller. A quelques pas il s'arrêta, se tourna, et comme on interpelle un frère de route :

— Hé, l'ermite, tu viens ?

Les quatre fils

Aussi vaillant qu'on soit au travail quotidien, vient toujours le moment où l'on doit s'asseoir auprès du feu, les mains vides, le dos courbé, et aussi pauvre que chacun devant les ans accumulés. Ainsi fit un jour un vieil homme dans son humble maison que secouait le vent. Il appela ses quatre fils autour de sa chaise, et se chauffant tristement aux braises du foyer, le front bas, il leur dit :

— Enfants, j'ai fait mon temps. Il vous faut maintenant marcher sans votre père. Allez donc par le monde. Apprenez un métier. Quand, chacun dans votre art, vous serez passés maîtres, revenez au village, et si la mort oublie d'ici là de me prendre vous me trouverez sur cette chaise où je vous dis adieu.

Les quatre fils s'en furent. Au premier carrefour chacun suivit sa route.

L'aîné dans un hameau au bord d'une rivière vint à passer devant une maison de pierre blanche. Là était un vieillard qui contemplait le ciel, assis devant sa porte, une lorgnette à l'œil. Le jeune homme lui dit :

— Je cherche du travail.

— Et moi, un apprenti, répondit le bonhomme.

— Quel est votre métier ?

— Fils, je suis astronome.

— Et que m'apprendrez-vous ?

— Je t'apprendrai à voir. Dans un an, jour pour jour, si tu travailles bien, tu auras pour salaire une lunette telle que

par son œil unique tu verras l'invisible autant que le visible.
— Voilà qui me plaît bien, répondit le jeune homme.

Ce même matin-là le deuxième des fils croisa sur son chemin un grand bougre au poil noir, aux pieds bottés de daim, à la tête coiffée d'une toque de loup. Ils firent halte ensemble.

— Salut, dit le jeune homme. Je cherche un bon patron.

— J'en suis un, lui répondit l'homme. Ton air me paraît franc. Suis-moi, je suis chasseur.

Il le prit par la main. Et comme il l'entraînait dans la forêt :

— Si tu sais me servir, dans un an jour pour jour tu auras pour salaire un arc assez précis pour qu'infailliblement toute bête visée soit abattue sur place.

Le troisième des fils parvint dans une ville où il erra longtemps d'échoppe en atelier sans que lui soit donné le moindre espoir d'ouvrage. Au soir, le ventre creux, il poussa le battant d'une taverne. Dans la salle n'était qu'un homme maigre et long accoudé devant un pot de vin. Le garçon s'approcha, proposa ses services. L'autre l'examina, l'air méfiant.

— Il me faut, lui dit-il, un assistant discret, courageux et rusé. Je suis voleur. Si tu sais écouter et suivre mes conseils, dans un an jour pour jour tu sauras tout voler, même une pièce d'or sans que bâille la bourse.

— Marché conclu.

Et ils burent ensemble.

Le quatrième des fils sur le marché d'une vieille cité se prit à converser avec un petit homme qui semblait comme lui s'intéresser aux gens plus qu'aux fruits et légumes. Il lui dit qu'il cherchait un maître à servir. L'autre le regarda par-dessus ses lorgnons et répondit :

— Je suis tailleur d'habits, et je veux bien t'instruire. Si tu travailles comme il faut, dans un an jour pour jour je te ferai cadeau d'une aiguille assez fine et d'un fil assez fort pour coudre le bois dur, la pierre et le métal.

Il l'amena chez lui.

Quand un an fut passé, les quatre fils revinrent au village natal. Leur père, les voyant entrer, se leva de sa chaise, leur ouvrit grands ses bras, les embrassa, leur offrit à manger, puis il leur demanda, à l'heure du café, ce qu'ils avaient appris sur les chemins du monde.

— Moi, je suis astronome, lui répondit l'aîné.

— Moi, chasseur.

— Moi, voleur.

— Et moi, tailleur d'habits, répondit le quatrième.

— Piètres métiers, grommela le vieux père. Mais qu'importent l'argent, la gloire, la puissance ! Quoi qu'on fasse, mes fils, l'essentiel est de le faire bien. J'aimerais donc savoir si vous êtes au moins des ouvriers convenables. Toi, l'astronome, dis-moi ce que tu vois à la cime de l'arbre, là-bas, au fond du pré.

L'aîné mit sa lunette à l'œil et répondit :

— Une oiselle. Elle couve.

— C'est bien. Toi, le maître voleur, peux-tu grimper au nid et empocher les œufs sans éveiller la mère ?

— Facile, dit le troisième fils.

Il s'en fut au feuillage, se hissa de branche en branche, fit un trou sous le nid et revint à son père.

— Voici douze œufs tout chauds, lui dit-il.

— Beau travail. Et toi, tailleur d'habits, saurais-tu proprement recoudre ce que ton frère a déchiré ?

Le tailleur prit l'aiguille parfaite dans son sac, s'en fut à l'arbre, raccommoda la déchirure et s'en retourna au seuil de la maison.

— Parfait, lui dit le père. Ne reste plus que toi, chasseur. Fais ton travail. J'aimerais pour ce soir une oiselle à dîner.

Le chasseur mit deux doigts à sa bouche. Il siffla. L'oiselle s'envola. Une flèche aussitôt l'atteignit droit au cœur. Le père hocha la tête.

— Vous êtes de bons ouvriers, dit-il. Je suis content de vous.

Tous quatre s'installèrent et vécurent un an bien pourvus en travail. Or, un matin, des marchands voyageurs arrivèrent au village avec une étrange nouvelle. La fille aînée du roi venait d'être enlevée par on ne savait qui, et se trouvait captive on ne savait pas où. Et le roi promettait la princesse en mariage à qui la sauverait et la ramènerait au palais de son père. Les quatre fils du vieux aussitôt informés laissèrent leur ouvrage et se mirent en route.

Ils grimpèrent d'abord sur la plus haute montagne du pays. Quand ils y furent, l'astronome mit l'œil à sa lunette et aperçut la mer à l'horizon de l'est. Sur les vagues scintillantes il découvrit un dragon noir. Et sur ce dragon noir, liée entre ses cornes il vit la fille aînée du roi. Elle pleurait, les yeux perdus. Il la trouva touchante et se sentit le cœur tout parfumé d'amour. Il informa ses frères. Tous quatre en grande hâte s'en furent à la mer, naviguèrent sept jours sur une barque rouge, découvrirent enfin le dragon endormi sur les eaux infinies. Le voleur au pied doux lui grimpa sur le dos sans qu'une écaille grince, délivra la princesse et s'en retourna avec elle. Alors droit sur la proue le chasseur décocha une flèche précise. Le dragon coula mort dans un grognement étonné.

Vers la terre lointaine, heureux, ils s'en revinrent. Mais leur bonheur fut court. Le ciel se mit à gronder, la bourrasque à souffler, la mer à s'enrager. Le navire ballotté çà et là se déchira bientôt le ventre contre un mur de récifs. La fille aînée du roi appela Dieu le Père et ses saints au secours.

— Princesse, ce n'est rien, lui dit le tailleur.

En quatre coups d'aiguille il rafistola tout, jointures, trous béants et voiles en lambeaux.

Le lendemain matin, la princesse et ses quatre sauveurs entrèrent au palais. On leur fit une fête extrêmement flatteuse.

— Garçons, leur dit le roi, je vous aime beaucoup, mais comment marier une fille à quatre hommes ?

— Sans moi, dit l'astronome, qui aurait découvert le dragon sur la mer ?

— Sans moi, dit le voleur, qui l'aurait délivrée ?

— Sans moi, dit le chasseur, le monstre nous aurait sûrement dévorés.

— Sans moi, dit le tailleur, nous serions tous noyés à l'heure où je vous parle.

Le roi réfléchit un moment, puis levant l'index devant son nez pointu :

— Et si je vous offrais un coffre d'or chacun ?

Tous les quatre acceptèrent d'un même élan et s'en retournèrent chez eux fort satisfaits, car à chacun, dit-on, en cachette des autres, la princesse promit ce qu'il voulait entendre :

— Laisse ta porte ouverte et ta lampe allumée. Je viendrai dans un mois ou dans une semaine. A bientôt, mon ami.

L'attente leur fut longue et douce infiniment.

Le coffre

On l'appelait la Louve. Elle n'était point pourtant difforme ni féroce. Elle était grande dame, et sa figure était si belle que même les vieillards tombaient amoureux d'elle. Mais personne n'avait jamais effleuré sa main blanche, même furtivement, car son époux était un gaillard redoutable, aussi large que haut, jaloux de son honneur et prompt à déchaîner la foudre au moindre mot de trop. Son nom était Guiraud. On l'appelait le Loup. Voilà pourquoi sa femme était nommée la Louve.

Dans son château perdu hors des routes passantes Guiraud n'invitait jamais personne, sauf quelques compagnons aussi rudes que lui, que la Louve n'estimait guère. Elle n'avait d'amitié que pour les bateleurs qui venaient parfois chanter, jongler et danser dans la cour de la demeure. Elle les trouvait beaux. Elle enviait surtout leur liberté rêveuse. Elle n'en disait rien et faisait mine de les estimer peu, de crainte que Guiraud ne prenne ombrage d'un intérêt trop vif pour ces gens de grand vent à peine vus, trop tôt enfuis, qu'elle gardait en elle longtemps après qu'ils eurent disparu sur le chemin de la vallée.

Or, un jour qu'elle cheminait dans la forêt voisine où elle allait parfois visiter un vieux berger retiré du monde, lui apparut soudain au détour du sentier une créature si étrangement effrayante qu'une plainte lui sortit de la gorge. Elle se détourna, voulut s'enfuir.

— Madame, ayez pitié, dit une voix humaine.

Elle regarda cet être qui lui tendait les mains, debout, à quelques pas. Il était hirsute, poussiéreux, vêtu de pied en cap de quatre peaux de loups.

— Je vous connais, dit-elle, hésitante, craintive.

— Mon nom est Vitalis. J'ai chanté l'autre jour devant vous, pour vous seule. C'était à la Saint-Jean.

Elle lui répondit :

— Certes, je me souviens. Mais que faites-vous là, dans ces fourrés, vêtu comme une bête ?

Il ne répondit pas. Il tomba à genoux. Il semblait épuisé. Elle lui prit la main et le mena chez elle, lui fit prendre un bain chaud, l'habilla de bonne laine, et l'attabla devant quelques viandes rôties. Guiraud était au loin, à la chasse au sanglier.

— Vitalis, dites-moi.

Il lui dit qu'il l'aimait. Après qu'il eut chanté, à la Saint-Jean, il avait refusé de reprendre la route avec ses compagnons. S'éloigner du regard de cette Louve qui lui avait troué le cœur lui était apparu insupportable. Il ne pouvait pourtant, lui l'errant saltimbanque, prétendre vivre auprès d'une aussi haute dame. Alors il avait décidé de rester dans ce bois, à espérer la voir, parfois, sans être vu, vêtu de peaux de loups pour honorer sa Louve, pour que soit dit sans cesse aux bêtes, aux arbres, au monde : « Voyez, je suis à elle. »

Quand il se tut enfin il vit qu'elle pleurait, et que ses yeux brillaient, et que ses larmes étaient, en vérité, heureuses. Elle lui dit :

— Je t'aimais sans savoir qu'un homme tel que toi existait hors des rêves.

C'était la fin du jour. Dans la chambre fermée la nuit fut longue et belle.

Or Guiraud s'en revint, au matin, de la chasse. Il apprit d'une vieille servante que sa femme avait en son absence accueilli un voyageur. La vieille lui dit aussi que cet homme n'avait pas repris sa route après avoir dîné, et qu'il n'avait pas couché dans la chapelle où l'on hébergeait d'ordinaire les pèlerins de passage. Guiraud rugit :

— Où est-il donc ?

L'autre lui désigna la fenêtre de l'appartement où dormait la Louve. Guiraud un court moment resta pétrifié, gronda entre ses dents et soudain s'en fut droit à la tour. Il parvint à l'étage à l'instant où sa femme sortait sur le palier.

— Madame, lui dit-il, avez-vous dormi seule ?

Elle le regarda, tremblante, fière, pâle. D'un coup de pied furieux il ouvrit grand la porte, s'avança lentement. Le lit était défait et les draps chiffonnés, mais la chambre était vide. Contre le mur était un long coffre de chêne. Guiraud le désigna.

— Madame, ouvrez ce meuble. Si je vois dedans ce que je crains d'y voir, vous n'aurez plus qu'à prier Dieu pour la dernière fois.

Elle ne bougea pas et resta muette. Guiraud, dans son œil noir, devina de l'orgueil, du défi, de la haine. Elle lui dit enfin :

— Seigneur, ouvrez-le vous-même si vous ne craignez pas de vous rabaisser à ce misérable travail.

Il fit deux pas, s'arrêta, resta la tête basse.

— Madame, dites-moi qu'un homme n'est pas ici caché, et par Dieu je vous fais serment de vous laisser en paix.

— Seigneur, tuez-moi donc et ouvrez-moi le cœur, c'est là, et point ailleurs que je tiens mes secrets.

Guiraud leva le front, il la prit aux épaules, la contempla longtemps sans qu'elle détourne les yeux. Il dit enfin :

— Madame, gardez-les, je n'en veux rien savoir.

Il s'en fut à la porte et appela. Ses valets accoururent. Il leur ordonna de prendre le coffre et d'aller l'enterrer profond dans le jardin. Après quoi il sortit.

Le coffre fut enfoui, et personne ne sut si l'amant de la Louve était caché dedans. Peut-être avait-il pu s'échapper de la chambre. Elle l'espéra, contre toute raison. La vie reprit son cours. Nul ne reparla plus de ce matin maudit. Après un an passé, la Louve s'en alla en pèlerinage à Compostelle. Elle n'en revint jamais. Guiraud ne put savoir si elle était morte en route ou si quelqu'un, au loin, lui avait fait oublier son époux, son château, et sa lourde noblesse.

Les arbres et la rivière

Ils étaient deux enfants, un garçon, une fille. Ils s'aimaient d'amitié. Le garçon travaillait pour Tord-Chêne son oncle, un bûcheron braillard et malfaisant. Tous les matins, à peine le soleil levé, il jetait son neveu hors de son lit et rugissait :

— Au bois mort !

Et le garçon courait à la forêt, et jusqu'au soir il ramassait des branches.

Chaque jour vers midi au bord du fleuve son amie l'attendait. Elle cherchait des truites sous les cailloux. De temps en temps elle en trouvait, des écrevisses aussi. Sa pêche nourrissait sa famille. Mais son travail lui faisait mal au cœur. Elle aimait les poissons vivants dans le courant, leurs fuites, leurs éclats agiles.

— Regarde, disait-elle à son ami des bois.

Ils restaient de longs moments penchés à contempler la vie mystérieuse des eaux. Puis ils parlaient un peu, ils se réchauffaient l'un l'autre à dire par les yeux leur bonheur d'être ensemble. Parfois il lui disait :

— Demain, c'est jour ailleurs. Je ne sais où j'irai.

Elle ne répondait pas. Elle rêvait plus longtemps que d'habitude contre son épaule. Quand ils se retrouvaient, après ce « jour ailleurs » :

— Hier, disait le garçon, je t'ai vue remonter le courant vers la montagne. Tu étais un poisson aux écailles dorées. Tout le peuple des eaux te faisait escorte.

Elle répondait :

— Oui, j'ai rêvé cela. Et comme je nageais parmi les vagues, je t'ai vu sur la rive. Tu étais un chêne et tes branches hautes étaient illuminées. Tous les arbres de la forêt étaient autour de toi. Ils semblaient écouter les bruissements de ton feuillage.

— Moi aussi j'ai rêvé cela, murmurait le garçon.

Et il restait pensif. « Comment, se disait-il, avons-nous pu nous rencontrer dans deux rêves semblables ? »

Un jour, comme ils parlaient ainsi au bord de l'eau, par le sentier s'en vint le gros Tord-Chêne.

— Que fais-tu là, fainéant ? Est-ce ainsi qu'on travaille ? cria-t-il en levant son bâton ferré. Tes fagots sont mal faits. Je veux les voir liés de fines branches vertes.

— Mon oncle, je ne peux pas, répondit le garçon. J'entends le bois vivant gémir et demander pitié quand j'approche de lui mon couteau.

Son amie frissonna. Elle dit :

— Les poissons que je prends se plaignent aussi. J'en souffre tant que je les rends au fleuve.

— Tais-toi, fille des eaux ! gronda l'oncle. Tu troubles mon neveu. Tu lui tournes la tête. Je sais bien qui tu es. Un jour, sorcière, je te prendrai, et je t'écaillerai, et je te ferai frire !

Un matin de printemps, Tord-Chêne s'en alla sans rien dire avec un grand sac sur l'épaule. Son neveu s'étonna. Il le suivit. Il le vit lancer un filet noir sur le fleuve. Dans ce filet il vit se débattre un poisson. Un seul. Il était d'or. Alors dans son cœur s'ouvrit la porte d'un grand mystère. Sa bonne amie était en vérité la princesse des Eaux. Elle était prisonnière, elle allait mourir sur l'herbe du rivage. Il se précipita. Son oncle voulut l'empoigner, le jeter loin de lui. Les deux pieds du garçon s'enfoncèrent dans la terre et les arbres de la forêt, comme poussés par un vent de tempête, vinrent à son secours, les feuillages en bataille. Tord-Chêne recula. Il courut à sa cabane, il décrocha sa hache, s'en retourna dehors et se mit à cogner comme un titan revenu de l'enfer. Mille buissons empêtrèrent ses pas, mais ce fut en vain. Il les écrasa sous les arbres tombés.

La princesse des Eaux délivrée vit cela. Elle vit le chêne aux branches illuminées seul encore debout parmi ses frères abattus. Le prince des Forêts (savait-il qu'il l'était ?) allait bientôt périr. Alors elle s'en alla, remonta le fleuve, appela les ruisseaux, les sources, les rivières, et tous vinrent à elle, envahirent les rives, noyèrent le pays, engloutirent enfin Tord-Chêne et roulèrent son corps jusqu'à l'océan.

La princesse des Eaux et le prince des Forêts ne sont que deux enfants, un garçon, une fille. Dans la paix revenue tous les jours à nouveau ils se parlent au bord de la rivière. Ils s'aiment d'amitié. Personne, maintenant, ne vient plus troubler leur bonheur d'être ensemble.

La Migraine, le Point de Côté et la Mort

La Migraine, le Point de Côté et la Mort un jour se retrouvèrent à voyager ensemble. Ils n'avaient pas souvent l'occasion de se voir. Ils décidèrent donc de faire un bon repas, pour fêter dignement cette heureuse rencontre. Or, leur bourse était plate.

— Qu'importe, dirent-ils, avisant un berger dans un champ de rocaille, nous allons demander à cet homme un mouton. Nous l'effraierons un peu, il nous le donnera sûrement de bon cœur.

Ce berger déjeunait de pain et de fromage, à l'ombre d'un rocher. Migraine vint à lui, lui donna le bonjour et lui dit, l'œil luisant :

— Tu as de beaux moutons.

— Je n'ai pas à me plaindre, répondit le berger.

— J'en veux un. Le plus gras.

— Si tu peux le payer, dit l'autre, il est à toi.

— Le payer ? ricana Migraine. Bonhomme, sais-tu bien à qui tu as affaire ?

— Non, lui dit le berger, et je m'en moque bien.

— On m'appelle Migraine. Tu me donnes un mouton, ou j'entre dans ta tête.

— Tu ne me fais pas peur, répondit le berger.

Il but une lampée à sa gourde de vin. Migraine en ronchonnant pénétra dans son crâne, et là cognant partout alluma ses douleurs et répandit sa fièvre. L'homme, le front brûlant, s'en fut jusqu'au torrent qui dévalait du mont et s'aspergea d'eau fraîche. Migraine en fut glacée. En couinant et tremblant autant qu'un chat mouillé, piteusement elle s'enfuit, rejoignit le chemin où l'attendaient les autres et leur dit, essoufflée :

— Il est trop fort pour moi.

— Ne t'inquiète donc pas, lui dit Point de Côté. Moi, je le materai. Je ne crains pas l'eau froide.

Il s'en vint au berger.

— Bonjour, l'homme, dit-il.

— Salut, répondit l'autre en mâchouillant un brin de lavande sauvage.

— Je suis Point de Côté. Donne-moi un mouton. Sinon, mon bon ami, je te vrille les côtes.

— Hé, passe ton chemin, répondit le berger. Petit mal, petit prix. Tu n'auras rien de moi.

Point de Côté, furieux, s'enfonça dans son ventre. Le berger alluma deux grands feux de bois sec et s'allongea entre eux sous une couverture. Point de Côté sua, pesta, se sentit fondre. Il se traîna dehors, soufflant et ruisselant, revint en titubant à ses deux compagnons.

— Il m'a eu, leur dit-il.

La Mort lui répondit :

— Moi, il ne m'aura pas.

Elle bomba le torse et s'approcha du roc où était le berger.

— Sais-tu qui te vient là, bonhomme ? lui dit-elle en ouvrant grands ses bras.

— Non, lui répondit l'homme. Mais tu ne me plais pas.

— Je n'en suis pas surprise, ami. Je suis la Mort.

— Et que veux-tu de moi ?

— Un mouton, rien de plus.

— A toi, dit le berger, je ne peux refuser. Prends un mouton, ou trois, ou dix si ça te chante. En échange, oublie-moi le plus longtemps possible. Je suis pauvre, c'est vrai, mais j'aime bien la vie.

La Mort lui répondit :

— J'ignore comme toi ce qui te reste à vivre. Mais si tu veux savoir, ce sera bientôt fait.

Elle jeta sur lui son vaste manteau noir. Le berger aussitôt se vit dans un grand champ aux horizons de brume. Dans ce champ des chandelles brûlaient par millions. La Mort lui désigna parmi elles une flamme.

— Berger, voici la tienne.

— Comme elle brûle bien, comme elle brûle vite ! J'aimerais s'il te plaît qu'elle brûle cent ans.

— Je ne peux rien pour elle, lui répondit la Mort. Moi, j'attends, voilà tout. Quand la flamme s'éteint, je vais chercher mon homme. C'est là mon seul travail.

Le berger un instant resta la bouche ouverte, puis éclata de rire. Il était à nouveau dans son champ de rocaille où ses bêtes paissaient.

— Tu ne peux rien, dit-il, ni pour ni contre moi ? Pourquoi donc t'offrirais-je un mouton, même maigre ? Tu n'auras rien, bougresse, sauf de ce bâton-là, si tu n'es pas partie avant qu'il ne te rosse !

Il brandit son gourdin, le fit siffler dans l'air. La Mort se dissipa comme une fumée noire. Plus puissante qu'un mont, plus faible qu'un cheveu, je crois qu'elle s'en fut se cacher au village où le coq n'a jamais chanté.

Halewyn

Il était une fois au bord de l'océan un beau château dressé sur le roc et l'écume. Jusqu'aux brumes du ciel il s'élevait. Au plus haut de ses murs était une fenêtre sans cesse environnée d'oiseaux. Là se tenait Lauriane, tous les jours de sa vie, à guetter le lointain, seule et mélancolique. Un soir, près de son père assis devant le feu dans sa chambre fermée :

— Pourquoi ne suis-je pas comme les autres filles ? dit-elle tristement. J'en vois certains matins qui vont sur les rochers, elles jouent, elles rient, elles dansent. Parfois je les appelle. Elles lèvent le front et courent à la mer. Alors je tends les mains aux aigles, mais ils passent. Et je reste à pleurer.

Son père répondit :

— Lauriane, fille aimée, n'as-tu pas les bijoux les plus précieux du monde, les jeux les plus subtils, les robes les plus belles ? Que voudrais-tu, dis-moi, qui manque à ton bonheur ?

— J'aimerais être pauvre et libre de courir dans les embruns salés.

Son père dans son grand fauteuil baissa la tête. Son visage pâlit, et son front se rida.

— Fille, fille, dit-il, j'irai pour toi chercher la lune et les étoiles, à Dieu pour ton plaisir j'irai les demander, mais par pitié pour moi oublie la porte en fer qui ouvre sur la mer, oublie le vent salé, oublie le bruit des vagues !

— Si pour l'amour de toi je dois rester captive, mon père, au moins dis-moi quel crime j'ai commis.

— Un secret me tourmente.

— Délivre-toi de lui. Délivre-nous ensemble.

Le vieil homme demeura silencieux un moment. Il soupira. Il dit enfin :

— Hélas, la vérité un jour doit être dite, et ce jour est venu. Ma fille, écoute-moi. Au bord de l'océan est un grand rocher noir. Sache qu'il est maudit. Ta mère, au lendemain de ta venue au monde, m'appela auprès d'elle et me dit : « Mon mari, Lauriane notre enfant est fille d'Halewyn. » Et mon épouse m'apprit qu'un jour de vent, comme elle allait rêvant sur le grand rocher noir, lui apparut au loin une île dans la brume. De cette île lui vint une voix qui disait : « Dame au visage fier, dame aux longs cheveux d'or, je t'attends, viens à moi. » Et cette voix était si tendre, captivante et douloureuse et belle qu'elle sentit son âme et son corps emportés sur le vaste océan jusqu'au bord de cette île où était Halewyn. Avant de trépasser ta mère mon épouse sur Dieu m'a fait promettre de te garder toujours dans ce château fermé. Car si tu le quittais ton cœur t'échapperait, tu courrais aussitôt sur le grand rocher noir, tu entendrais la voix qui vient de ce pays au-delà de la vie où Halewyn sans cesse éperdument t'appelle et t'attend et t'espère.

Lauriane près du feu resta tant étonnée qu'à peine elle entendit son père la quitter. Dès qu'elle fut seule dans sa chambre elle joignit les mains, et contemplant la nuit par la fenêtre ouverte :

— Étoiles qui m'avez vue naître, dit-elle, qui est cet Halewyn à la voix merveilleuse qui emporta ma mère, et pourquoi voudrait-il m'emporter moi aussi ?

Mais les étoiles au ciel demeurèrent muettes, et les saisons passèrent, et mille fois Lauriane interrogea le ciel :

— Soleil qui m'as vu vivre, beaux oiseaux, vent joyeux, qui est cet Halewyn ?

Et mille fois le ciel demeura silencieux. Et Lauriane se tut, et se tut si longtemps qu'elle tomba malade. Vinrent des médecins. Ils dirent à son père :

— Seigneur, elle va mourir.

Son père alors s'assit devant le feu et dit :

— Fille, ma fille aimée, je sais de quoi tu souffres. Ce n'est pas maladie de terre mais de lune. Tes yeux ne s'ouvrent plus, tes mains se refroidissent. Des nuées de corbeaux là-dehors se rassemblent. Va ta vie, mon enfant. Je te donne la clé de la porte de fer qui ouvre sur la mer. Prends aussi mon épée. Qu'elle soit ton conseil. Et quoi qu'elle t'ordonne, sans faute obéis-lui.

Lauriane se leva, elle embrassa son père, descendit l'escalier et sortit du château.

La brise, les embruns aussitôt l'enivrèrent. Elle courut au bord de l'océan, bondit de roc en roc dans des éclats d'écume, gravit le rocher noir parmi les cris des mouettes. Quand elle fut en haut elle ferma les yeux et se baigna de vent. Alors vint une voix lointaine et pourtant aussi proche d'elle que la voix même de son âme, et seule face aux vagues elle entendit ces mots :

— Fille au visage fier, fille aux longs cheveux d'or, je t'attends, viens à moi ! Tu n'es pas de ce monde où te gardait ton père, tu es de ce pays où je t'espère tant !

Elle s'abandonna à cette voix, se sentit emportée, légère, dans la brume et le vent turbulent.

— Adieu, dit-elle à son rivage.

Elle ferma les yeux. Après un bref voyage, elle sentit à nouveau la terre sous ses pas. Autour d'elle n'étaient qu'herbe tendre et buissons fleuris. Vers la forêt voisine où bruissaient mille oiseaux elle s'avança. Alors un cavalier sortit des hauts feuillages. Son cheval était noir. Son habit était rouge. Son regard était clair, innocent et si doux que le cœur de Lauriane lui bondit hors du corps. Devant elle il mit pied à terre.

— Je suis Halewyn, lui dit-il.

Il soupira, sourit. Dans un souffle elle dit :

— Seigneur, quelle merveille.

— Je t'ai tant appelée, dit-il.

— Halewyn, me voici. Je ne désire rien que te servir toujours, lui répondit Lauriane.

Il lui prit à deux mains tendrement le visage.

— C'est ta vie que je veux, dit-il.

Elle répondit :

— Mon prince, elle est à toi.

Il l'aida à monter derrière lui en croupe. Le cheval au galop s'enfonça dans le bois. D'abord tout alentour ne fut que soleil vif au travers des feuillages, puis vint la fin du jour, et la rumeur du vent.

— Halewyn, Halewyn, je me sens fatiguée, reposons-nous ici, par pitié, dit Lauriane.

Halewyn répondit :

— Le temps nous manque, amie, des princesses t'attendent, bientôt tu connaîtras le repos long et doux.

La lune froide vint, et Lauriane gémit :

— Seigneur, je suis glacée. Quand arriverons-nous ?

— Amie, nous approchons.

Encore ils chevauchèrent. Le cheval s'arrêta soudain sous un grand arbre. Halewyn dit :

— Regarde.

Aux branches étaient pendus de misérables corps en longues robes blanches.

— Ce sont là tes compagnes, dit encore Halewyn. Vois comme elles sourient. Elles te font accueil. Bientôt ma bien-aimée tu seras parmi elles, plus belle qu'elles sont, plus haute, plus légère.

Lauriane murmura :

— Me faut-il donc mourir ?

— Tu m'as donné ta vie, répondit Halewyn. Descendons de cheval et sois ici ma femme.

Sa voix était terrible et pourtant délicieuse. Ils mirent pied à terre. Lauriane à son côté prit l'épée de son père et murmura, tremblante :

— Lame de bon conseil, dis-moi, que faut-il faire ?

L'épée lui répondit :

— Décolle-lui la tête.

Lauriane leva l'arme, et tandis qu'Halewyn lui tendait les mains elle trancha son col, et la tête abattue roula dans l'herbe noire. Alors du cou tranché sortit une voix pure comme une âme naissante :

— Lauriane, mon aimée, retourne maintenant cette épée contre toi. Dans la mort je t'attends, dans la mort je t'espère !

Pour la deuxième fois Lauriane murmura :

— Lame de bon conseil, dis-moi, que faut-il faire ?

L'épée lui répondit :

— Décolle-lui les bras.

En deux coups ce fut fait. Alors du corps sans tête et sans bras d'Halewyn une voix s'éleva, éperdue, magnifique :

— Lauriane, mon aimée, retourne contre toi cette arme et viens à moi ! Dans le pays sans fond je t'attends, je t'espère !

Pour la troisième fois Lauriane murmura :

— Lame de bon conseil, dis-moi, que faut-il faire ?

L'épée lui répondit :

— Décolle-lui les jambes.

Et Lauriane obéit, mais le corps d'Halewyn demeura suspendu entre l'ombre du sol et celle du feuillage.

— Oh pur amour de moi, dit la voix de l'amant pareille au chant du cœur du monde, ne m'abandonne pas, je t'attends, je t'espère !

Et les femmes pendues aux branches du grand arbre se mirent à gémir si lamentablement que Lauriane sentit sa poitrine se fendre.

— Oh reine viens à nous, délivre-toi du monde, nous sommes tes servantes au seuil de ton royaume !

Alors l'épée rugit :

— Fille, tiens-toi debout ! Disperse dans le bois les bras avec les jambes, prends la tête et va-t'en !

Aux quatre coins du bois Lauriane dispersa les membres, prit la tête, bondit sur le cheval d'Halewyn, chevaucha follement à travers la forêt.

A l'aube elle parvint au bord de l'océan. Les vagues écumaient contre les rochers sombres. Là, dans le vent furieux, se tenait une vieille au dos courbe, au long châle flottant comme un drapeau de deuil.

— Femme, lui dit Lauriane, comment quitter cette île ? Parle si tu le sais.

La vieille regarda la tête d'Halewyn, caressa ses cheveux et se mit à pleurer.

— Halewyn, Halewyn au chant si beau, dit-elle, moi qui t'ai tant cherché sans jamais te trouver !

Puis désignant un creux de grotte aux eaux tranquilles :

— Fille, là est sa barque. Monte à son bord et va, elle te mènera au pays des vivants.

Le vent gonfla la voile et la barque s'en fut. Et comme elle naviguait, Lauriane sur son cœur prit la tête précieuse et lui dit :

— Halewyn, je t'emporte au pays des vivants. Je t'ai donné ma vie. Jusqu'à mon dernier souffle ni de jour ni de nuit je ne te quitterai.

Et quand elle aborda au château de son père on fit de grandes fêtes. Et dans la salle haute où l'on avait dressé le banquet du retour chacun la vit entrer avec, sur un plat d'or, la tête d'Halewyn. Et quand elle s'assit, elle mit cette tête à la place d'honneur et ordonna qu'on serve Halewyn son époux.

GRÈCE ANTIQUE

Poliétos

C'était un jour d'été. Dans le jardin peuplé d'oiseaux et de fontaines la brise sommeillait. L'enfant Glaucos jouait sous des arcades. Il était fils de roi. Son père était Minos, Pasiphaé sa mère. Sa nourrice le vit courir après sa balle, entendit le bruit de ses sandales décroître sur les dalles. Il disparut derrière une colonne. La femme l'appela. Il ne répondit pas. D'ombres en traits de soleil dans la longue galerie blanche elle appela encore. Elle s'avança sous les arbres, bouleversée, tournant partout la tête. Ses cris n'émurent qu'une abeille dans l'indifférence des verdures.

En hâte elle ameuta les jardiniers et les servantes. Le roi Minos sortit, alerté par leurs courses et leurs affolements. Aussitôt informé il ordonna que cent esclaves fouillent le jardin, le palais, les greniers et les caves. Glaucos n'y était pas. Alors il fit battre la campagne au-delà des murs, les champs, les bois, les monts. Ce fut en vain. Après dix jours enfin Minos et Pasiphaé son épouse décidèrent d'aller demander secours à l'oracle de Delphes. L'oracle qui sait tout et qui ne ment jamais écouta leur prière et gronda ces paroles obscures :

— Sur la terre de Crète un bélier vient de naître. Il est blanc le matin, rouge au plus haut du jour et noir au crépuscule. Qui saura découvrir quel fruit de ce pays ressemble à ce bélier retrouvera l'enfant.

Minos dès son retour convoqua ses devins, ses mages et ses poètes dans son palais pavé de mosaïques bleues. A tous il rapporta la réponse de Delphes. Les hommes méditèrent longtemps en caressant leur barbe. A la tombée du jour parmi ces gens un regard s'éclaira. Le jeune Poliétos dressa l'index et dit :

— Une mûre, seigneur. Une mûre est semblable à ce bélier qui vient de naître, blanche quand elle éclot, rouge à moitié de vie, noire à maturité.

— Vrai, répondit le roi. C'est donc toi, Poliétos, qui retrouveras mon bien-aimé garçon. Va, cherche et reviens vite.

Poliétos s'en alla perplexe. Au seuil du jardin, « où aller ? » se dit-il. La nuit était paisible. Au ciel brillait la lune et ses troupeaux d'étoiles. Il entendit hululer une chouette. Cela le fit sourire. Il lui parut que ce cri l'appelait. Il venait d'une vague cabane adossée à un pan de rempart. Il y alla, écarta les ronciers qui encombraient l'entrée. Dans la ruine n'étaient que des poteries brisées et des vêtements moisis. La chouette était perchée sur un rebord de jarre. Quand Poliétos entra elle prit son envol par le toit grand ouvert. La jarre bascula, se brisa comme un œuf. De l'eau se répandit. Un être humain livide, ruisselant, roula dans les débris. C'était Glaucos. Il s'était noyé dans l'eau de pluie croupie qui emplissait le grand pot rebondi. Poliétos se pencha, prit l'enfant dans ses bras, s'en revint au palais. A la porte où brûlaient des torches Pasiphaé gémit, tendit ses mains. Minos demeura impassible et glacial.

— Tu as trouvé Glaucos, dit-il. C'est bien. Rends-lui sa vie perdue, maintenant.

— Seigneur, je ne sais pas ressusciter les morts, répondit Poliétos.

— Homme, tu le feras, rugit Minos. Sinon tu périras comme a péri mon fils.

Il fit un signe bref. Quatre gardes saisirent Poliétos. Dans un caveau de marbre au milieu du jardin on le fit descendre avec l'enfant noyé. La dalle retomba.

Jusqu'à l'aube, accablé, la tête dans ses mains il contempla la nuit opaque de sa tombe. Au matin, un rayon de soleil aussi ténu qu'un fil éclaira vaguement Glaucos contre ses pieds. Alors près de la main du jeune mort apparut un serpent. Poliétos sursauta, voulut crier, ne put. Il prit son couteau, trancha la bête en deux. Comme il rengainait l'arme, un deuxième serpent surgit près de sa jambe, dressa sa tête, se retira soudain, disparut par un trou à l'angle du tombeau, revint presque aussitôt avec, entre les dents, une poignée de feuilles qu'il alla déposer sur la bête en morceaux. Les deux bouts séparés se recollèrent. Le mort ramené à la vie suivit son compagnon dans son trou ténébreux. Poliétos, ébahi, ramassa le feuillage épars autour de lui, le contempla dans le creux de sa main. « Peut-être, se dit-il, qu'il ne faut pas comprendre, qu'il faut simplement voir, écouter, obéir. » Sur le visage de Glaucos il répandit sa provision.

L'enfant poussa un long soupir. Ses yeux s'ouvrirent, étonnés. Poliétos demanda :

— Vis-tu, fils de roi ?

— Je vis, lui dit Glaucos.

Il appela sa mère. Tous deux s'égosillèrent et cognèrent du poing contre la pierre. Les gardes accoururent. On souleva la dalle. Le jour éblouissant envahit le caveau. Pasiphaé ouvrit ses bras à son enfant. Minos prit Poliétos aux épaules et lui dit :

— Ô faiseur de merveilles !

Poliétos rit enfin, comme un miraculé.

Mélampous

Qui était Mélampous ? Un homme rude et bon. Un jour, par pure pitié, il arracha des griffes d'un faucon deux serpents nouveau-nés. Ces bêtes délivrées pour le remercier enfoncèrent leur langue dans son oreille droite, dans son oreille gauche, en chassèrent quelques brouillards et grains de sable et lui dirent :

— Salut. Désormais ton ouïe est assez fine pour que tu puisses entendre la langue des oiseaux, des insectes et des herbes.

Il en fut content.

Son frère un jour lui dit :

— Je vais me marier.

Mélampous répondit :

— Que ton bonheur soit long. Frère, je t'offrirai le plus riche troupeau qui soit au monde.

Il chercha partout ce troupeau magnifique. Il le vit un matin dans un pâturage de montagne. Un homme veillait sur lui, assis sur un rocher, au bord du pré. Il était armé de pied en cap. A son côté grondait un chien terrifiant. Mélampous apprit que cet homme était un roi berger, qu'il s'appelait Phylacos, et que ce Phylacos aimait tant ses moutons qu'il les gardait lui-même avec sa bête énorme. Il réfléchit longtemps. « Je veux ce troupeau-là, se dit-il. Aucun autre. » Il leva la tête au ciel et murmura ces mots :

— Apollon, dis-moi comment l'avoir.

Le dieu lui apparut dans une brume d'or, au sommet d'un arbre. Il répondit ceci :

— Quand la nuit tombera, fais mine de le voler. Phylacos te prendra. Ne lui résiste pas. Il t'emprisonnera trois cents soixante-cinq jours. Au terme de ce temps, il te fera cadeau du troupeau désiré.

— Que devrai-je faire pour mériter ce don ?

— Vivre, dit Apollon.

Il disparut en fumée lumineuse. Mélampous réfléchit encore, puis se dit : « Une année de prison pour un pareil troupeau, c'est un prix raisonnable. » Au soir il vint rôder autour de l'enclos. Le chien de Phylacos gronda. Il lui lança des pierres. Alors quatre veilleurs lui bondirent dessus, lui prirent bras et jambes. Il se laissa jeter dans un cachot malodorant. Là, nourri de vieux os et de soupe d'eau trouble il regarda passer par la lucarne un automne pluvieux, un hiver sec, un printemps plein d'oiseaux, un été aux nuits douces. Un matin de septembre, comme il se réveillait sur sa litière, il entendit parler au-dessus de sa tête. La voix était à peine perceptible. Elle semblait sortir d'une poutre au plafond. Il écouta, les yeux grands. La voix dit :

— Creusez, trouez, rongez sans trêve, frères, le bout de vos tunnels est proche. Si vous vous acharnez assez, cette charpente à minuit tombera.

Mélampous se dressa. Il appela :

— Phylacos !

Il entendit le pas, dehors, du roi berger. Sa figure aux yeux perçants, à la barbe bouclée, parut à la lucarne.

— Que veux-tu ? lui dit-il.

— Change-moi de prison. Sinon ce toit s'effondrera ce soir, à minuit, sur ma tête.

Phylacos éclata de rire. Il gronda joyeusement :

— Tu es devenu fou. Les rats sans doute ont rongé ta cervelle.

— J'ai dit ce que je sais. Je ne veux pas passer la nuit prochaine ici.

Phylacos l'empoigna, le poussa devant lui jusqu'à la porcherie.

— Je te donne à mes porcs, dit-il.

Il s'en alla. Le lendemain il revint effaré, arracha Mélampous à ses fumiers, l'attira au soleil, désigna le désastre. Au fond de la cour quatre murs nus fumaient. Le toit de tuiles était dedans.

— A minuit, dit le roi, les poutres tout à coup sont tombées en poussière.

Il fit trois pas hésitants vers la ruine, s'en revint, dit encore :

— Es-tu donc magicien ?

— Un peu, dit Mélampous.

— Ton pouvoir m'ébahit. Écoute, homme puissant. Mon fils est malade. Il dépérit sans cesse. J'ai peur qu'il meure. Si tu lui rends la vie, mon troupeau est à toi.

— Aie confiance, Phylacos. Je ne sais pas comment, mais je le guérirai.

Derrière le palais était une colline. Mélampous y grimpa. Sur la cime n'était qu'un olivier sauvage. A l'ombre de ses branches il regarda, en bas, la vaste demeure et la cour ceinte de murailles rustiques, puis levant vers le ciel sa face amaigrie :

— Apollon, dis-moi, que faut-il faire ?

D'un nuage doré entre le soleil et la terre sortirent deux vautours. Ils planèrent un moment autour de la colline puis vinrent se poser sur l'olivier. Mélampous entendit l'un des deux dire à l'autre :

— Nous n'étions pas venus, je crois, depuis ce jour où le roi Phylacos a châtré deux taureaux dans le jardin de son palais.

— Ce jour-là, compagnon, répondit l'autre, le fils de Phylacos a connu l'épouvante. Comme il a hurlé quand il a vu son père avec sa longue lame ensanglantée ! Je crois qu'il a eu peur d'être châtré aussi.

— Phylacos, il me semble, a planté son couteau dans un tronc de poirier, puis il a pris son fils dans ses bras, en riant.

— En vérité, compère, il ne l'a pas consolé. Son garçon, depuis ce jour-là, souffre d'une langueur mortelle.

— Pour le guérir, il faudrait retirer la lame du tronc d'arbre, gratter la rouille qui la couvre et la mêler au lait qu'il boit tous les matins.

— Crois-tu que Mélampous comprend notre langage ?

— Il paraît que oui. Tais-toi donc, compagnon, sinon le roi berger devra bientôt lui faire un cadeau inestimable !

Les vautours ricanèrent. Ils s'envolèrent dans un grand froissement d'ailes, disparurent au fond du ciel. Mélampous contempla, au loin, dans la prairie, l'innombrable troupeau qui paissait l'herbe. Il lui ouvrit les bras. Puis parmi les buissons et les cailloux il descendit la pente en souriant aux rocs, aux parfums de la brise, à la bonté du temps.

Midas

Midas était roi de Phrygie. C'était un bon vivant. Il festoyait parfois avec Dionysos, dieu de la Vigne et du Délire, qu'il aimait d'amitié joyeuse. C'était au temps où les Immortels venaient parfois dîner chez les gens de la Terre.

Un jour, les gardes du palais trouvèrent sous la treille du roi un vagabond à la trogne avinée, aux sourcils broussailleux, au front couronné de grappes de raisin. Le bougre sommeillait, la panse répandue, aussi insouciant qu'un ours au paradis. A grands coups de pique ferrée il fut mené devant Midas. Le roi reconnut aussitôt ce paillard. C'était Silène, sage parmi les fous et fou parmi les sages, ivrogne majuscule et fraternel ami de Dionysos. Midas, confus de voir qu'on l'avait quelque peu malmené, lui offrit un manteau des penderies royales, le parfuma de pied en cap et lui fit l'honneur d'un festin magnifique. Huit jours durant on s'empiffra, on but et l'on chanta. Au neuvième matin le roi et ses convives en troupe titubante ramenèrent Silène affalé sur un âne à Dionysos, qui s'inquiétait beaucoup de ce vieux compagnon. Depuis une semaine, sur son char d'or tiré par quarante tigres il courait les routes à sa recherche. Il se réjouit de le voir revenu. Il embrassa Midas.

— Mon ami, lui dit-il, tu es bon. Tu as su traiter Silène comme un frère. Pour t'en remercier, il me plaît de satisfaire ton désir le plus cher. Parle donc, je t'écoute.

Midas lui répondit en agitant les doigts devant ses yeux luisants :

— J'aimerais que tout ce que je toucherai, désormais, devienne d'or.

Dionysos, la bouche ouverte au ciel, éclata d'un rire tonitruant.

— Ce que tu veux sera, dit-il. Que tes mains soient fertiles, homme imprudent !

Midas revint chez lui, débordant de bonheur et bouillonnant d'envies rares. Il gravit l'escalier de son palais. Il poussa le portail, qui aussitôt étincela : il était de bois, il fut d'or. Il courut à ses appartements, écarta un rideau devant une fenêtre. Il le vit à l'instant tissé de fils d'or. Il se mit à danser. La tête renversée, il saisit une mouche. Un grain d'or lui roula au creux de la main. Il le baisa, rieur, et le jeta à ses gens.

— J'ai faim ! dit-il.

Un repas lui fut servi sur l'heure. Il prit un bout de pain. Il était d'or quand il parvint à sa bouche. Il en fut surpris. Il ordonna que l'on noue sa serviette autour de son cou et qu'on le nourrisse comme on donne la becquée aux enfants. Il tendit ses lèvres avides au serviteur courbé sur son assiette d'or. A peine eut-il mordu dans sa galette qu'il eut de l'or entre les dents. Il le cracha, gémit :

— Je vais mourir de faim, malheur, je me sens déjà maigre. Au secours, Dionysos ! Je t'offre mon palais pour un fromage et un cruchon de vin !

L'énorme rire du dieu résonna sous les plafonds voûtés. Midas se dressa, effaré. Il entendit ces mots :

— Seule l'eau du Pactole peut te débarrasser de ton pouvoir. Va te laver ou n'y va pas, vis ou meurs, Midas, que m'importe !

Midas galopa jusqu'au fleuve. Il s'y plongea, s'y lava longtemps et put enfin manger quelques oignons que lui offrit un berger sur l'herbe de la rive.

Après la frayeur qu'il avait eue, il lui sembla renaître. Assis à l'ombre d'un chêne il se prit à rêver aux beautés de la vie rustique. L'or, il le haïssait désormais. La fortune? « A quoi bon? » se dit-il. Dans le pré devant lui il vit venir un être à la barbe folâtre, aux pieds de chèvre, à chevelure cornue. Il jouait de la flûte. Son chant était joyeux mais faux et criaillant. Midas le reconnut. C'était Pan, dieu des Ruisseaux et des Bois. Il pensa : « Voilà bien l'Immortel le plus simple et le plus doux qui soit. Désormais, c'est sa seule amitié que je veux cultiver. » Il s'approcha de lui. Il lui dit :

— Ton chant est admirable.

L'autre lui fit un sourire tordu, s'escrima de plus belle. Sa flûte bavarda soudain comme une pie râleuse.

— Quelle subtilité! dit encore Midas. En vérité tu joues mieux qu'Apollon.

Apollon, dieu des Arts, entendit ces mots de son balcon céleste. Il en eut aussitôt une aigreur dans le nez. Il se laissa glisser sur un rayon de soleil, apparut dans le pré devant Midas.

— Tu trouves? lui dit-il, la mine pincée. Je crois que ton ouïe manque un peu de finesse.

Il effleura sa tête d'un index négligent et dit encore :

— Ainsi elle sera meilleure.

Il s'effaça dans l'air tandis que Midas, les mains affolées, découvrait contre ses tempes deux oreilles velues, étrangement mobiles, terriblement longues.

— Misère, gémit-il, j'ai des oreilles d'âne!

Tenant son manteau sur le crâne, courbé comme sous une averse il s'en revint chez lui, se coiffa d'un turban pointu, se regarda dans un plateau d'argent. Il se trouva grotesque. Il caressa sa nuque. Ses doigts s'égarèrent dans un fouillis de poils raides, piquants et drus. Il manquait à son échine la crinière de l'âne. Il la sentit pousser. Comme on crie : « Je me noie! » il hurla :

— Mon barbier!

Le barbier vint. Midas s'enferma avec lui dans sa chambre. Il ôta sa coiffure. L'autre, pantois, poussa un long sifflement frêle.

— Tu me trahis, tu meurs, lui dit Midas. C'est clair?

– C'est parfaitement clair, répondit le bonhomme.

— Maintenant, rase-moi.

L'autre fit son ouvrage.

Ces sortes de secrets sont les plus lourds du monde. Le barbier porta le sien trois jours. Au matin du quatrième, quitte à mourir après, il fallut qu'il le dise. Il se prit par la main et se mena dehors. Il marcha jusqu'au fleuve. Parmi les hautes herbes il tomba à genoux devant une touffe de roseaux. Il murmura :

— Le roi Midas a des oreilles d'âne. Voilà, j'ai parlé. Salut. Je me sens beaucoup mieux.

Le vent vint aux nouvelles. Il souffla :

— Qu'a-t-il dit ?

Les roseaux répondirent :

— Le roi Midas a des oreilles d'âne.

Les arbres répétèrent :

— Hé, buissons, il paraît que Midas a des oreilles d'âne.

Et les buissons bruissèrent :

— Étrange, en vérité.

— Midas ? dit une fille.

Elle éclata de rire. Le secret s'envola, et le voici posé dans tes oreilles fines. Si tu rêves trop haut, prends garde qu'elles poussent.

Psyché

Il était une fois une fille de roi. Son nom était Psyché. Dans ses yeux brillaient toutes les bontés du monde, et pourtant on s'y perdait comme dans une nuit infinie. Elle avait un grain de beauté au milieu du front. Elle était timide et sereine. Elle avait dix-huit ans quand le malheur tomba sur elle.

La fragile perfection de son visage émut un jour le dieu Éros. Il l'aperçut au pied d'un chêne. Un rayon de soleil caressait sa chevelure dans la paix du jardin où elle allait parfois à la rencontre secrète de ses rêves. Il en fut éberlué d'amour. Son cœur était pourtant comme une citadelle aux murs aveugles. Ce jour-là il s'ouvrit pour la première fois. Il regarda Psyché longtemps sous le feuillage puis s'en revint dans son pays céleste comme un grand oiseau ivre. Il entra dans le palais de sa mère Aphrodite, s'avança devant elle et dit :

— Une mortelle a troué mon regard.

Il resta silencieux un moment. Il dit encore :

— Sa beauté est plus haute que la tienne.

Aphrodite pâlit. Une lueur haineuse s'alluma dans ses yeux.

— Qui est-elle, mon fils ?

Éros lui répondit :

— C'est Psyché.

Aussitôt un brouillard noir tomba sur le royaume où vivait cette fille. Les gens aveuglés cherchèrent le soleil, le roi pris d'effroi tendit ses mains au ciel et demanda aux dieux quel crime avait commis son peuple pour endurer pareil désastre. Aphrodite apparut devant lui. Elle lui dit :

— Conduis Psyché en vêtements de deuil sur le plus haut sommet des montagnes de Grèce. Au pied du dernier roc entre la terre et les nuages tu la laisseras seule. Un monstre viendra. Il la prendra pour femme. Quand j'aurai vu cela, ton pays revivra.

Le roi baissa la tête, pleura dans ses mains, hurla son refus de sacrifier ainsi sa fille. Il obéit pourtant. Au soir en long cortège elle fut amenée sur la montagne. Quand les gens l'eurent abandonnée elle se laissa aller contre le roc et son esprit sombra dans l'obscurité sans mémoire.

Quand elle revint au monde, elle ne vit d'abord qu'un vague plafond d'or orné de figures peintes qui la regardaient. Elle était couchée sur un lit de fourrure. Elle se dressa. Par la fenêtre ouverte elle aperçut un pan de verdure, une échappée de ciel. Elle entendit un bruit de pas furtifs. Elle se retourna. Près d'elle était un être. Il était souriant, fluet comme un roseau. Ses cheveux paraissaient de brume. Il lui dit :

— Bienvenue dans le palais de mon maître.

— Qui es-tu ? dit Psyché.

— On m'appelle Zéphir. Je t'ai tout à l'heure enlevée d'un coup d'aile à la montagne où tu allais mourir.

Il rit, et disparut.

Psyché se reposa parmi les oiseaux qui parfois venaient voleter dans sa chambre. A la nuit une ombre s'approcha d'elle, une voix parla contre sa tempe :

— Ne cherche pas à voir mon visage, Psyché, sinon tu me perdrais à jamais.

Un homme se coucha sur le drap. Ses gestes étaient doux, sa présence était émouvante. Il dit encore :

— Un jour nous vivrons au soleil.

Le lendemain matin, quand Psyché se réveilla, elle chercha l'ombre aimante sur l'oreiller. Ses doigts ne rencontrèrent que son absence tiède. Des esclaves vinrent la parfumer, lui servir des fruits, du lait, des amandes. Elle sortit dans le jardin, s'y promena longtemps. A la tombée du jour l'amant revint, à peine plus obscur que l'ombre nocturne. Cette fois elle caressa son visage dans le noir et se plut à imaginer ses traits. Elle effleura son front, l'arête de son nez, baisa sa bouche. Cette bouche lui dit :

— Ferme les yeux, Psyché, tu ne dois pas me voir.

Au matin à nouveau elle se réveilla seule. Elle refusa de toucher au déjeuner qu'on lui porta, renvoya les esclaves et descendit au jardin. Le jour lui parut long et la lumière trop vive. La nuit venue, auprès de son époux sans figure elle ne put dormir. Une heure avant le jour tandis qu'il sommeillait elle se leva, alluma une chandelle et se pencha sur ce corps d'homme impatiemment aimé. Au bout de son bras levé la lueur trembla soudain. Le visage éclairé était celui d'Éros. Un peu de cire chaude tomba sur sa poitrine nue. Ses paupières battirent. Il détourna les yeux. Psyché gémit, souffla la flamme. Dans l'obscurité revenue le dieu lui dit :

— Tu m'as perdu.

Un tourbillon la prit. Elle s'entendit hurler au loin dans la tempête, ouvrit les yeux enfin. Elle était à nouveau sur la montagne, abandonnée de tous, pelotonnée contre le rocher de la cime. Dans la vallée des torches en cortège s'éteignaient une à une. De longs nuages, au ciel, tranchaient la lune. Glacée de corps autant que d'âme elle écouta le vent. Sa rumeur se mêlait au fracas d'une cascade. Elle se dressa, courut vers un bruit d'eau furieuse, parvint au bord d'un gouffre. Les bras ouverts, elle se laissa tomber en avant.

Il lui sembla qu'une main grande comme une aile d'aigle la retenait dans l'air et la portait au-dessus des écumes fumantes. A l'aube elle se réveilla au bord d'une rivière. La main secourable l'avait déposée là, au pied de la montagne, sur l'herbe de la rive. Dans la lumière du matin elle vit venir à elle un vieux berger vêtu d'un long manteau bouclé. Il lui sourit, ne dit rien, mais lui donna du pain. Il lui offrit à boire au creux de ses mains, puis il lui désigna un temple au bout du pré. Il l'accompagna jusqu'à sa porte et s'en retourna sans un mot de salut. Psyché entra seule dans l'ombre fraîche. Le lieu était désert. Au fond, deux lampes brûlaient. Entre elles était une statue d'Aphrodite. Psyché s'approcha d'elle, s'agenouilla, posa son front sur les dalles et demanda grâce. Alors la bouche de pierre parla. Elle dit :

— Tu m'as volé mon fils et ma gloire. Dans la montagne est une brebis d'or. Porte-moi un flocon de sa laine et je pardonnerai le mal que tu m'as fait.

Psyché se releva et s'en alla, pareille à une mendiante sauvage. Elle marcha longtemps par les friches rocheuses, goûtant à peine à l'eau des sources, aux fruits des buissons. Un soir, à bout d'espoir, elle s'endormit sur une pierre plate. Au matin un corbeau posé sur son épaule laissa tomber près d'elle une boucle de laine d'or. Sur la crête du mont une chèvre éblouissante galopait dans le soleil naissant.

Psyché revint au temple, tendit les mains à la statue. Aphrodite à nouveau parla, sans que bougent ses lèvres. Elle lui dit :

— Je souffre encore. Je veux que tu me donnes à boire un flacon d'eau de la fontaine qu'un dragon garde au cœur de la forêt.

Psyché à nouveau s'en alla. Marchant droit devant elle sous les arbres, dormant la nuit venue dans la chaleur des bêtes ou le froid des cailloux, elle parvint enfin au bord d'une clairière, au cœur de la forêt. Elle vit un rocher d'où jaillissait une source. Autour de ce rocher un dragon rouge et vert était enroulé. Sa tête se dressait aussi haut que le feuillage des chênes alentour. Psyché vint à lui sans espoir, comme on va fièrement au-devant de la mort. Le dragon se pencha, salua sa beauté, ferma les yeux enfin. Elle remplit son flacon et s'en retourna au temple d'Aphrodite.

Comme elle s'approchait de la statue impassible :

— Un grain de haine me reste dans le cœur, murmura la déesse. Fille, va chez les morts. Demande à Perséphone la reine des Enfers un coffret du parfum d'immortalité. Porte-le jusqu'ici, tu seras délivrée.

Psyché s'en fut encore. Au fond d'une caverne une porte de pierre s'ouvrit seule quand elle fut devant. Longtemps elle descendit le long d'un tunnel sombre parmi les corps impalpables des morts. Au bout de ce tunnel elle parvint dans une salle blanche. Perséphone était là, assise sur son trône. La reine des Enfers lui tendit un coffret. Elle le prit, s'en alla. Or, comme elle sortait de la grotte obscure, le soleil l'aveugla. Elle trébucha contre une branche tombée au travers du chemin. Le coffret tomba et se brisa. Alors une nuée enveloppa son corps. Elle perdit conscience.

Un grain d'éternité tomba dans le sablier des dieux. Psyché se réveilla. Elle ne vit qu'un regard, celui d'Éros penché sur elle.

— Tes tourments sont finis, lui dit-il.

Il sourit. Le soleil se levait sur le palais céleste.

ROUMANIE

L'arbre de Vitorka

Un homme un beau matin planta dans son jardin une branche de saule. Au soir de ce jour sa femme accoucha d'une fille. On l'appela Vitorka. N'étaient pas passées trois journées que son père mourut ainsi : un cheval vint devant sa porte. Personne ne le vit sauf lui. Il monta en selle, il s'en fut, et son corps resta sur le lit. Quinze ans passèrent. Vitorka devint belle comme le soleil à midi et le saule sous sa fenêtre grandit, se fit bruissant et fort.

Un jour vint un jeune homme. Il n'avait rien, sauf ses deux mains, son regard vif, sa faim de vivre. On l'appelait Vitek-Beau-Chant. On l'engagea chez Vitorka. Il fendit le bois, coupa l'herbe, laboura, fleurit la maison. La mère l'aima comme un fils. Vitorka l'aima plus qu'un frère, mais elle n'en dit rien. Ils allaient ensemble aux pâturages, ensemble ils couraient la forêt. On disait qu'ils se ressemblaient parce qu'ils éprouvaient les mêmes bonheurs, et qu'ils avaient les mêmes élans. Passèrent quatre années encore. Un soir après dîner Vitek dit :

— Vitorka et toi sa mère, écoutez-moi. Demain je pars d'ici. Je vais chercher fortune à la grâce de Dieu. Un jour je reviendrai riche comme un prince, et je vous ferai reines, et nous serons heureux.

Vitorka pleura toute la nuit dans les bras de sa mère. Le lendemain, comme Vitek, son bâton à la main et son sac sur l'épaule, sortait dans l'aube fraîche, Vitorka le retint sur le seuil et lui donna toute sa fortune : un sou d'or que son père avait mis dans sa main le jour de sa naissance.

— Qu'il te porte bonheur, lui dit-elle. Reviens bientôt. Vois, je t'attends déjà.

Et de ce matin-là elle attendit Vitek. L'hiver s'en vint, le printemps et l'été, l'automne roux. Ne fut pas un soir qu'elle n'écoute les bruits de pas sur le chemin, assise à l'ombre du saule, ne fut pas un jour qu'elle ne parle avec sa mère à la cuisine du temps où Vitek était là. Après un an un voyageur vint leur porter de ses nouvelles. Dans un port au bord de l'océan il avait vu Vitek s'embarquer pour les îles. Après deux ans un matelot errant leur apprit qu'il était dans un pays lointain, solitaire et démuni comme un chien. Puis ne vint plus personne, et l'on se dit que Vitek était mort, que mieux valait ne plus guetter le fond des routes, qu'il ne reviendrait pas.

Vinrent de jeunes hommes à l'ombre du saule où Vitorka rêvait tous les soirs de sa vie. Ils lui offrirent des fleurs et lui parlèrent d'amour. A tous elle répondit « non » en remuant la tête, le regard si perdu qu'ils ne surent que dire. Dans sa mémoire n'était qu'un seul regard à demi effacé par les années, qu'un seul nom, qu'un espoir au secret de son cœur.

Un jour un cavalier descendit de cheval à la porte du jardin. Il s'approcha du saule où étaient Vitorka et sa mère.

— Dieu vous garde, dit-il. Auriez-vous à manger ? Je suis un pèlerin qui vient de Terre sainte.

La mère répondit :

— Prenez place, étranger. Nous avons des galettes et du fromage.

Vitorka le servit. Comme elle posait devant lui l'écuelle, leurs yeux se rencontrèrent. Elle en eut soudain le cœur si bondissant qu'elle mordit sa lèvre.

— Ma maison autrefois était comme la vôtre, dit l'homme.

Il mangea et but en silence. Il dit encore :

— Vieille femme, ma mère vous ressemblait. Mais il y a si longtemps ! Si je lui revenais, me reconnaîtrait-elle ?

— Elle vous reconnaîtrait entre mille, lui répondit la vieille. J'ai un fils, moi aussi, qui erre Dieu sait où. S'il revenait, même traînant misère, mes bras s'ouvriraient seuls avant même qu'il n'apparaisse !

— Comment se nomme-t-il ?

— Vitek. Que le Ciel le protège !

— J'ai connu un Vitek, c'était presque mon frère. Il m'a souvent parlé du saule devant sa porte, de sa mère adoptive et de sa Vitorka, qu'il a aimée sans faillir un seul jour, et qu'il aime encore.

— Pour lui porter bonheur elle lui avait donné un sou d'or, lui dit la jeune fille.

Le feuillage du saule bruissa sous la brise. Sur la table une pièce tinta.

— Vitek, dit Vitorka.

Il répondit :

— Me voici de retour.

C'était le mois de mai. Ils se marièrent aux premiers jours de l'été. Vitek, devenu riche au-delà des mers, acheta des chevaux, des bœufs, des champs, des vignes. Il aurait aimé bâtir une maison nouvelle, mais Vitorka lui dit :

— Homme, je veux rester près du grand saule.

Il céda volontiers. Jusqu'à l'hiver ils vécurent heureux.

Or, une nuit que la lune brillait sur la neige, Vitek se réveillant une heure avant l'aube sentit près de lui sa compagne glacée. Il se pencha sur elle. Il la vit pâle, raide. Elle ne respirait plus. Il bondit hors du lit, courut chercher la mère. Ils revinrent ensemble à la chambre. La chandelle haute, il posa sa main tremblante sur le visage aimé. Vitorka dormait à nouveau paisiblement. Son souffle était chaud, ses joues étaient roses. La vieille mère en ronchonnant fit un signe de croix.

— J'ai rêvé, dit Vitek.

Jusqu'au matin son cœur resta poigné d'angoisse. Dès que le soleil eut réveillé sa femme, il lui dit :

— Cette nuit je t'ai vue comme morte. Ton âme n'était plus dans ton corps. Où était-elle allée ?

Vitorka répondit :

— Parfois dans mon sommeil j'entends la voix du saule. Il m'appelle, je sors, et je vois un vieil homme sous la lune. Il me prend la main. Alors autour de moi apparaît un jardin vivant. J'entends parler les fleurs, les arbres. Tout ce qu'ils disent est bon, et je me réjouis avec eux, puis la lune descend derrière la forêt, et je reviens au lit. Ne t'effraie pas, Vitek, ce n'est rien. C'est ma vie secrète.

Vitek resta pensif. Il sortit sur le seuil, regarda le saule et se sentit amer. Il détesta le chant des branches sous le vent. « Je vais l'abattre, se dit-il. Il fait de l'ombre dans la chambre. » Vitorka murmura près de lui :

— Aime-le.

Il oublia sa peine.

A l'entrée de l'été, la jeune femme accoucha d'un garçon. Vitek en eut le cœur lavé de tout souci, et dans l'ombre du saule les rires envahirent à nouveau l'air bleu. Vint une nuit où l'enfant pleura dans son berceau sans que sa mère ne vienne auprès de lui. Vitek se réveilla. Vitorka à nouveau avait quitté son corps. Il courut au jardin. Tout était calme. Le feuillage de l'arbre bruissait sous la lune. Il revint dans la chambre. Vitorka souriait, son fils dans ses bras.

Le lendemain matin, sans rien dire à personne, il empoigna sa hache. Au premier coup porté contre le tronc du saule Vitorka dans sa chambre ouvrit les yeux et gémit. Au deuxième coup des sanglots montèrent dans sa gorge. Au troisième coup ses yeux appelèrent à l'aide, mais elle ne put parler. Le saule se mit à geindre comme un homme qui meurt. L'enfant cria. Vitek jeta sa hache. Il courut à la chambre, mais il était trop tard. Vitorka était morte.

Elle revint le voir, un soir, dans un rêve. Elle lui dit :

— Vitek, tu dois vivre. Creuse un berceau nouveau dans le tronc du saule. Tant que notre fils y dormira, je veillerai sur lui. Plante les branches. Qu'un nouvel arbre vive, qu'il pousse avec notre garçon. Quand il sera grand, il fera des sifflets dans ses rameaux, et quand il sifflera, il entendra la voix de sa mère.

Vitek fit tout ainsi, et son enfant grandit, et la voix de sa mère dans les sifflets taillés accompagna le chant des oiseaux au printemps.

Le conte n'en dit pas plus sur Vitek et son fils. Il dit seulement que depuis ce temps le saule est une porte par où entrer en paradis.

Histoire du pain

Il était une fois un homme et une femme. L'un et l'autre étaient veufs. Ils n'avaient plus d'amour, ils avaient eu leur lot. L'homme avait un garçon. Il gardait les troupeaux sur la montagne verte. La femme avait trois filles. Elles aidaient au ménage. Un jour, comme ils déjeunaient, le fils dit à son père :

— Un taureau noir est né cette nuit à l'étable. J'aimerais qu'il soit mien.

L'homme lui répondit :

— Je te le donne, fils.

La femme ronchonna. « Ce garçon, pensa-t-elle, peu à peu prendra tout. Que nous restera-t-il, à mes filles, à moi-même ? La paille de la niche ! Ah, s'il pouvait mourir, je pleurerais d'un œil mais je rirais de l'autre. » Le lendemain matin, quand le fils de son homme fit son sac pour la journée :

— Je n'ai pas eu le temps de cuire ton repas, lui dit-elle. Va-t'en, tu mangeras plus tard.

Vers l'heure de midi elle aplatit entre deux torchons une galette de cendres, appela son aînée :

— Prends ce pain gris, petite, et va donc le porter au fils de mon mari.

La fille s'en alla. Au même instant dans la montagne le garçon sommeillait près de son taurillon. La bête remua son flanc d'un coup de front et dit à voix humaine :

— Maître, on veut te voir mourir. Sais-tu quel déjeuner

s'en vient par le chemin ? De la cendre en galette. Tourne ma corne gauche.

Le garçon prit la corne, la dévissa d'un tour. Aussitôt sur l'herbe du pré apparut une table abondamment pourvue de viandes, de gâteaux et de vin en carafe. Il s'en remplit le ventre. La fille n'en vit rien. Comme elle grimpait au pâturage elle se sentit lasse. Elle s'allongea sous un arbre, s'endormit un moment. Quand elle se réveilla, c'était le crépuscule. Elle jeta la galette dans un buisson et revint à la ferme par le sentier pentu.

Le lendemain matin, même chanson. La femme fit du vent avec son grand balai. Le garçon s'en alla à la montagne verte sans avoir déjeuné. Il attendit midi.

— Prends ce pain gris, petite, et va donc le porter au fils de mon mari, dit la mauvaise femme à sa deuxième fille.

Et dans le pré du mont :

— Tourne ma corne gauche, dit le jeune taureau à son maître affamé.

La fille s'endormit, elle aussi, en chemin. Quand elle s'éveilla (c'était le crépuscule) elle jeta son pain de cendre par-dessus son épaule et s'en revint trottant sous le ciel traversé d'hirondelles.

Au troisième matin :

— Prends ce pain gris, petite, et va donc le porter au fils de mon mari, dit la mauvaise femme à sa troisième fille.

Cette cadette-là était comme une eau vive. Elle n'eut pas sommeil en route. Elle trouva le garçon, dans l'air fringant du pâturage, les joues gonflées de viande et la cruche à la main, vit le jeune taureau couché près de son maître, flaira quelque magie, s'en retourna en hâte et alerta sa mère. Le soir, quand le mari revint du travail, il trouva sa femme toute dolente au bord de l'âtre.

— Je suis malade, lui dit-elle, et le docteur m'a dit qu'il me faudra manger le cœur d'un taureau jeune. Sinon, adieu, je meurs.

— Bon. Nous sacrifierons celui de mon garçon, répondit le bonhomme.

Au même instant son fils entrait dans la cour de la ferme.

— Ton père nous attend avec un grand couteau, lui dit le taurillon. C'est à moi qu'il en veut. Saute donc sur mon dos et sauvons-nous ensemble.

Le garçon vit sortir son père sur le seuil armé d'un poignard nu. Il bondit sur sa bête, prit à deux bras son encolure noire, contre elle se serra, et son taureau s'en fut au grand galop dans la nuit étoilée.

Jusqu'à l'aube ils cheminèrent droit devant, en grande hâte. Quand le soleil parut au fond de l'horizon, ils firent halte. Ils étaient parvenus dans un champ infini.

— Tourne ma corne gauche et déjeune, mon maître, dit le jeune taureau. Après quoi j'irai paître.

Le garçon déjeuna puis s'allongea dans l'herbe, à l'ombre d'un rocher. Comme il rêvait ainsi, les yeux perdus au ciel, il vit venir un aigle prodigieux. Ses ailes battantes firent lever une bourrasque sur les avoines du pré. Il se posa à la cime du roc, et le vent s'apaisa.

— Où est ton taurillon, garçon ? demanda l'oiseau, à voix humaine.

— Il est à la pâture.

— Quand il reviendra, dis-lui que je l'attends au bord du lac de lait. Mon bec contre son front il nous faudra combattre.

Ayant ainsi parlé, l'aigle s'en retourna au ciel.

— Taureau, mon beau taureau, dit à son compagnon le garçon assis dans l'herbe, quand ils se retrouvèrent, tu dois aller combattre au bord du lac de lait.

— J'irai, je reviendrai, répondit le taureau.

Il y fut, il revint. Une nouvelle nuit la bête et le garçon coururent la terre sans chemins, droit devant. A l'aube, ils se virent au pied d'une haute montagne. Le taureau s'en fut paître dans des prairies brumeuses. Le garçon s'allongea au bord d'une cascade, vit un aigle nouveau descendre des nuages.

— Où est ton taurillon, garçon ?

— A la pâture.

— Je l'attends tout à l'heure au bord du lac de lait. Mon bec contre son front il nous faudra combattre.

Quand le taureau revint :

— J'irai, je reviendrai. Ne t'inquiète de rien, mon bon maître, dit-il.

Il y fut, il revint, et l'un chevauchant l'autre une nuit sans étoiles encore ils cheminèrent. Parvenus au matin à la lisière d'une forêt :

— Maître, dit le taureau, aujourd'hui est un jour difficile. Je dois livrer combat au troisième des aigles. Je n'en reviendrai pas. Quand tu me verras mort, arrache ma corne gauche et prends-la avec toi. Traverse la forêt. Tu parviendras bientôt dans une grande plaine. Alors tu poseras la corne sur l'herbe, et tu la briseras. As-tu bien tout compris ? Prends soin d'agir exactement comme j'ai dit. Adieu, garçon.

Le taureau s'en alla, tristement, le front bas. Au soir le garçon s'en fut au bord du lac de lait. Il vit son compagnon couché mort sur la rive. Il arracha sa corne gauche et partit en pleurant.

Il chemina longtemps dans la forêt sans voir le bleu du ciel, tant elle était épaisse. Il finit par s'y perdre. Épuisé, seul au monde, espérant un miracle, il s'assit sous un arbre, posa la corne sur le sol et d'un coup de caillou il la fendit en deux. Aussitôt en sortirent en troupe bondissante des milliers de moutons, de vaches, de volailles qui partout se dispersèrent dans le sous-bois. « Malheur, pensa le garçon voyant ses bêtes fuir, comment les rassembler et les mener à la plaine ? Par ces ronciers, ces taillis, ces broussailles, je vais les perdre toutes ! » Il se sentit soudain si démuni qu'il se prit à gémir et à maudire la vie. Alors il vit sortir un énorme serpent d'un tas de feuilles mortes. Le monstre dressa la tête devant lui et dit :

— Pourquoi te plains-tu ?

— Mon bétail est perdu, répondit le garçon.

— Écoute, siffla l'autre. Je peux le rassembler et le mener hors de cette forêt. Mais si je fais cela, tu ne devras jamais aimer aucune femme, sinon tu seras tout à moi, de corps autant que d'âme. Ce marché te plaît-il ?

— Non, il ne me plaît pas, répondit le garçon. Mais je t'obéirai, et je tiendrai parole.

Le monstre le mena hors du bois, dans la plaine. Ses bêtes le suivirent. Des enclos, des étables, une maison enfin, ornée de quatre tours, furent bientôt bâtis, et la fortune vint au jeune aventureux.

Un jour qu'il recevait des amis à sa table :

— Tu devrais prendre femme, lui dit un compagnon.

Tous les convives l'approuvèrent. Le garçon répondit :

— Hélas, je ne peux pas.

Il conta son histoire et la promesse faite au grand serpent. Les autres l'écoutèrent, puis ils dirent :

— N'aie pas peur. Marie-toi. Nous viendrons tous armés. Si ce maudit serpent vient troubler la fête, nous livrerons bataille et nous lui fendrons la tête.

Le garçon se choisit l'épouse qu'il voulait. Depuis longtemps déjà il aimait d'amour fou sa voisine, en secret. Vint le jour de la noce. On dressa dans la cour des tonneaux et des tables. A l'instant où chacun levait son verre en criant des vivats, le serpent apparut derrière les mariés. Il se glissa entre eux. Les amis du garçon restèrent ébahis tant le monstre paraissait féroce. Aucun n'osa porter la main à son couteau. Alors un pain doré sortit de la corbeille au milieu de la table et dit, parlant soudain comme une tête d'homme :

— Que nous veux-tu, serpent ?

— Je veux le marié, répondit la bête.

— Que lui reproches-tu ?

— Il a conclu un pacte avec moi. Il m'a fait le serment de ne point prendre femme, si je l'aidais. Je l'ai aidé. Il m'a trahi. Je demande justice.

— A-t-il donc pour cela mérité la mort ? lui dit le pain.

T'a-t-il fait quelque mal ? Même pas. Moi je sais ce que c'est de souffrir sans rien dire. On m'a enfoui dans la terre. J'en suis sorti. J'ai grandi seul. Le soleil m'a brûlé, m'a rôti, m'a mûri. Puis on m'a moissonné à grands coups de faux. On m'a lié en gerbes. On a jeté ma paille, on a gardé mon grain. On m'a brisé, moulu, réduit en farine. On m'a pétri enfin, puis on m'a mis au four. J'ai connu la brûlure du feu et l'effroi des ténèbres. Et tout cela je l'ai souffert pour devenir ce pain que tu vois sur la nappe. Oui, j'ai tout supporté pour devenir celui qui nourrit les vivants. Serpent, fais-en autant, et nous pourrons parler ensemble de justice.

A peine ces paroles dites, la tête du serpent s'abattit sur la table et son corps se fendit. Le mariage se fit. Je le sais, j'y étais. On dansa bien huit jours avant que je ne parte. Peut-être y danse-t-on encore.

SERBIE

La prière juste

Au temps où saint Nicolas parcourait le monde en jeune aventureux affamé de découvertes, son chemin le conduisit un jour au bord d'un vaste fleuve aux vagues éblouies par le soleil de midi. Là était un passeur qui sonnait de la trompe à la proue de sa barque. Tandis que Nicolas, parmi les voyageurs, se hâtait vers le ponton de planches, il aperçut à l'écart de l'embarcadère un pauvre diable en guenilles agenouillé devant une hutte de branches. Le visage de cet homme et ses mains offertes à la brise émurent son cœur simple. Il le désigna aux gens qui l'entouraient, demanda si quelqu'un le connaissait. On lui répondit :

— C'est un sage infini, ses prières font des miracles. Va donc le saluer. Chance pour toi s'il te bénit !

— Vraiment ? dit Nicolas.

Ses yeux s'illuminèrent. Il avait soif d'apprendre, et d'aimer plus encore. Il abandonna son sac parmi ses compagnons, s'approcha du bonhomme qui semblait converser amicalement avec la lumière du jour. Il perçut bientôt les paroles de sa prière. Alors il s'arrêta au bord de l'eau qui baignait les galets, et restant là planté, grandement étonné : « Hélas, se dit-il, ce miséreux que l'on prend pour un saint n'est en vérité qu'un fou de plus sur cette terre ! » Il s'accroupit à son côté. L'autre ne parut même pas s'apercevoir de sa présence. Sans cesse il répétait, la figure contente comme s'il voyait Dieu devant lui dans l'air bleu :

— Seigneur, ne m'aide pas ! Ne m'aide pas, Seigneur !

— Que fais-tu donc, l'ami ? demanda Nicolas.

L'homme tourna vers lui la tête et répondit dans un grand sourire édenté :

— Ne vois-tu pas ? Je prie Dieu.

— Pauvre homme, murmura Nicolas, la mine apitoyée, ce n'est pas ainsi que l'on prie.

Et l'index dressé droit :

— Seigneur, assiste-moi, donne-moi aujourd'hui le pain qu'il faut pour vivre. Voilà les termes justes.

L'homme le regarda, surpris, reconnaissant.

— Je sais si peu, ami ! Oh, merci de m'instruire. « Seigneur, assiste-moi », c'est là ce qu'il faut dire ? Sois béni, je ne l'oublierai pas.

Ils s'embrassèrent, contents l'un de l'autre, puis Nicolas courut à la barque où le passeur déjà levait la passerelle. Vers le milieu du fleuve le voyageur se retourna pour un dernier regard à son frère d'un instant. Il le vit qui gesticulait sur la berge et criait des paroles trop éraillées et lointaines pour qu'il puisse les comprendre. Il fit un geste d'impuissance, et aussitôt resta la bouche bée, autant époustouflé que si le ciel venait devant lui de se fendre.

Il se frotta les yeux, les rouvrit et vit en vérité ce qu'il ne pouvait croire. L'homme en guenilles s'avançait sur l'eau claire, trottant comme sur un chemin terrestre. Son pied aérien effleurait à peine la crête des vagues. Il eut tôt fait de rattraper le bateau qui allait lourdement au travers du courant.

— Hé, l'ami, cria-t-il, comment m'as-tu dit qu'il fallait prier Notre Père ? Je ne m'en souviens plus, pauvre sot que je suis !

Dans la lumière de miracle qui lui venait dessus, « mon Dieu, pensa Nicolas, tremblant comme la voile au vent, un homme capable de cheminer ainsi sur l'eau sans se mouiller un poil est assurément plus proche de Toi que je ne le serai jamais ». Il répondit :

— Ne change rien, mon frère ! « Seigneur, ne m'aide pas », c'est la prière juste ! La paix sur toi !

L'autre lui fit un signe d'amitié, s'assit parmi les brins de soleil qui illuminaient le fleuve et s'en revint, ramant de ses deux mains ouvertes, vers la rive tranquille en chantant sa prière au ciel, à pleine voix.

Le langage obscur

Il était une fois un berger nommé Pierre. Il n'avait peur de rien, mais ne le savait pas. Rien n'était survenu d'effrayant dans sa vie. Or, un jour qu'il gardait le troupeau de son maître, dans un pré, à la lisière d'une forêt, comme il mangeait son pain de midi à l'ombre d'un ormeau il entendit soudain, venant du fond du bois, un sifflement si déchirant qu'il se dressa d'un bond et se dit : « Qui s'égosille ainsi est au bord de la mort ! » Il s'approcha du premier rideau d'arbres, écouta un instant, n'entendit plus que le vent. Il franchit la lisière.

Alors l'appel lointain à nouveau traversa les verdures, et sa force parut aux oreilles de Pierre tant éperdue, souffrante et fascinante aussi qu'il se sentit captif et tiré droit devant, sans pouvoir résister, à travers les feuillages et les buissons de ronces. Il pensa : « Je suis fou, malheur, je vais me perdre ! » Mais son corps s'avança sans écouter sa tête jusqu'à ce qu'il parvienne au bord d'une clairière. Là il fit halte enfin. Au milieu du rond d'herbes environné de chênes était un cercle de feu. Au centre de ce cercle se tenait un serpent. Ce serpent était noir, rouge et jaune doré. Voyant Pierre apparaître il éleva sa gueule au-dessus du brasier, il la tendit au ciel et dit à voix humaine :

– Berger, je brûle ! Au nom de Dieu, sauve-moi de la mort !

« Si c'est au nom de Dieu que ce monstre m'appelle, pensa Pierre, je dois le secourir. » Il s'approcha, lui tendit son bâton ferré à travers les flammes, et le long du bâton le serpent s'enroula, et s'enroula aussi le long du bras de Pierre, et s'enroula enfin autour de la poitrine, autour du cou de Pierre qui se mit à gémir, le souffle presque éteint :

— Est-ce ainsi que l'on paie un service rendu au nom du Tout-Puissant ?

Le monstre répondit en sifflant contre sa tempe :

— Homme, ne crains pas. Si je te tiens serré, c'est que j'ai grand besoin, encore, de ton aide. Je suis le fils du roi des Serpents, et tu dois me ramener au palais de mon père.

— Monstre, je ne peux pas. J'ignore où il se trouve.

— Qu'importe, moi je sais. Va tout droit.

Pierre s'en fut tout droit, puis à gauche et à droite, escalada des rocs, franchit des passes sombres. Il s'enfonça si loin dans l'ombre du sous-bois qu'il parvint en un lieu inconnu des oiseaux. Il perdit le nord et le sud dans d'obscures broussailles. Les rayons de soleil sous l'épaisseur des branches se firent plus menus que des fils d'araignée. Encore il chemina dans les profondeurs vertes. Devant lui soudain se dressa un haut portail aux étranges battants. Ils n'étaient pas de bois, ni de fer, ni de pierre. Ils étaient faits de milliers et milliers de vipères enchevêtrées. Au seuil de ce portail Pierre enfin s'arrêta.

— Nous voici parvenus au lieu le plus secret du monde, lui dit le fils du roi des Serpents. Homme, écoute-moi bien. Mon père règne ici. Tu le verras bientôt. Pour prix de ta bonté, il te demandera ce que tu veux de lui. Sache qu'il est un bien plus précieux que tout autre. Lui seul peut te l'offrir. C'est le langage obscur.

Il siffla trois coups. Le portail de vipères aussitôt se défit.

Un palais apparut, à nul autre semblable. Ses colonnes étaient des arbres millénaires. Sa voûte était de feuilles, ses murs de brume opaque. Au bout d'une longue allée était un trône fait de racines mêlées. Le roi des Serpents se tenait là noblement assis. Pierre s'approcha de lui, mit un genou à terre et resta tête basse, sans oser regarder cet être magnifique aux yeux terrifiants. Au-dessus de sa tête il entendit ces mots :

— Tu as sauvé mon fils, homme, merci à toi. Veux-tu quelques diamants pour prix de ce service ?

— Je veux plus, je veux moins, dit Pierre, à voix tremblante.

— Quelques poignées d'argent ?

— Beaucoup plus, beaucoup moins.

— Une charretée d'or ?

— Seigneur, je veux le langage obscur.

— Que demandes-tu là, imprudent ? gronda la voix soudain terrible. Sais-tu que si je te donne le secret du langage obscur tu ne devras jamais le révéler à personne, sous peine de mourir sur l'heure ? Il te pèsera lourd. Sauras-tu le garder ?

— Seigneur, c'est mon affaire.

— Fort bien, dit la voix sombre après un long silence. Approche ton visage.

Pierre ferma les yeux et tendit la figure, sentit dans ses oreilles, la droite puis la gauche, se darder vivement une langue fourchue.

— Homme, tu as maintenant le langage obscur. Va, murmura la voix.

Pierre se redressa, il tourna les talons, sortit du palais et se mit à courir à travers la forêt, et courant follement s'émerveilla bientôt, car la rumeur du vent dans les arbres feuillus l'appelait par son nom et lui contait merveilles, et le chant des oiseaux lui souhaitait le bonjour, et les bruissements d'herbes, et les mille rumeurs des buissons traversés parlaient, chantaient, riaient à ses oreilles neuves. Mille voix et chansons ainsi l'accompagnèrent jusqu'à la lisière du bois où était son troupeau.

Il s'assit essoufflé à l'ombre de l'orme où il avait laissé son pain et sa serviette. Il ouvrit son couteau pour déjeuner enfin. Alors il entendit sur une haute branche deux corbeaux croasser. Il comprit leur langage. Il était simple et net dans la paix de midi. L'un dit à son compère :

— Vois-tu cette dalle qui couvre le caveau où un vieux coffre d'or attend qu'on le découvre ? Là est un nid de vers charnus et succulents.

— Où donc ? répondit l'autre. Je suis vieux, ma vue baisse. Je ne distingue rien.

— Regarde le bélier. Il est couché dessus.

Pierre aussi regarda. « Ainsi donc, pensa-t-il, un trésor est enfoui sous cette pierre plate où se tient le bélier. Oh, la bonne nouvelle ! » Il planta son couteau dans son croûton de pain, courut à la maison où son maître fumait tranquillement sa pipe en lisant un journal vieux de quelques années.

— Viens vite, lui dit-il.

Ils s'en retournèrent au pré, soulevèrent la dalle, virent au fond du trou un coffre vermoulu, le hissèrent sur le pré, l'ouvrirent, restèrent bouche bée. Il débordait d'or. Après qu'ils eurent ri, chanté, dansé la gigue, le maître (un homme bon, bénie soit sa famille) prit Pierre par le bras et lui dit :

— Tu as besoin de tout, je n'ai besoin de rien. Prends ce trésor et fais-en ton profit. Achète une maison, des vignes, des champs, des troupeaux de chevaux, de vaches, de moutons, engage des bouviers, des bergers, des servantes, épouse enfin ma fille et vivons tous heureux.

Et Pierre fit ainsi. Il acheta maison, champs, vignes et troupeaux, engagea quelques bonnes gens du voisinage, prit femme et vécut satisfait jusqu'au prochain Noël.

Or, ce beau matin-là, comme il disposait la paille de la crèche devant la cheminée, sa femme lui trouva la mine chiffonnée. Elle lui demanda :

— As-tu quelque souci ?

Il répondit :

— Je me souviens du temps où je passais ces jours de la Nativité tout seul avec mes bêtes, sans amis, sans épouse. Je pense à nos bergers qui sont comme j'étais encore l'an dernier. Femme, je ne veux pas que la nuit où Dieu naît ils se sentent oubliés autant que j'ai pu l'être. Je veux qu'ils soient contents. Nous allons donc ce soir leur porter des cadeaux, quelques flacons de vin et des dindes rôties, afin qu'ils réveillonnent comme de bons chrétiens.

Ainsi fut bientôt fait. L'une sur sa jument, l'autre sur son cheval, ils montèrent aux enclos où étaient les bergers. Dès qu'ils furent rendus, Pierre les embrassa tous, et leur dit bonnement :

— Buvez, faites bombance, cette nuit est à vous. Ne vous souciez pas des bêtes. J'en prendrai soin jusqu'au prochain matin.

Il veilla toute la nuit, puis dans le jour levé il salua son monde, appela son épouse, battit la croupe de sa monture d'un grand coup de chapeau, et tous deux s'en allèrent.

Or, comme ils cheminaient sur la lande déserte, Pierre entendit soudain parler son cheval. La bête grognassa quelques remarques acerbes sur l'état du chemin, puis souffla des naseaux, remua sa crinière et dit à la jument que montait sa femme, et qui traînait un peu par les caillasses :

— Presse-toi donc, il va bientôt neiger, et la route est encore longue avant l'écurie !

— Hé, trotte donc, répondit la jument, luttant derrière lui contre le vent glacé. Tu peux aller bon train, tu ne portes qu'un homme !

— Et que portes-tu donc, dis-moi, de plus pesant ?

— Trois vies, l'ami, trois vies ! Un poulain dans mes flancs, sur mon dos une femme, dans son ventre un enfant !

Pierre, entendant cela, partit d'un grand rire émerveillé. « Un enfant, pensa-t-il, bonté divine ! » A nouveau il se prit à rire à grands éclats. Sa femme, étonnée par cette joie subite, poussa jusqu'à lui sa monture et lui demanda pourquoi diable il se réjouissait ainsi tout seul. Il s'en fallut d'un rien, tant il était heureux, qu'il n'avoue le secret qu'il lui fallait garder.

— J'ai ri, dit-il, c'est vrai. Femme, j'ai mes raisons. Tu n'en sauras pas plus.

Sa compagne, piquée, sentit ses joues rosir. Une lumière vive s'alluma dans ses yeux. Il refusait de dire ? Elle ne voulut savoir qu'avec plus d'impatience. Pierre resta muet. Elle le harcela, fit semblant de pleurer, se plaignit hautement qu'on la tînt à l'écart des choses importantes.

— Femme, lui dit son homme, si je parle je meurs. Veux-tu donc être veuve ?

Il espérait clouer le bec de la jolie. Hélas, il ne fit qu'aiguillonner sa hargne. Les femmes sont ainsi. Quand tu veux leur parler, « cause toujours, bonhomme ». Mais quand tu veux garder quelque chose pour toi, les voilà tout à coup affamées de l'oreille.

— Je m'en moque, lui grinça-t-elle au nez. Le jour de notre mariage, nous nous sommes promis de n'avoir jamais aucun secret l'un pour l'autre. Tiens parole, brigand.

Ils étaient parvenus dans la cour de leur ferme.

— Fort bien, tu sauras donc, dit Pierre, résigné. Mais puisqu'il me faudra aussitôt trépasser permets-moi, s'il te plaît, de dire adieu au monde.

Il fit porter son lit au seuil de sa maison, se coucha dessus et salua le ciel, les nuages, le vent, ses outils dans la cour, ses champs, ses vignes, son chien qui lui léchait les mains en gémissant. Pierre le caressa, puis sortit de sa poche un morceau de vieux pain.

— Mange, compagnon, c'est mon dernier cadeau, lui dit-il tristement.

La bête répondit :

— Maître, je n'ai pas faim.

Le croûton tomba dans l'herbe. Un coq, passant par là, s'en vint le picorer avec une vigueur si joyeuse et gourmande que le chien lui grogna :

— As-tu donc un caillou à la place du cœur ?

— Pourquoi ? demanda l'autre.

— Notre maître se meurt. Toi tu manges, content, sans souci de sa peine.

— Bon vent, s'il veut périr ! répondit le coq. Ce ne fera qu'un fou de moins dans ce bas-monde. En vérité, l'ami, il n'entend rien aux femmes. Il vivrait, et fort bien, s'il savait ce qu'il faut à la sienne.

— Et que faut-il, dis-moi ?

— Quelques coups de bâton sur ses fesses dodues. Ainsi lui passerait l'envie de poser des questions qu'elle ne doit pas poser.

« Sacrédieu, pensa Pierre, ce bougre parle d'or. » Il bondit hors du lit, prit un manche de pioche, entra dans la maison. Sa femme chantonnait en faisant la cuisine. Il lui vint droit dessus en grondant, le poing haut. Elle se tourna vers lui.

— Mon homme, lui dit-elle, cessons nos disputes, car je crois que je porte un enfant dans le ventre.

Elle baissa la tête en souriant tout doux. Il la prit dans ses bras. Elle lui dit encore :

— Que voulais-je savoir ? Je ne m'en souviens plus.

— Qu'importe, lui dit-il.

Et ils rirent ensemble.

Et cela aussi passera

Un musicien errant, un jour, allait sa route. C'était un homme simple. Sa vie ne l'était pas, et pourtant il l'aimait. Or, ce jour-là (c'était un matin gris d'automne), comme un clocher lointain émergeait de la brume, le chant qu'il fredonnait pour alléger ses pas s'étrangla soudain dans sa gorge. Là, dans le champ voisin, un pauvre homme courbé sous le joug et le fouet tirait une charrue que son maître menait. « Comment peut-on traiter les gens comme des bêtes ? » pensa le voyageur, pris de pitié rageuse. A travers le labour il vint à l'attelage.

— Honte sur toi ! dit-il au tourmenteur d'esclave. Cet homme que tu forces à trimer comme un âne n'ose pas te cracher la vérité en face. Je le ferai pour lui. Ton âme est un caillou, ta tête un désert sombre. Ne t'a-t-on pas appris que nous sommes tous frères ? Bandit ! Coquin barbu ! Malandrin d'un autre âge ! Bafoueur illégal de dignité humaine !

Il brandit son bâton.

— De quoi te mêles-tu ? lui dit le tourmenté. Le bien, le mal, tout passe. Et cela aussi passera.

Tandis que son bourreau riait benoîtement en haussant les épaules, l'homme sans autre mot se remit au labeur. Le brave musicien, pantois comme devant la lune en plein midi, pensa : « Un esclave avocat du méchant qui l'opprime ! Seigneur, où va le monde ? » Il s'en alla, le pas tout à coup indécis.

Un proverbe prétend que l'on ne court jamais deux fois la même route. Un autre affirme le contraire : « Par où tu es parti, par là tu reviendras. » C'est ce deuxième qui dit vrai. Le redresseur de torts, son violon à l'épaule, après trois ans d'errance un jour vint à passer au bord du même champ. Il se souvint, fit halte, et ses yeux s'allumèrent. Au loin, dans le labour, allait une jument que gouvernait l'esclave enfin libre et prospère. Son allure était franche, il était bien vêtu. Il faisait sa semaille à grands envols tranquilles. Le voyageur surpris s'en fut le saluer.

— Grâce au Ciel, lui dit-il, vous avez survécu. Mieux : vous me semblez riche. Et votre tortionnaire, a-t-il été puni comme il le méritait ?

— Le seigneur d'à côté l'a fait assassiner, répondit le bonhomme. Il avait, paraît-il, séduit sa jeune épouse. On m'a donné sa terre.

— Ami, j'en suis heureux. Vous avez eu raison d'avoir confiance en Dieu, lui dit le musicien en lui serrant les mains. Voilà votre avenir désormais assuré.

L'homme sourit, reprit dans le sillon sa marche.

— Pas plus qu'hier, dit-il. Le bien, le mal, tout passe. Et cela aussi passera.

Cinquante écus de sagesse

Il était une fois un village où les gens se disputaient sans cesse. L'un disait-il bonjour, l'autre lui répondait que le jour n'était pas aussi bon qu'il le prétendait, un troisième rétorquait que le ciel était bleu, et donc que l'on pouvait parler sans erreur de « jour bon ». Là-dessus le premier, soucieux de n'être pas en reste, estimait qu'il pleuvrait avant le soir tombé, un quatrième braillait, par la culotte de Dieu, que ces supputations météorologiques lui cassaient les oreilles, le forgeron venait brandir sa masse d'arme et les femmes entonnaient leurs chorales acariâtres. Bref, ces gens n'étaient d'accord sur rien, sauf sur le fait d'être sur tout en désaccord.

Or un soir, comme passait un ange sous l'orme de la place, un vieux dit calmement :

— Nous manquons de sagesse.

Autour de lui on se racla la gorge, et chacun convint que la raison n'habitait certes pas chez le voisin d'en face. Pour la première fois on se prit à réfléchir. Le vieux profita de cette marée basse pour avancer une idée qui le tarabustait depuis que sa femme lui avait cassé le nez d'un coup de poêle à frire.

— Mes amis, dit-il, je connais bien Venise.

On bâilla.

— Et alors ?

— C'est une ville sainte. La sagesse y pousse aussi dru que le chiendent chez nous. Allons en acheter. Nous la cultiverons, et nous vivrons en paix.

Les hommes convinrent qu'en effet quelques graines d'esprit ne seraient pas de trop dans leur jardin public. Ils décidèrent donc, puisque dans cette ville on trouvait à profusion de cette denrée rare, d'y faire leur marché. Ils désignèrent trois d'entre eux parmi les plus sobres. On leur donna cinquante écus, un sac à provisions, une barque, et dès l'aube du lendemain ils hissèrent la voile.

A peine débarqués à Venise, tout farauds, ils coururent après les gens.

— Hé, monsieur, ho, madame, auriez-vous s'il vous plaît de la sagesse à vendre ?

On les crut fous, on haussa les épaules. Tout le jour, bravement ils arpentèrent les rues et les places en quête de ce bien précieux qu'ils étaient venus chercher. Au soir, comme ils interrogeaient une servante sourde dans la taverne où ils avaient pris logement, un élégant malandrin vint s'asseoir à leur table.

— De l'esprit ? leur dit-il. J'en vends. De la sagesse ? Il m'en reste un coffret. Allons, vous me plaisez. Je peux vous le céder pour cinquante écus d'or. C'est donné.

Les autres lui tendirent leur bourse. L'escroc s'en fut dans l'arrière-cuisine, attrapa une souris, la fourra dans une boîte en fer, revint et dit aux trois compères :

— Ne soulevez pas ce couvercle avant d'être chez vous. La sagesse est dedans. Son parfum est capiteux mais fragile. Craignez qu'il ne s'évente. Bon retour sur vos terres, heureux hommes !

Les trois godelureaux s'en allèrent, chacun voulant porter leur trésor sous son bras, se disputant déjà l'honneur d'être celui qui poserait la boîte à l'ombre de l'orme, dans un silence ému, devant le village assemblé.

Le lendemain ils reprirent la mer. Or, comme ils naviguaient :

— Puisque cette sagesse doit être partagée, dit l'un, j'ai envie d'en flairer l'odeur, en guise de hors-d'œuvre.

— Bonne idée. Moi aussi, répondit le deuxième.

Le troisième dit :

— J'entends gratter dedans.

La boîte à peine ouverte la souris bondit dehors et bientôt disparut dans le fond du navire. Les hommes lui coururent après. Ce fut en vain. Ils débarquèrent dans le village en fête penauds comme des pénitents. Ils avouèrent tout.

— La sagesse ? On aurait dit un rat. Elle nous a échappé. Elle s'est cachée quelque part dans la cale.

On gronda autour d'eux. On leva des bâtons. Alors le vieux ouvrit les bras et dit :

— La sagesse, messieurs, est là, dans ce bateau. C'est le point essentiel. Tirons-le donc au sec. Qu'on monte la garde autour de lui afin qu'elle n'en sorte pas, et nous irons tous les dimanches dans ce temple nouveau nous imprégner de son parfum. Ainsi nous deviendrons des gens estimés de Dieu.

Ils firent ainsi. Et de ce jour, chacun redoutant fort l'œil pointu du voisin, ils prétendirent tous avoir le nez sensible et ne parlèrent plus, sereins comme des papes, que de beautés profondes.

La reine des Serpents

Il était un jour un vieux, une vieille. Ils avaient sept fils et trois filles. Des trois la plus jeune s'appelait Églé. Un soir d'été les sœurs allèrent se baigner au lac. Devant la maison était un champ rouge, partout fleurissaient des coquelicots. Le lac était au bout du pré. Toutes les trois jetèrent au ciel la robe, les bas, la chemise, coururent à l'eau, s'éclaboussèrent, rirent à grands cris, nagèrent au large vers le soleil couchant, revinrent radieuses et se rhabillèrent. Églé s'attarda. Quand elle retourna sur l'herbe elle vit un serpent sur ses vêtements. Elle hurla. Ses deux sœurs s'enfuirent. La bête dressa sa tête au regard sans fond et lui dit :

— Je t'aime, fille. Épouse-moi.

Églé répondit :

— Oh non, Dieu du Ciel ! Je vis au soleil, toi dans les ténèbres. Rends-moi mes habits et va-t'en d'ici !

— Donne ta parole et je m'en irai.

— Un mot te suffit ?

— Celui que j'attends.

— Je serai ta femme, puisque tu le veux.

Le serpent disparut dans l'herbe touffue.

Deux jours passèrent. Vint le troisième. Comme le soleil s'embrumait au couchant, le sol parut soudain se mouvoir. Des foules de couleuvres, de vipères, d'orvets, de vers grouillants déferlèrent en vagues vivantes contre la maison et se mirent à siffler, à chuinter, à grincer, à gronder comme la houle sous le vent. Églé gémit et frissonna, et ses parents eurent la mort au cœur. Six serpents plus gros que les autres cognèrent à la porte. Ils dirent :

— Ouvrez ! Salut à vous ! Nous sommes les ministres du prince !

Il fallut bien leur obéir, d'autant que la marée grimpait aux murs et battait contre les carreaux des fenêtres. Les six serpents franchirent le seuil, entrèrent dans la cuisine, s'enroulèrent aux jambes d'Églé, à ses bras, à sa taille et l'entraînèrent dans la nuit grise jusqu'au bord de la mer. Quand ils y furent, c'était l'aube. Comme le soleil se levait, un cavalier sortit des vagues sur son cheval noir. Il était beau, mélancolique. C'était le prince des Serpents. Il dit :

— Prends ma main, Églé, mon épouse !

Sur la mer venteuse vint un navire aux hautes voiles. Il les emporta jusqu'à l'île verte où vivait ce prince. Là était un palais d'émeraude. Fontaines, parfums, lumières, musiques, tout y était voluptueux. On fit une longue fête. La beauté des jours apaisa Églé. La douceur des nuits la fit amoureuse. Elle devint une reine heureuse et libre de jouir de la mer, de l'île, des milles bonheurs que lui accordait son époux.

Elle mit au monde trois garçons, Uhosis, Berzaz et Azuholas. Après eux naquit une fille nommée Drébulé. Neuf ans passèrent. Un jour, l'aîné des garçons demanda :

— Mère, pourquoi n'avons-nous jamais vu vos parents ?

— Ils sont sur la rive au-delà de la mer, répondit Églé.

Son cœur s'embruma. De vieux souvenirs l'envahirent. « Mes sœurs et mes frères pensent-ils à moi ? » se dit-elle. Au soir son époux la trouva chagrine. Il ne lui dit rien. Il resta rêveur.

— Mon prince, dit-elle.

— Ma reine, parlez.

— J'aimerais aller visiter mes père et mère avec nos enfants.

— Ma reine, dit-il, comme il vous plaira. Allez librement. Avant de partir (c'est notre coutume) vous devrez pourtant filer la quenouille de soie que voici.

Églé se mit aussitôt à l'ouvrage. De l'aube à la nuit elle fila, de la nuit à l'aube, encore une nuit, encore un matin, puis elle soupira. Elle laissa aller ses mains douloureuses. Son travail était comme au premier jour. Elle s'en fut trouver sa vieille servante.

— Mère, dites-moi comment filer cette quenouille inépuisable.

La vieille répondit :

— Un, deux, trois, du bois ! Quatre, cinq, six, trois fils ! Sept, huit, neuf, feu neuf !

Églé revint à sa chambre, appela ses garçons, leur dit :

— Allumez le feu, la cheminée s'enrhume !

Bientôt des flammes gaies jaillirent des bûches. Églé posa la quenouille dessus. Quand elle fut brûlée, un crapaud parut. De sa gueule sortit un fil luisant et fin. Elle en fit une boule semblable à la pleine lune, courut au salon où était son mari.

— C'est bien, dit-il.

Il prit sous son fauteuil deux souliers de fer.

— Chaussez-les, ma reine. Quand ils seront usés, vous pourrez vous mettre en chemin vers la maison de votre père.

Elle s'en alla, traînant ses savates pesantes sur le parquet, fit cent pas et tomba. Le lendemain matin, elle revint pleurer chez sa vieille servante.

— Mère, dites-moi comment user d'un coup ces semelles ferrées ?

La vieille cette fois compta de cinq à treize et par sainte Thérèse ordonna de jeter les brodequins dans la braise de Blaise. C'était le forgeron du palais d'émeraude. Églé courut chez lui, fit rôtir ses sabots. Ils furent aussitôt réduits en loques. Elle vint les poser sur un coussin de soie aux pieds de son époux.

— Fort bien, dit-il. Cuisinez maintenant quatre pâtés de lièvre. Je veux que vous les portiez de ma part à votre mère.

— Ce sera bientôt fait, lui répondit Églé.

Hélas, dans le palais, plus une casserole, plus un poêlon, plus une assiette, rien où faire dorer le moindre bout de gras.

Tandis qu'elle fourrait partout sa tête, dans les buffets déserts, dans les armoires vides :

— Ne gémis pas ainsi, tu fais grincer mes os, lui dit sa vieille servante. Prends de la pâte à pain. Creuse-la dans ta main. Fais-la durcir un brin. Je compte jusqu'à vingt. Voilà fait un plat fin. Tu m'ennuies à la fin !

Dans ce plat de pain dur Églé put cuire quatre pâtés de lièvre. Elle les fit porter au prince par quatre serviteurs.

— Tu m'as vaincu, dit-il. Va, ma femme. Ne reste pas plus de neuf jours loin de moi. Passé ce temps, reviens. Que personne ne t'accompagne sur le rivage de la mer. Je veux que tu sois seule avec nos quatre enfants. Quand tu seras au bord des vagues, tu chanteras ces paroles secrètes :

Le prince vient, son âme est franche
Que l'écume se fasse blanche
Le prince est à jamais absent
Que l'écume se fasse sang !

Alors, Dieu veuille que j'apparaisse et que vous tombiez dans mes bras !

Il appela ses trois garçons et sa fille. Il leur dit :

— Enfants, souvenez-vous. Personne sur Terre ne doit entendre l'incantation que j'ai chantée.

Dans la maison de sa famille on accueillit Églé à grandes embrassades.

— Comme tes fils sont beaux, lui dit-on, et ta fille ! Comme ses yeux sont grands ! Comme sa peau est douce ! Et toi, comme tu resplendis ! Nous t'avons tant pleurée ! Grâce au Ciel, te voilà revenue !

— Parents, frères et sœurs, leur répondit Églé, dans neuf jours je m'en retournerai avec mes quatre enfants.

On voulut la garder. Sa mère la pria en caressant son visage. Son père gronda :

— Tu resteras ici !

Ses frères rusèrent. Ils firent des cadeaux aux quatre enfants, les prirent par l'épaule, les amenèrent dehors.

— Votre père serpent, où vous attend-il ? Sur le rivage bleu ? Et viendra-t-il en barque ou sur le dos d'un aigle ?

— Nous chanterons un chant, et il apparaîtra.

— Et quel est donc ce chant, beaux neveux ?

Les quatre enfants d'Églé se turent. Les autres menacèrent de leur donner le fouet, de les vendre aux gitans, de les jeter aux loups. Les trois garçons restèrent tête droite.

— Nous mourrons plutôt que de trahir notre père, dirent-ils fièrement.

Mais leur sœur Drébulé trembla, pleura. On la poussa encore. Alors elle chanta :

Le prince vient, son âme est franche
Que l'écume se fasse blanche
Le prince est à jamais absent
Que l'écume se fasse sang !

Les frères d'Églé allèrent au rivage. Ils chantèrent l'incantation secrète, et le prince serpent chaussé de bottes vertes s'avança sur la crête des vagues. Aussitôt il fut pris. Sept couteaux s'abattirent sur son dos et sa poitrine. Il tomba sans un mot, et son corps disparut dans les vagues.

Après neuf jours Églé fit ses adieux à sa famille et s'en revint à la mer avec ses fils et sa fille. Elle chanta :

Que l'écume se fasse blanche
Que l'écume se fasse sang !

Alors la mer se teinta de rouge et sur la houle vint une voix qui lui dit :

— Les sept frères armés de couteaux m'ont tué de face et de dos. Qui a chanté le chant secret ? C'est ma bien-aimée Drébulé, mon enfant, mon amour, ma nuit, ma vie, ma mort, mon infini !

Églé tomba la face dans ses mains sur le sable mouillé. Elle pleura longtemps. Puis se tournant vers Drébulé, elle lui dit :

– Prends racine ici même et tremble, tremble encore, peureuse, tremble. Tu seras l'arbre nommé tremble !

Après quoi elle dit à ses fils :

– Garçons qui n'avez pas failli, vous serez arbres vous aussi, mais arbres fiers et arbres saints.

L'un fut changé en chêne, l'autre en frêne, l'autre en bouleau. Églé enfin se fit sapin, arbre vert au cœur de l'hiver, et Drébulé depuis ce temps au moindre vent tremble et gémit, voit l'infini et tremble, tremble.

L'enfant qui savait

Par une nuit d'hiver un voyageur perdu aperçut une lueur au fond des ténèbres venteuses. Il rendit grâce à Dieu. C'était une cabane. Il décrotta ses bottes contre la pierre du seuil, cogna du poing la porte, entendit au-dedans :

— Entrez ! Le verrou n'est pas mis !

Il poussa le battant. Une bouffée de vent froid pénétra avec lui dans la salle enfumée. Là, n'était qu'un homme de grand âge près d'un berceau. Un chaudron bouillonnait sur un trépied, au bord de l'âtre.

— Bienvenue, murmura le vieillard. Ne faites pas de bruit, mon enfant dort.

Le voyageur alla épousseter sa neige devant la cheminée. Alors il entendit ces paroles étranges derrière le rideau du petit lit :

— Je ne dors pas, grand-père. Je cherche simplement quel jour de quelle année notre roi Miroslav a répudié sa femme coupable de stérilité mâle.

Le voyageur, surpris, se tourna vers le vieux qui l'aidait à quitter son manteau raidi par la froidure.

— Bonté divine, dit-il, est-ce votre marmot que je viens d'entendre ? Quel âge a-t-il donc ?

— Six mois, répondit le vieillard. Les enfants, aujourd'hui, ne sont plus ce qu'ils furent.

Il soupira et dit encore :

— Puisqu'il est réveillé, si le cœur vous en dit, vous pouvez bavarder avec lui, le temps que cuise notre soupe.

L'homme s'approcha du berceau, l'œil rond, gai au-dehors, inquiet dans ses dedans.

— Bonsoir, petit ami, dit-il. Où est votre papa, à cette heure tardive ?

— Mon père est au soleil. Il fait de peu beaucoup.

— Voilà qui est plaisant. Et votre mère ?

— Ma mère cuit le pain qu'elle a déjà mangé.

— J'aurais dû y penser, répondit l'autre. Je n'ose pas vous demander des nouvelles de votre grande sœur.

— Ma sœur se tient les flancs du rire qui lui vint voilà bientôt un an.

— C'est clair comme la lune en plein brouillard, grogna le voyageur. On se moque de moi. On m'emberlificote. Que diable signifient ces charades ?

Le nourrisson partit d'un ricanement de crécelle.

— C'est pourtant enfantin, dit-il. Mon père est dans le Sud, où la terre est fertile. Il ensemence un champ qu'il tient de mon oncle défunt. Du grain qu'il jette en terre, une belle moisson naîtra. De peu, il fait beaucoup. Ma mère s'est nourrie trop longtemps à crédit. Et maintenant ses galettes vont toutes à rembourser ses dettes. Elle cuit donc le pain qu'elle a déjà mangé. Quant à ma sœur, il y a sept mois elle faisait la belle, elle se poudrait le nez en chantant des fadaises. Son ventre est aujourd'hui gros comme un baluchon. Avant Noël elle aura mis au monde un enfant de rencontre. Voilà pourquoi j'ai dit qu'elle se tient les flancs du rire qui lui vint il y a bientôt un an.

— Par les moustaches de la femme du diable, répondit l'homme, bouche bée, c'est la première fois de ma drôle de vie que j'entends un nourrisson raisonner de la sorte !

— Vous êtes naïf, soupira le marmot. Les enfants savent tout, mais qui sait les entendre ? Les gens sont sourds et le monde est cruel. Je pourrais vous en dire et vous en dire encore ! Mais je suis fatigué.

Et les yeux mi-clos il se mit à chanter, à voix triste et lointaine :

Que suis-je venu faire ici
j'aimerais mieux être une bête
fils d'une louve de Russie
oh j'aurais moins mal à la tête.

Comment Josukas perdit le goût des contes

Selon l'opinion de son épouse, Josukas était un vieux fou. En vérité, c'était manière d'être désagréable. Il labourait quand il fallait, il semait et moissonnait à l'heure, il buvait sec le samedi soir, troussait sa femme le jeudi et sa servante le dimanche. Bref, il était en tout normal, sauf qu'il aimait plus que le vin, plus que ses champs, plus que sa vigne, et même plus que ses écus, qu'on lui raconte des histoires. Personne ne pouvait venir chez lui sans payer l'entrée d'un récit, d'une fable ou d'un conte mirobolant. De fait, quand arrivait quelqu'un, il ne disait jamais « Bonjour ». Il disait : « Alors ? », les yeux ronds, béat, conquis d'avance, et attendait plein d'espérance que le nouveau venu le gave de merveilles.

Un soir de fin d'automne, comme il lisait un vieil almanach près de sa commère à bésicles qui tricotait devant le feu, on frappa soudain trois coups à la porte. Il alla ouvrir, son livre sous le bras. Un voyageur entra, fourbu, crotté, pestant contre les brumes nocturnes qui l'avaient égaré. On lui trancha du pain, on lui servit un bol de soupe, on remplit sa timbale, on sortit le fromage. Quand il eut bien mangé :

— Alors ? dit Josukas.

L'étranger soupira, puis se cura négligemment les dents d'une tige de plume, conta sa journée de la veille, les méchancetés du temps, ses rencontres de route, après quoi s'échauffant, aiguillonné par l'œil de Josukas, il se mit à broder un récit d'aventures vraisemblables d'abord, puis peu à peu ornées de détails éblouissants, de digressions mirifiques, d'éclats étranges, si bien qu'après trois pots de piquette il avait traversé quatre fois l'océan dont une en planche à voile, visité la ville aux toits d'or des indiens d'Amérique, régné sur quinze tribus d'hommes-chiens dans les Andes et brûlé ses moustaches à la Terre de Feu. Bref, Simbad le marin, qu'il avait bien connu, n'était auprès de lui qu'un moussaillon de rivière, et le fringant Ulysse un touriste craintif.

La vieille, dans son coin, grogna du nez en tirant sa pelote, marmonna que son Josukas était décidément un benêt haut de gamme pour rester la bouche béante devant ces balivernes et profita du temps où le conteur vidait sa dix-huitième timbale pour serrer son châle sur sa poitrine plate et s'en aller au lit.

— Petit père, dit le voyageur à son hôte pantois, je conçois que ma vie t'époustoufle. Mais si tu savais vraiment qui je suis, tu prendrais ton soulier pour un chapeau de paille, tellement tu serais surpris.

— Je sais bien qui vous êtes, répondit Josukas, l'œil finaud sous les sourcils en broussaille. Un menteur admirable, et tel que j'en aimerais rencontrer tous les jours.

— Non, lui dit l'étranger, la voix soudain rugueuse, ce n'est pas un menteur qui vient de te parler, bonhomme, c'est un loup.

L'autre leva la tête. Il prit en pleine face le souffle chaud d'un museau carnassier. Du coup, il s'enfonça sur sa chaise jusqu'à toucher la table du menton. Devant lui, pas de doute, était un loup velu, palpable, indiscutable, quoique parlant l'humain.

— Cesse donc de trembler, gronda le fauve en partant d'un grand rire. Vois, nous sommes compères. Que crains-tu, toi, un bel ours des montagnes ?

Josukas se toucha la figure, les bras. Il regarda ses griffes, fut aussitôt debout, cogna des oreilles aux trois bottes d'oignons suspendues à la poutre. Il était bel et bien un ours de haute taille, au poil dru, au poitrail haletant.

— De l'air ! gronda le loup, de l'air, petit père ! Écoute la nuit, la belle nuit venteuse ! Regarde-la trousser les jupons de la lune ! Viens, balourd, viens saouler ton gosier de bonnes viandes saignantes !

La porte bousculée tomba de son long dans la boue du dehors. Ils traversèrent la cour en soufflant leur buée dans la tempête noire.

— J'ai faim ! hurla le loup.

— Hé, c'est mon écurie, n'entre pas, gronda l'ours. Mon âne ! Mon bel âne !

— Mange, c'est ma tournée, ricana l'autre.

Ils dévorèrent l'âne, coururent aux moutons.

— Mon troupeau ! gémit l'ours.

— Empiffre-toi, gros lard ! Goûte cet agneau, la cuisse est succulente !

Josukas pourlécha ses babines et ses griffes luisantes où pendaient des lambeaux de chair délicieuse. Le loup trottait déjà sur le chemin qui menait au village. Il tomba soudain en arrêt, la truffe au vent. Une ombre dévalait le sentier.

— Josukas, un homme ! Vois comme il est gras, souffla-t-il, l'œil en feu.

— Épargnons-le, dit l'ours, par pitié, c'est le curé du bourg !

— Dieu nous l'envoie, l'ami ! A l'abordage !

Du curé ne resta qu'un bouton de soutane.

— Le jour vient, dit le loup. Il est temps de rentrer, l'ami. Je connais une caverne où nous serons tranquilles.

Par les landes mouillées ils grimpèrent dans la montagne.

— Misère, dit l'ours tout essoufflé, quand ils furent en haut. Des chasseurs vont venir. Je les connais, un rien les met en rage. Un âne, trois moutons, et le curé du village ! Ils nous feront payer cette orgie en monnaie de fusil !

— Ne t'inquiète pas, lui répondit le loup. Entre dans la grotte et couche-toi au fond. Moi, je veille à l'entrée. Je ne crains pas les balles. Si je me fais tuer, je trouverai bientôt un autre corps où vivre.

— Et moi ? dit l'ours.

— Dès que j'aurai cessé de respirer, si par malheur cela m'arrive, tu redeviendras le brave Josukas. Bonne sieste, mon gros !

Les chasseurs (ils étaient bien quarante) vinrent au soir de ce jour. Ils tuèrent le loup de trente coups ratés et dix en pleine peau. Josukas reprit aussitôt son apparence. Il en fut content. Il attendit que la meute humaine ait quitté la montagne et s'en revint chez lui.

— Si tu savais, ma femme ! dit-il, à peine entré, la gorge rauque, les yeux exorbités.

— Ah te voilà, brigand ! lui répondit sa vieille. Ivrogne ! Sac à bouses ! Monsieur s'en est allé bambocher à la ville avec son voyageur (que Dieu l'étripe, celui-là !) pendant qu'un loup dévorait son âne et son troupeau ! Tais-toi donc, déserteur ! Je vais t'apprendre à dépenser nos sous chez les filles !

— Ma femme, écoute-moi. Tu ne vas pas me croire.

— Te croire ? Certes non ! Menteur ! Jean-foutre ! Percepteur ! Traître ! Syphilitique ! Va te laver, fainéant, et retourne au travail !

Un grand coup de balai l'expédia tout habillé dans l'abreuvoir glacé. C'est à peu près ce jour que Josukas perdit le goût des contes.

CAUCASE

L'homme qui fut serpent, son épouse et le mort

Il était une fois un prince sans enfant.

— Demande un fils à Dieu, lui dit un jour sa femme. Prie-le vite, je sens venir l'hiver des ventres.

Cent nuits durant le prince pria à sa fenêtre en contemplant les montagnes obscures sous les étoiles. Sa femme fut enceinte. Quand le temps fut venu, elle accoucha d'un serpent vert.

Il fut élevé quinze années en secret. Quand lui vint l'âge d'homme il se fit méchant. Son père vint le voir. Il le regarda vivre une pleine journée. Au soir il dit :

— Il lui faut une femme.

Sa mère décrocha son grand manteau et s'en fut sous la lune. A l'entrée du village brûlait une chandelle sur un rebord de lucarne. Elle poussa la porte. La maison était sombre. Une veuve et son chien mangeaient leur soupe maigre devant un feu mourant.

— Je cherche une fille à vendre, dit-elle. J'ai de l'or. Nous la nourrirons bien.

— Ma fille, cria la veuve, suis cette femme. Là-haut dans le château on sert de bonnes viandes.

Elle jeta au feu ce qui restait de breuvage au fond du bol. La fille sortit d'un recoin obscur. La mère du serpent la prit par la main et s'en fut avec elle.

On lava sa figure, on coiffa ses cheveux, on la vêtit d'une robe blanche et rouge. On ne put effacer la peur de son regard. A la nuit tombée on l'enferma dans la chambre nuptiale. On ne put retenir le cri entre ses lèvres. Au matin on vint saluer les époux. Le serpent sommeillait au pied du lit, et la fille était morte.

Le prince décrocha le grand manteau et s'en fut le poser sur le dos de sa femme. A nouveau elle courut au village au bas de la montagne. Les cailloux sous ses pas fuirent comme des bêtes effrayées parmi les herbes. Les nuages grondèrent. Au soir elle parvint à la maison de la veuve. Elle passa courbée devant sa lucarne en retenant le bruit de ses souliers. Plus loin sur le chemin une lampe brûlait au-dessus d'une porte. Là vivait une vieille avec un charbonnier. Elle entra.

— Je cherche une fille à vendre, dit-elle. J'ai de l'or.

Le charbonnier mangeait sa soupe de pain gris, sa vieille tisonnait le feu sous le chaudron.

— Ma fille, cria-t-il, suis cette femme !

Une fille sortit de l'ombre au coin de la cheminée. La mère du serpent la ramena là-haut, au bout du long chemin où était son château. Elle la parfuma, maquilla ses paupières, piqua trois roses à peine écloses dans sa chevelure, la chaussa de cuir doux et la poussa dans la chambre nuptiale en appelant son fils qui geignait contre le mur. Le lendemain on vint. La fille était couchée au travers du lit. Elle saignait du cou sur le drap. Ses yeux étaient ouverts. Elle ne respirait plus.

Le prince désigna d'un œil le grand manteau. Sa femme s'en alla dans la neige et le vent. Elle passa devant le logis de la veuve, plus loin devant celui du charbonnier. Sa lampe était éteinte au-dessus de la porte. Plus loin encore était l'échoppe d'un tailleur. Elle risqua la tête par l'entrebâillement.

— Je cherche une fille à vendre, dit-elle.

— Attendez-la dehors, répondit le bonhomme.

Il appela sa fille. Elle était près du feu. Elle reprisait des bas.

— Mets cette chemise, lui dit-il. Elle est en fil d'épines. Prends cet habit. Je l'ai taillé pour l'homme que tu devras aimer. Ce soir, dans la chambre nuptiale, ne quitte pas ta robe avant que ton époux ne soit déshabillé. Va, et que Dieu te garde !

Il s'en fut au pas de sa porte.

— Femme du prince, entre !

Elle entra, prit la fille par la main et l'entraîna sur le chemin montant.

On la vêtit de soie dorée, on orna son front de bijoux, sa gorge aussi, puis on ouvrit la porte de la chambre. Elle s'avança. Derrière elle la clé tourna dans la serrure. Le serpent au bord du lit dressa la tête. Elle ne bougea pas. Il s'approcha, s'enroula autour de sa poitrine. Il dit :

— J'ai mal, des épines m'écorchent.

— Seigneur, c'est ma chemise.

— Ôte-la, ôte-la.

— Seigneur, ôtez la vôtre et j'ôterai la mienne.

— Je ne peux pas. Si j'ôte mes écailles je serai nu, trop nu.

— Seigneur, j'ai là pour vous un habit neuf.

La peau du serpent vert craqua, tomba sur le dallage, et de cette peau morte un jeune homme sortit. Son corps et sa figure étaient si beaux que la fille elle aussi quitta son vêtement. Ils s'embrassèrent en gémissant d'amour.

Le lendemain fut beau. Quand on ouvrit la porte, un rayon de soleil éblouit la mère du prince. On fit sept jours de ripaille et sept nuits de musique. Après ces temps heureux le jeune homme un matin dit à son serviteur :

— Je pars chasser le cerf. Veille à ce que ma femme ne parle à personne avant mon retour.

Il s'en fut à cheval. Vers l'heure de midi un enfant accourut au château. Il dit à l'épousée :

— Votre père se meurt !

Elle sortit en hâte, courut à l'écurie, sella sa jument noire et chevaucha jusqu'au village. Sa mère l'accueillit devant sa porte.

— Fille, dit-elle, un songe a visité ton père cette nuit. Tu dois aller pieds nus sur la colline, trouver un chêne blanc, cueillir l'herbe qui pousse dans son ombre et faire avec cette herbe une cruche de tisane. Il faut qu'avant demain il ait bu l'infusion. Va, et reviens vite !

Elle courut là-haut, chercha le chêne dans la forêt, le trouva, cueillit l'herbe. Quand son sac fut plein elle se redressa. Des loups hurlaient au loin. C'était le crépuscule. Elle grimpa dans le feuillage de l'arbre et attendit le jour. Au matin, elle s'en retourna. Elle perdit sa route. Elle erra, aperçut une cabane au bord d'un torrent, s'approcha, regarda dedans par la lucarne. Elle vit un cercueil posé sur des tréteaux, et près de ce cercueil une table de pierre. Sur cette table étaient deux assiettes de viande et deux boules de pain. La fille avait faim. Elle entra et mangea.

Comme la nuit venait elle s'assit dans un coin du logis. Alors dans le cercueil elle entendit du bruit. Son couvercle bougea. Un jeune homme en sortit. Il s'attabla devant une assiette de viande, découvrit à sa droite une autre assiette vide. Il regarda autour de lui, vit la fille au fond de la cabane. Il lui dit :

— Qui es-tu ?

Elle lui répondit qu'elle s'était perdue dans la forêt.

— Si tu veux, reste ici. Tu auras tous les jours à manger, lui dit l'homme.

Elle resta. Ils s'entendirent bien. Un jour un enfant leur naquit.

— Tu ne peux l'élever près d'un mort, lui dit l'homme. Viens, je vais te conduire à la maison de mon père.

Au matin ils s'en allèrent. Au soir ils arrivèrent au pied d'une montagne. En haut était une demeure.

— Ma famille vit là, dit l'homme. Va seule maintenant. Que Dieu te garde. Qu'il garde aussi mon fils.

On l'accueillit mal à la maison du père. Elle était en haillons. On la poussa dans une cave où était une litière. Or, par le soupirail toute la nuit on vit briller une lueur dorée dans l'ombre basse. On s'étonna beaucoup. On rapporta la chose au maître des lieux. Il descendit à la cave. Il vit la fille assise. Elle berçait son fils. C'était de lui que venait la lumière.

— Qu'on donne à cette femme la plus belle chambre de la maison, dit le père à ses gens, et qu'on prenne soin de son fils comme s'il était le mien !

Le premier époux de cette jeune mère, la cherchant sans cesse par les torrents et les montagnes du pays, parvint ce même soir à la cabane où elle avait autrefois trouvé refuge. Il y découvrit le cercueil ouvert et le mort attablé.

— Que cherches-tu ? dit l'un.

Et l'autre :

— Qui es-tu ?

Ils en vinrent chacun à raconter leur vie. L'un dit :

— J'ai un enfant.

Et l'autre :

— J'aime une femme.

Quand vint le point du jour :

— La mère de mon fils est ton épouse, seigneur, dit le mort.

— Homme, tu dis vrai, répondit le vivant. Garde ton fils, je reprendrai ma femme.

— C'est bonne justice, seigneur. Soyons amis.

Et le vivant s'en alla où était son épouse. Il la ramena chez lui. Ils vécurent des jours heureux. Et l'enfant lumineux revint chercher son père. Ils s'en allèrent ensemble. Ensemble ils disparurent où n'est ni vie ni mort.

Atyek et les héros

Il était une fois un garçon fils de prince. Son nom était Atyek. Quand il eut l'âge, son père lui donna pour épouse une fille aussi belle que sage. On fit de grandes fêtes. On dansa, on but sec. Au soir des noces, Atyek mena la mariée à la chambre nuptiale. Il se déshabilla, puis il se mit au lit, mais se tint éloigné de sa femme. Il soupira longtemps, se tournant d'un côté, se retournant de l'autre. Enfin il prit son arc, encocha une flèche et tira sur la poutre qui traversait le plafond. Après quoi il poussa un long gémissement et s'endormit d'un coup.

Son épouse s'étonna. Sa deuxième soirée fut semblable à la première. Elle en eut quelques larmes. A la troisième nuit, quand Atyek eut fait dans son grand lit un saut à droite, à gauche, un autre sur le dos, un autre sur le ventre, et quand il eut tiré sa flèche dans la poutre, elle lui dit :

— Garçon, parle-moi franchement. Si je ne te plais pas, renvoie-moi chez mon père.

Atyek, hagard, s'assit d'un bond parmi les draps défaits.

— Ma femme, tu es belle et je t'aime, dit-il. Si tu me vois troublé, c'est que je suis tombé de jeunesse en mariage avant d'avoir appris le métier d'homme. J'aurais voulu conquérir ton cœur de haute lutte, combattre des démons, te voir éblouie par mes faits d'armes. Sache que je me sens l'envergure d'un héros. Mais comment te prouver que j'en suis un ?

Sa femme répondit :

— Ne t'inquiète pas de cela. Aimons-nous fort et vivons notre vie.

— Vivre ? Je ne peux pas. Je veux d'abord savoir s'il est un homme au monde plus fier et valeureux que moi.

— Ne parle pas ainsi. Je connais des héros dont tu n'as pas idée.

Atyek se dressa debout sur le lit et rugit :

— Où sont-ils ?

— Cette nuit, dors tranquille, lui répondit sa femme. Demain si tu veux je ferai ton bagage et je te dirai comment trouver ces hommes forts. Pour l'instant, bonsoir.

Dès le soleil levé Atyek boucla sa ceinture et sella son cheval. Il dit à son épouse :

— Montre-moi le chemin.

Elle ôta de son doigt un anneau d'or gravé, et le passant au doigt de son homme :

— Ne le perds pas, dit-elle. Si tu es en danger, essuie lentement la sueur à ton front, afin que l'ennemi qui sera devant toi ait le temps de le voir. Va maintenant. Suis la route trois jours vers l'est, puis le quatrième jour chevauche jusqu'à midi. Alors tu parviendras devant un chêne planté au carrefour de quatre chemins. Assieds-toi à l'ombre de cet arbre, et tu verras venir un héros véritable. Rapporte-moi sa tête ou laisse-lui la tienne. Au revoir si tu vis, adieu si tu meurs.

Atyek s'en alla. Il voyagea trois jours et une matinée. Vers l'heure de midi il vit un chêne haut planté au croisement de quatre grands chemins. Il s'installa sous son feuillage. A droite il ne vit rien, ni devant ni derrière. Il regarda à gauche. Il vit un cavalier qui s'avançait au pas de sa monture. L'homme semblait dormir. Sa tête ballottait, il ronflait doucement. Atyek pensa : « Voilà celui que j'attendais. » Il cria :

— Holà, ho, défends-toi !

Il tira son épée, la fit tournoyer, l'abattit sur la nuque du passant somnolent. La lame se brisa aussi net que s'il eut frappé une enclume. L'homme grogna mais ne s'éveilla point. Atyek, aussi stupéfait que furibond, poussa un rugissement de jeune tigre et enfonça dans son œil ce qui lui restait d'arme. L'homme agita la tête comme si quelque abeille troublait sa sieste, puis il ouvrit les yeux, vit Atyek devant lui, le souleva d'un doigt sous le menton, lui lia pieds et poings, le suspendit à sa selle, descendit de cheval sous le grand arbre et alluma son feu. Atyek partit tout à coup d'un grand rire. L'homme lui demanda :

— Pourquoi ris-tu, garçon ?

— Détache-moi, assied-moi près de toi, et je te le dirai.

L'homme trancha les cordes en deux coups de couteau. Atyek tomba sur l'herbe.

— Tu es plus fort que moi, voilà pourquoi j'ai ri, dit-il, riant encore. J'ai voulu te tuer, j'ai brisé mon épée. J'ai voulu t'aveugler, je t'ai ouvert les yeux. Je croyais que j'étais un héros. Je ris de ma sottise, et je ris tant que j'en ai des sueurs.

Il essuya son front d'un lent revers de main. L'homme vit à son doigt l'anneau d'or que lui avait donné son épouse. Il dit :

— Ma force est à peine moyenne. Ma mère a eu sept fils. Moi, j'étais le plus jeune. Tous les matins un cavalier passait devant notre maison. Il venait de l'Orient, allait vers l'Occident. Il était plus rapide qu'un coup d'œil d'est en ouest ! On le voyait à peine. Il traversait la plaine et les feuilles tombaient des arbres. Un jour, mes frères ont dit : « Arrêtons-le. » Nous nous sommes mis au travers de sa route, avec nos épées nues. Sans ralentir sa course il a réduit mes six aînés en poussière sanglante. Moi je me suis trouvé déshabillé de tout, armes, chemise, bottes, par le seul tourbillon de tempête qu'il souleva, quand il passa. Dis-moi, garçon, qui t'a donné l'anneau que tu portes à ce doigt ?

Atyek lui répondit :

— Ma femme.

L'homme rit à son tour.

— Garçon, soyons amis. Ton épouse est ma sœur.

Ils s'en allèrent ensemble. Au soir ils arrivèrent au village où vivaient les beaux-parents d'Atyek. Là étaient aussi ses beaux-frères, ses cousins et ses oncles. On le mena devant le plus ancien de tous. Il était centenaire. Atyek lui confia ses désirs et ses rêves. L'Ancien lui dit :

— J'ai voulu être sage. J'ai cru que je l'étais. Comme toi j'ai trouvé mon maître dans un pays où je voyageais. Il était plus savant que moi, mille fois plus savant. Et cet homme m'a dit : « Mon maître à moi est plus savant, mille fois plus que je ne pourrais l'être. » Garçon, sois courageux. Ce monde est infini. Sa beauté est terrible.

— Amenons avec nous Atyek à la bataille et voyons s'il est brave, dirent les autres. S'il ne l'est pas, qu'il meure !

Ils s'en furent chercher querelle dans la plaine aux villages voisins. Les compagnons d'Atyek le poussèrent devant, au plus chaud des combats, mais tous, sans qu'il n'en sache rien, écartèrent les coups qui pouvaient le tuer. Il apprit l'héroïsme auprès de ces gens. Ils revinrent vainqueurs. L'Ancien lui dit :

— Garçon, nous sommes fiers de toi. Tu es maintenant un homme véritable.

Atyek lui répondit :

— Ma femme attend mon retour. Elle doit s'impatienter, et j'ai hâte de la voir.

Ses cousins et beaux-frères chargèrent un chariot de cadeaux magnifiques et lui dirent adieu.

Son épouse l'accueillit sur le pas de la porte. Elle lui demanda :

— As-tu vu des héros ? Sont-ils meilleurs que toi ?

Il répondit :

— Salut ! Ton anneau m'a sauvé. L'Ancien m'aime et je l'aime. La vie est une flèche à la course infinie. Pauvres êtres ! Nous sommes des fourmis, nous disons aux étoiles : « Oh, petites ! Oh, menues ! » Femme, soyons heureux et rions de nous-mêmes !

J'ai entendu ces mots, j'ai couru vous porter cette bonne nouvelle : Atyek est revenu, il va bien, Dieu le garde !

Les trois conseils

Il était autrefois deux princes. Ils s'aimaient autant que deux frères. L'un mourut. Son ami resta seul au monde. Le fils du mort hérita d'un château puissant et de vastes pâturages. Ainsi devenu riche, il mena grande vie. Des compagnons vinrent de partout festoyer chez lui. Ces gens eurent tôt fait d'épuiser sa fortune. Un matin, il s'éveilla pauvre comme l'hiver. Alors il se souvint (il l'avait oublié) de l'ami de son père. Il alla le voir.

— Mon oncle, lui dit-il, que Dieu t'aime toujours. J'ai besoin d'aide.

Le prince répondit :

— Ilyas (c'était son nom), je peux t'offrir mille chevaux, une belle demeure et cette vallée verte par où tu es venu. Je peux aussi te donner trois conseils. Réfléchis, et choisis.

Le garçon médita trois jours. Quand vint le quatrième :

— J'avais des biens et je les ai perdus, dit-il. Mon oncle, donne-moi les trois paroles sages.

— Ilyas mon neveu, n'oublie pas la première : Ce soir à la tombée du jour mets pied à terre et campe où tu seras. Ne poursuis pas ta route. N'oublie pas la deuxième : Si ton chemin te mène à la fille liée qu'on insulte et qu'on tourmente, ne la délivre pas, laisse l'affaire à Dieu. Enfin dix ans durant n'oublie pas la troisième : Compte jusqu'à cent avant de tuer l'homme.

— Quel homme ? dit Ilyas.

— Tu le sauras, répondit le vieux prince.

Ilyas se mit en route. Dès que le jour tomba il attacha sa bête à un tronc d'arbre et alluma du feu. Il ventait et neigeait. « Peut-être aurais-je pu atteindre un village où dormir », se dit-il. Il resta pourtant assis devant les flammes sur la plaine glacée. A l'aube il repartit. Devant lui dans la brume il aperçut bientôt un cheval noir qui trottait au hasard, sans cavalier en selle. Deux sacs battaient sa croupe. Ils étaient remplis d'or. Plus loin encore il vit un cheval gris avec deux sacs semblables. Plus loin un cheval blanc pareillement chargé. Il les prit par la bride, les attacha chacun au train de l'autre et les mena ensemble. Plus loin il découvrit trois hommes serrés les uns contre les autres sur la terre dure. Ils étaient morts de froid. « Voilà les maîtres des chevaux, se dit Ilyas. Si j'avais poursuivi mon chemin cette nuit, je serais mort comme eux. » Il bénit son oncle dans son cœur.

Il arriva vers midi dans un village étrange. Il ne semblait peuplé que de filles et de femmes. Trois vieilles l'accueillirent avec son équipage de bêtes chargées d'or. Elles le firent boire et manger. Quand il fut rassasié, il osa demander où se trouvaient les hommes. Elles lui répondirent :

— Ils ont pris le sentier qui monte à ces hautes murailles, sur la montagne. Nos maris sont partis. Aucun n'est revenu. Nos fils les ont suivis. Nous sommes sans nouvelles.

— Mères, leur dit Ilyas, j'irai demain à cette forteresse.

A l'instant de partir :

— Je reviendrai bientôt, dit-il. Prenez soin de mes bêtes.

Il s'en fut par le chemin montant. Il grimpa tout le jour, toute la nuit encore. Au matin il parvint devant la forteresse. Dans l'ombre du rempart à droite de la porte une fille pendue au mur par les poignets hurlait et sanglotait. A gauche de la porte un être épouvantable était aussi lié. Il avait un corps d'homme, une tête de porc et des yeux beaux et tristes. Des gardes s'agitaient autour de ces deux créatures. L'un d'eux fouettait la fille. Les autres l'insultaient. Ils lui criaient :

— Bougresse, épouse notre monstre, sinon la mort t'attend, la mort, la mort, la mort !

A chaque « mort » le fouet déchirait son corps. Ilyas lui demanda :

— Fille, quel crime as-tu commis ?

— Elle refuse d'obéir, répondirent les gardes. Elle est folle. Va-t'en.

Ilyas se sentit pris de rage et de pitié. Il sortit à demi son couteau de sa ceinture. Alors dans son esprit apparut le visage de son oncle le vieux prince. Il entendit les mots du deuxième conseil. Il ravala sa colère et dit :

— Dieu l'a voulu, fille. Épouse ce monstre.

A gauche de la porte aussitôt l'être abominable se changea en un jeune homme de belle mine, et ses liens tombèrent. A droite de la porte la fille soupira et sourit, elle aussi libérée du fouet et des liens.

— Ma tant-aimée ! gémit le Transformé.

Il pleurait et riait.

— Mon époux, dit-elle.

Ils s'embrassèrent. Autour d'Ilyas les gardes s'assemblèrent.

— Tu nous as tous sauvés, lui dirent-ils, joyeux. Viens, entrons au château.

Ils entrèrent dans la cour. A des anneaux de fer les maris et les fils du village étaient enchaînés. Leurs cheveux poussiéreux couvraient leur face et leurs ongles étaient longs comme des branches mortes. Les gardes dirent à Ilyas :

— Ces gens se sont émus de ce que nous faisions, mais aucun comme toi n'a dit le nom de Dieu que depuis dix ans nous espérions d'un homme. C'est pourquoi la malédiction que subissaient nos maîtres les a frappés aussi.

— Qu'ils soient délivrés, dit Ilyas.

A l'instant ils le furent. Ils s'en revinrent en chantant au village. Ils festoyèrent trente jours. Un matin Ilyas dit :

— Les hommes, je m'en vais.

Les hommes répondirent :

— Où tu vas nous irons. Nous serons ton armée. Tu seras notre prince.

Ils s'en allèrent en longue troupe. Ils chevauchèrent longtemps par les plaines et les montagnes. Enfin ils arrivèrent au village d'Ilyas. Ils le virent en ruine. La maison de famille était envahie d'herbes et de buissons. Une lueur brillait dans une étable. Ilyas à pas de loup s'approcha de la lucarne et regarda dedans. Près d'une lampe il vit son épouse couchée. Elle tenait serrée une ombre dans ses bras. « Ma femme me trahit », se dit-il. Il sortit son couteau. Alors dans son esprit apparut à nouveau le visage de son oncle le vieux prince. Son troisième conseil aussitôt lui revint : « Compte jusqu'à cent avant de tuer l'homme. » Il resta immobile. Il entendit ces mots :

— Ne pleure pas, mon fils, écoute le silence, ton père est en chemin, peut-être est-il déjà à l'entrée du village, peut-être voit-il notre lampe qui brille. La nuit s'en va, mon fils, mon agneau, le jour vient.

Quand Ilyas avait quitté sa maison, sa femme était enceinte. Dix ans étaient passés. Il fit sonner ses éperons sur la pierre du seuil. Il entendit encore :

— Prends la lampe, mon fils, va ouvrir à ton père.

La lampe entre le père et le fils éclaira l'un et l'autre. Entre leurs regards heureux n'était plus rien qu'une flamme vacillante dans le matin naissant.

Les quatre visions de Kha-Beau-Regard

Autrefois fut un prince. Tout au long de sa vie il guerroya sans repos contre les rois cosaques. Il ne sut rien faire d'autre, mais il le fit fièrement. La fatigue lui vint avec les cheveux blancs. Un matin de bataille il sentit sa poigne moins ferme. Au soir de ce jour-là il décida de retourner chez lui, de laisser son cheval au pré et de s'asseoir enfin devant sa cheminée. Alors il dit ceci à son jeune voisin :

— Garçon, je te donne mes armes. Désormais c'est à toi de veiller aux frontières, de piller les Cosaques et de faire en sorte que nos enfants et nos femmes soient bien nourris. Dieu te garde !

Le nom de ce jeune homme était Kha-Beau-Regard. Il s'en alla sur la plaine, conduisit les razzias, veilla le long des fleuves. Il apprit à se battre. Il apprit la douleur, la loyauté, la ruse. Il apprit la victoire et la défaite, l'art de traquer, de résister, de fuir. Il chevaucha dix ans. Enfin il s'en revint avec sa troupe, traînant des charretées de trésors, et des troupeaux de bœufs, de moutons, de chevaux volés de haute lutte. Avant d'aller chez lui il fit halte devant la maison du vieux prince. Il entra dans la salle avec ses compagnons. Près de la cheminée où brûlait un grand feu d'hiver il baisa la main de son hôte et par respect resta debout. Le vieillard lui demanda :

— Kha-Beau-Regard, dis-moi, quelles nouvelles ?

— Vieux prince, je ne parlerai pas de mes batailles, elles importent peu. J'ai pillé les Cosaques et j'ai gardé les frontières comme tu l'as fait toi-même toute ta vie. Une chose pourtant m'a surpris. Avant-hier, comme je chevauchais, j'ai vu sur un arbre quatre paires de bottes qui seules, sans que personne ne soit chaussé dedans, grimpaient dans le feuillage. Chacune piétinait et bousculait les autres, comme pour arriver la première au sommet.

— Cela sera, répondit le vieux prince.

Kha-Beau-Regard but une coupe de vin puis à nouveau parla :

— Vieux prince, ce n'est pas tout. Hier, au bord du chemin, j'ai rencontré un être tel que je n'en avais jamais vu. Son visage était tant émouvant sous le ciel nuageux que le bruit de mon cœur est monté jusque dans ma tête. Je crois que Dieu ne fit jamais rien d'aussi beau. Je me suis approché de cette créature incomparable. Alors j'ai vu son corps. C'était un sac informe, plein de déchets où grouillaient des vermines. Je n'ai pu dire un mot. J'ai poursuivi ma route.

Kha-Beau-Regard but encore une coupe de vin et dit enfin :

— Plus loin, sur la plaine, à cinq heures d'ici, j'ai aperçu des gens autour d'un feu. Ils n'étaient pas humains. Ils semblaient faits de brume, de haillons et de boue. Ils jetaient des livres dans les flammes, ceux de nos prophètes et d'autres, aussi sacrés. Comme je m'approchais, tout s'est défait dans l'air, et je n'ai plus vu que l'herbe ordinaire. Pourtant, tout était vrai. Enfin, près du village, un enfant est passé devant moi. Il était nu dans le vent et le froid. Il errait. Il paraissait avoir perdu sa maison. Prince, quelle mère ose laisser ainsi son fils sans vêtements, sans armes, sans abri ?

Le vieux prince resta longtemps méditatif. Et comme tous autour de lui se tenaient pareillement silencieux, il dit :

— Kha-Beau-Regard, j'ai longtemps guerroyé, j'ai vu bien des pays, j'ai parfois rencontré de vrais hommes, mais je n'ai pas appris ce que tu as appris. Tu sais désormais que notre temps est révolu, et que le monde tel que nous l'avons connu est proche de sa fin. Retourne chez toi, raccroche ton épée et allume ton feu. Tu n'iras plus en guerre.

Kha-Beau-Regard, l'air sombre, but sa dernière coupe,

s'inclina et sortit de la salle. Ses compagnons restèrent à questionner le prince.

— Vieux père, dirent-ils, nous n'avons rien compris. Que signifient ces quatre paires de bottes acharnées à grimper à la cime de l'arbre ?

Le prince répondit :

— Bientôt viendront des gens sans âme. Ils auront tout abandonné de ce qui a fait nos vies : la générosité, l'honneur et le courage. Ils n'auront qu'un désir, régner sur leurs semblables, quitte à les piétiner pour être seuls là-haut, au sommet de l'arbre.

Les hommes s'effrayèrent.

— Vieux père, est-ce possible ? Peut-on vivre ainsi sans cœur, sans dignité ?

— Hommes, cela sera, car les êtres sont tels que Kha-Beau-Regard les a vus en chemin. Leur visage est magnifique, Dieu les a faits ainsi. Mais en vérité plus grande est leur face, plus grand est leur dos. Autant sont-ils beaux, autant sont-ils pesants et grouillants de vermine.

— Vieux père, dirent les hommes, ces fantômes boueux qui brûlaient les livres des prophètes, seront-ils aussi un jour de ce monde ?

— Hommes, le temps viendra où l'on s'acharnera à détruire les œuvres de l'esprit.

— Vieux père, dirent les hommes, il n'y aura plus, alors, de chevaliers sur Terre. Ils auront tous péri.

Le prince répondit :

— Il y aura sur la steppe un petit enfant nu, sans armes, sans abri, semblable à une pousse verte sur la terre durcie, au sortir de l'hiver.

Il resta silencieux, but son vin, lentement. Enfin il murmura :

— Seule la femme de Dieu peut laisser ainsi son fils sans défense dans le vent et le froid, n'est-ce pas, les hommes ? Quelle autre mère ferait cela ?

ARMÉNIE

Le maître du jardin

Il était un roi d'Arménie. Dans son jardin de fleurs et d'arbres rares poussait un rosier chétif et pourtant précieux entre tous. Le nom de ce rosier était Anahakan. Jamais, de mémoire de roi, il n'avait pu fleurir. Mais s'il était choyé plus qu'une femme aimée, c'était qu'on espérait une rose de lui, l'Unique dont parlaient les vieux livres. Il était dit ceci : « Sur le rosier Anahakan un jour viendra la rose généreuse, celle qui donnera au maître du jardin l'éternelle jeunesse. »

Tous les matins le roi venait donc se courber dévotement devant lui. Il chaussait ses lorgnons, examinait ses branches, cherchait un espoir de bourgeon parmi ses feuilles, n'en trouvait pas le moindre, se redressait enfin, la mine terrible, prenait au col son jardinier et lui disait :

— Sais-tu ce qui t'attend, mauvais bougre, si ce rosier s'obstine à demeurer stérile ? La prison ! L'oubliette profonde !

C'est ainsi que le roi tous les printemps changeait de jardinier. On menait au cachot celui qui n'avait pu faire fleurir la rose. Un autre venait, qui ne savait mieux faire, et finissait sa vie comme son malheureux confrère, entre quatre murs noirs.

Douze printemps passèrent, et douze jardiniers. Le treizième était un fier jeune homme. Il s'appelait Samvel. Il dit au roi :

— Seigneur, je veux tenter ma chance.

Le roi lui répondit :

— Ceux qui t'ont précédé étaient de grands experts, des savants d'âge mûr. Ils ont tous échoué. Et toi, blanc-bec, tu oses !

— Je sens que quelque chose, en moi, me fera réussir, dit Samvel.

— Quoi donc, jeune fou ?

— La peur, seigneur, la peur de mourir en prison !

Samvel par les allées du jardin magnifique s'en fut à son rosier. Il lui parla longtemps à voix basse. Puis il bêcha la terre autour de son pied maigre, l'arrosa, demeura près de lui nuit et jour, à le garder du vent, à caresser ses feuilles. Il enfouit ses racines dans du terreau moelleux. Aux premières gelées il l'habilla de paille. Il se mit à l'aimer. Sous la neige il resta comme au chevet d'un enfant, à chanter des berceuses. Le printemps vint. Samvel ne quitta plus des yeux son rosier droit et frêle, guettant ses moindres pousses, priant et respirant pour lui. Dans le jardin des fleurs partout s'épanouirent, mais il ne les vit pas. Il ne regardait que la branche sans rose. Au premier jour de mai, comme l'aube naissait :

— Rosier, mon fils, où as-tu mal ?

A peine avait-il dit ces mots qu'il vit sortir de ses racines un ver noir, long, terreux. Il voulut le saisir. Un oiseau se posa sur sa main, et les ailes battantes lui vola sa capture. A l'instant un serpent surgit d'un buisson proche. Il avala le ver, il avala l'oiseau. Alors un aigle descendit du haut du ciel. Il tua le serpent, le prit dans ses serres, s'envola. Comme il s'éloignait vers l'horizon où le jour se levait, un bourgeon apparut sur le rosier. Samvel le contempla, il se pencha sur lui, il l'effleura d'un souffle, et lentement la rose généreuse s'ouvrit au soleil du matin.

— Merci, dit-il, merci.

Il s'en fut au palais en criant la nouvelle. Le roi était au lit. Il bâilla. Il grogna :

— Moi qui dormais si bien !

— Seigneur, lui dit Samvel, la rose Anahakan s'est ouverte. Vous voilà immortel, ô maître du jardin !

Le roi bondit hors de ses couvertures, ouvrit les bras, rugit :

— Merveille !

En chemise, pieds nus, il sortit en courant.

— Qu'on poste cent gardes armés de pied en cap autour de ce rosier ! dit-il, gesticulant. Je ne veux voir personne à dix lieues à la ronde ! Samvel, jusqu'à ta mort, tu veilleras sur lui !

Samvel lui répondit :

— Jusqu'à ma mort, seigneur.

Le roi dans son palais régna dix ans encore puis un soir il quitta ce monde en disant ces paroles :

— Le maître du jardin meurt comme tout le monde. Tout n'était que mensonge.

— Non, dit le jardinier, à genoux près de lui. Le maître du jardin, ce ne fut jamais vous. La jeunesse éternelle est à celui qui veille, et j'ai veillé, seigneur, et je veille toujours, de l'aube au crépuscule, du crépuscule au jour.

Il lui ferma les yeux, baisa son front pâle, puis sortit sous les étoiles. Il salua chacune. Il dit :

— Bonsoir, bonsoir, bonsoir.

Samvel avait le temps désormais. Tout le temps.

KAZAKHSTAN

Sarsembaï

Sarsembaï n'avait rien, ni maison ni manteau. Il était seul au monde. Il gardait le troupeau du seigneur du village. Un jour son maître vint le voir au pâturage. Il lui dit :

— A l'automne, tu auras pour salaire une brebis boiteuse.

— Seigneur, merci, répondit Sarsembaï.

Il sourit aux nuages. Il se dit : « Une brebis boiteuse est un bien enviable. Dieu m'aime. » Comme il pensait ainsi (son maître était parti) un loup sortit du bois, vint au bord du pré, retroussa ses babines et lui dit :

— Donne-moi un mouton, sinon j'en tue dix.

— Je ne peux pas donner ce qui n'est pas à moi, répondit Sarsembaï.

— Va porter ma demande à ton maître. J'attends.

Sarsembaï courut à la maison où son maître dînait. L'homme essuya ses doigts sur sa serviette, réfléchit un moment et dit :

— Reviens au pré. Bande les yeux du loup. Qu'il choisisse au hasard.

Sarsembaï s'en retourna et fit selon les ordres. Le loup bondit, les yeux bandés, les quatre pattes ouvertes, la gueule béante. Il tomba sur le dos de la brebis boiteuse. « Il pleut toujours sur les mouillés », dit un proverbe pessimiste. Le salaire de Sarsembaï fut dévoré en un instant.

— Le destin l'a voulu, dit le loup. Sèche tes larmes. Je te laisse la dépouille de ta bique. Vends-la. Tu en tireras bien quelques sous.

Sarsembaï s'en alla sans attendre l'automne avec sa peau de brebis. Un jour sur un marché il la vendit à un tisserand borgne pour trois pièces de cuivre. Il avait faim et soif. Il erra parmi les étalages, sans souci des ânes et des marchands criards qui le bousculaient. Un mendiant lui demanda l'aumône. Il jeta un sou dans son bol.

— Merci, dit l'autre. Tu m'as donné beaucoup, je te donne beaucoup. Prends, et que Dieu te garde.

Il ramassa une poignée de sable et la tendit au garçon. Sarsembaï sourit, la fourra dans sa poche et entra dans une auberge. Pour son deuxième sou il se fit servir une soupe et une boule de pain, puis il s'endormit dans un coin parmi des portefaix. Il fut réveillé tôt par les marchands qui reprenaient la route. Comme il sortait dans la lumière du petit jour, il entendit des gens plaisanter et parler entre eux à voix forte.

— Écoutez le rêve que j'ai fait cette nuit ! dit l'un d'eux. Imaginez un prince, un grand, un fortuné. J'étais ce prince-là. Le soleil se penchait sur moi du haut du ciel, et la lune jouait sur ma poitrine nue !

Sarsembaï s'approcha. Il dit :

— Quel homme heureux tu es ! Marchand, vends-moi ton rêve. De ma vie je n'en ai jamais eu d'aussi beau !

L'autre cligna de l'œil.

— Quel prix m'en donnes-tu ?

— Marchand, je n'ai qu'un sou.

— Marché conclu. Mon rêve t'appartient.

Sarsembaï s'éloigna parmi les rires et les ricanements.

Il courut les chemins, les campements, les villes, cherchant là du travail, là un toit où passer la nuit. Personne ne voulut de lui. Peu à peu ses sandales tombèrent en poussière. Vint l'hiver. Un soir, perdu loin des villages, épuisé, grelottant contre le vent glacé :

— Dieu, dit-il, je meurs. Je ne peux plus marcher. Adieu tout ! Que mon corps nourrisse les bêtes !

A peine ces paroles dites, un loup sortit de l'ombre, efflanqué, grognassant.

— Enfin de quoi manger ! dit-il en claquant des mâchoires.

— Tue-moi vite, j'ai froid, répondit Sarsembaï.

— Je connais cette voix, gronda la bête, l'œil fixe, les naseaux fumants dans les ténèbres. N'es-tu pas ce berger qui m'a donné, un jour, une brebis boiteuse ? Tu m'as nourri, garçon. Le destin autrefois avait voulu cela. Je crois qu'aujourd'hui il veut que je te sauve. Monte sur mon dos. Nous partons en voyage.

A travers la neige poudreuse l'un portant l'autre ils parvinrent bientôt à la lisière d'un grand bois. Au loin entre les arbres ils virent briller un point de lumière.

— Du feu ! dit Sarsembaï.

— Près de lui tu pourras survivre jusqu'à l'aube, lui répondit le loup. Des brigands se sont réchauffés là tout à l'heure. Ils ont levé le camp. Moi, je retourne en chasse. Adieu, berger !

Il s'en alla, hurlant encore « adieu » dans la nuit de la steppe. Sarsembaï se hâta vers la clairière, s'assit au bord des flammes et rongea quelques os abandonnés par les hommes. Enfin il s'endormit. Quand il se réveilla le feu était éteint. Le soleil se levait. Il bâilla, s'étira, puis sous la cendre il enfonça ses mains glacées. Il remua les doigts, sentit un objet dur, le palpa, le sortit et resta ébahi. C'était un coffret d'or. Il l'ouvrit. Des milliers de diamants dans l'aube grise firent cligner ses yeux comme autant de soleils. Il y avait là de quoi faire de cent mendiants cent princes.

Il se dressa, son trésor sous le bras, prit le premier sentier qu'il vit sous le couvert des arbres, le perdit, chemina un moment dans la brume, découvrit un torrent. Il le suivit. Il aperçut enfin une maison de bois parmi les rochers qui encombraient la rive. La cheminée fumait. Il cacha son coffret dans le tronc d'un vieux chêne, puis il poussa la porte, entra. Dans l'ombre de la cheminée se tenait une fille. Elle était belle et pâle.

— Qui es-tu ? dit-elle.

— Mon nom est Sarsembaï. J'ai perdu mon chemin.

Elle lui répondit :

— Je m'appelle Altina. Le malheur est sur moi. Désormais il est aussi sur toi, si tu restes. Sais-tu qui vit ici ? Jalmaouizer la Vieille. Dépêche-toi de fuir, cette maison est maudite !

Sarsembaï lui prit la main.

— Fille, fuyons ensemble.

Altina murmura :

— Hélas, il est trop tard.

En hâte elle poussa Sarsembaï derrière une tenture. Il entendit un grand fracas. Par un trou du tissu il vit entrer un monstre aux yeux rouges, aux dents jaunes, au nez crochu comme un ongle de rapace. C'était Jalmaouizer. La sorcière s'assit, tendit au feu ses longs doigts secs et croassa :

— Altina, viens ici.

La fille s'approcha. Jalmaouizer palpa ses épaules, ses hanches.

— Bonne à jeter aux rats, voilà ce que tu es, gronda la vieille. J'aime la viande grasse. Grossis donc, c'est un ordre ! Je veux bien patienter quelque temps encore. Mais au dernier matin de cet hiver, je te préviens, fillette, maigre ou charnue, je t'embrocherai, et tu rôtiras !

Elle traîna trois sacs au travers de la porte, se coucha dessus à plat ventre et se mit à ronfler. Altina ce soir-là derrière la tenture dormit dans les bras du garçon.

Le lendemain la sorcière sortit de bonne heure. Elle s'en alla le long du torrent. Dès qu'elle eut disparu, la pauvre fille conta à Sarsembaï comment Jalmaouizer l'avait faite prisonnière.

— Mon père m'a perdue dans la forêt. Je suis venue ici demander de l'aide. La vieille a pris mes mains, elle m'a attirée contre elle, elle a démêlé mes cheveux avec un peigne d'or. Alors je me suis endormie et j'ai perdu toute force. Depuis je désespère. Je n'attends plus rien que de mourir.

— Altina, nous vivrons, lui répondit Sarsembaï. Pour l'instant, reste ici. Je vais explorer les profondeurs de la forêt et faire provision de gibier. Au dernier jour de l'hiver je serai de retour.

Altina répondit :

— Va, et que Dieu te garde.

Après trois jours d'errance, Sarsembaï vit un faon au bord d'une clairière. Il était presque mort d'effroi. Dix corbeaux harcelaient son échine, ses yeux. A grands coups de bâton il dispersa la nuée. Un cerf accourut à travers les broussailles.

— Merci, homme, dit-il. Je ne t'oublierai pas.

Sarsembaï, au hasard, poursuivit son chemin. Après neuf jours il vit sous des branches crevées un jeune mouflon prisonnier d'une fosse. Il le prit par le cou, le hissa sur l'herbe. Alors il entendit une voix qui disait :

— Tu as sauvé la vie de mon fils. Sois béni. Je sauverai la tienne.

Il s'en alla content. Au douzième matin, comme il traversait une lande, des piaillements lamentables l'attirèrent vers un buisson. Il se pencha. Il vit un aiglon qui se débattait parmi les ronces. Il était à demi étouffé. Ses ailes étaient déchirées. Il le prit, caressa ses plumes. Près de lui sur un rocher un aigle se posa.

— Homme, ce service en vaut mille, lui dit-il. Va, je m'en souviendrai.

Après quinze journées de chasse Sarsembaï s'en revint à la cabane. Il poussa la porte. Il vit Jalmaouizer se dresser devant lui. Son poing droit brandissait un couteau de pierre. Son poing gauche tenait Altina par les cheveux.

— Ainsi c'est toi, garçon, que cette fille appelait à grands cris, grinça la vieille. Fort bien ! Vous rôtirez sur deux broches jumelles !

Sarsembaï répondit :

— Mille diamants pour le prix d'Altina !

Il courut au vieux chêne, en sortit son coffret, l'ouvrit et par poignées il lança les cailloux rares au nez de la sorcière.

Elle en bava d'émoi, en oublia sa proie et son couteau. Sarsembaï prit la main d'Altina. Ils s'enfuirent.

Bondissant de rocs en broussailles droit devant ils coururent. Derrière eux la forêt se mit à geindre, à craquer et se fendre. Jalmaouizer, hirsute, hurla :

— Maudits ! Maudits vivants ! Vous n'échapperez pas à mes griffes !

Altina, épuisée, tomba sur l'herbe. Alors surgit un cerf.

— Je n'ai pas oublié, dit-il. Chevauchez-moi.

La bête les porta d'un galop si puissant que le temps d'un soupir ils se trouvèrent hors d'atteinte. Elle les déposa au pied d'un mont. Le temps de trois soupirs ils se reposèrent. Alors ils aperçurent une boule de nuit, au loin, sur la forêt. Elle écrasait les arbres. Elle soulevait la terre.

— Maudits ! Maudits vivants ! cria Jalmaouizer dans le nuage noir.

Sarsembaï entraîna Altina parmi les éboulis, le long des précipices. Un mouflon accourut au-devant d'eux.

— Je me souviens, dit-il. Montez en croupe.

Le temps d'un cri d'oiseau ils furent au sommet. Alors le sol trembla. La vieille au-dessous d'eux dévorait la montagne. Sa figure grimaça parmi les avalanches. Ses griffes apparurent au-dessus des poussières. Comme elles allaient s'abattre sur les fuyards, un aigle descendit du ciel. Il emporta au loin Sarsembaï et Altina, tandis que le mont s'effondrait sur la sorcière.

Ils furent déposés à l'entrée d'un village. Là ils se regardèrent et leurs yeux dirent qu'ils s'aimaient. Bientôt ils s'épousèrent. Ils vécurent de peu. Ils eurent un enfant. Un dimanche d'été Sarsembaï se coucha dans l'herbe. Son enfant grimpa sur sa poitrine nue. Altina, à genoux, se pencha sur son homme. Alors il dit, rieur :

— Un jour j'ai acheté un rêve. Vois comme j'ai bien fait. Il ne m'a pas quitté. Me voici couché sur la terre précieuse, et ma femme me veille, ô mon soleil vivant ! Et mon fils joue sur moi, ô lune magnifique ! Je suis un prince heureux.

Alors il se souvint des guenilles qu'il portait au temps lointain de ses errances. Il les avait gardées. Sa tunique en lambeaux était suspendue à l'arbre du jardin, au-dessus de sa tête. Il tendit la main. Il sentit dans la poche une poignée de sable, celle qu'un mendiant lui avait donnée un jour pour prix d'un sou de cuivre. Il la prit, la jeta au vent.

Sur la steppe aussitôt apparurent des milliers de chevaux, de moutons, de vaches, de chameaux. Une bête était née de chaque grain de sable. Les voisins accoururent. Ils dirent, éblouis :

— A quel seigneur sont-ils, ces troupeaux innombrables ?

— Ils sont à moi, à nous, répondit Sarsembaï. A nous ces biens, à nous ces beautés infinies.

SCANDINAVIE

Thor au château d'Utgard

En ce vieux temps, Thor, le grand dieu, courait le monde avec ses deux compères Loki et Thialfi. Un jour, après avoir franchi douze déserts, quatre forêts feuillues, quatorze vallées sombres et huit montagnes bleues, ils se sentirent un peu las et se reposèrent au pied d'un arbre millénaire. Alors ils aperçurent à l'horizon de l'ouest une forteresse si puissante et si haute que la cime des tours se perdait dans le ciel. Comme ils s'ébahissaient à contempler ses murailles que traversaient les brumes du soir, vint à passer sur le sentier une vieille bûcheronne courbée sous un fardeau de branches. Thor lui demanda quelle était cette citadelle.

— C'est le château d'Utgard, lui répondit la femme. Et si tu veux m'en croire, étranger, prends garde de franchir ses portes, car là demeurent des géants énormes et féroces. Selon les opinions les mieux autorisées du monde, ils sont proprement invincibles. Rebrousse donc chemin, c'est un conseil de vieille. La paix sur toi, bel homme !

— Qu'en pensez-vous, compères ? dit le dieu Thor, riant.

— Nous irons à Utgard, lui répondit Loki.

Thialfi renchérit :

— Certes ! Et nous changerons ces géants en montagnes, s'ils nous cherchent des poux dans les poils du menton !

— Voilà qui est parlé, dit Thor, l'œil allumé. Prenons quelque repos, et dès demain matin, cap sur le château d'Utgard !

A la pointe du jour ils bouclèrent leur sac et s'en furent frapper à la porte de la citadelle. On les fit entrer dans une belle salle. Le long de ses murailles où pendaient des tapisseries tissées de chevelures humaines des géants se tenaient dans des fauteuils de fer. Dans la cheminée brûlaient dix troncs d'arbre. Près de ce feu était le roi d'Utgard.

— Salut à toi, Thor, dit-il en ramenant son manteau sur ses cuisses. Ta visite m'honore, car ton renom est grand. Parmi les dieux qui gouvernent le monde, il paraît que tu es le plus haut, le plus fort, le plus subtil aussi. Mais peu m'importe. La loi de ce château est la même pour tous, hommes, dieux, ou démons. Nul ne peut séjourner durablement ici s'il ne brille à nos yeux par quelque connaissance ou par quelque pouvoir que nous n'ayons nous-mêmes. Toi et tes compagnons, que savez-vous donc faire ?

— Moi, répondit Loki, je mange vite et gros. Personne à ce jeu-là ne m'a jamais vaincu.

— Fort bien, l'ami, lui dit le roi d'Utgard. Nous allons éprouver ton étrange talent.

Il appela d'un geste le plus bas des géants assis contre le mur.

— Logi, dit-il, viens là.

On amena une auge longue pleine à ras bord de viande mêlée d'entrailles et d'ossements. Loki vint à un bout, et Logi vint à l'autre. Le roi claqua des doigts. Aussitôt tous les deux se mirent à bâfrer par poignées débordantes. A mi-parcours leurs fronts sourdement se cognèrent. Loki avait mangé la viande avec les os, mais il avait perdu. Car le géant Logi, outre la bête, avait dévoré l'auge. On railla le vaincu. Thialfi s'avança.

— Roi, dit-il, c'est donc moi qui vaincrai l'un de tes serviteurs.

— En quel art brilles-tu ? lui demanda le roi.

— A la course, seigneur. Je veux bien défier les plus fines gazelles, si tant est qu'il y en ait dans ce pays sauvage.

— Fort bien, lui dit le roi.

Un géant se leva. Il s'appelait Hugi. Tous sortirent devant

la porte du château. Le roi d'Utgard désigna un vieux chêne au fond de la plaine. Il dit aux deux coureurs :

— Allez et revenez.

Hugi et Thialfi s'élancèrent ensemble. On ne vit un instant qu'un long trait de poussière. Le géant le premier fit le tour de l'arbre, revint à mi-chemin, et croisant Thialfi qui s'efforçait en vain il le souleva de terre et le ramena ainsi, à bout de bras, devant le roi d'Utgard. Thor, parmi l'assemblée, dit alors haut et clair :

— Qui veut boire avec moi ?

On le prit par l'épaule et tous en riant fort retournèrent dans la salle. A Thor, on présenta une corne de buffle.

— Vide-la d'un seul coup, lui dit le roi d'Utgard, et cela s'appellera bien boire. Quelques-uns parmi nous la vident en deux gorgées. Il n'est pas un enfant qui ne la vide en trois. A toi donc, dieu puissant !

Thor empoigna la corne. Il but à perdre souffle, puis, toussant et crachant, la posa sur la table. De l'eau restait au fond.

— Passable, dit le roi. Tu pourrais faire mieux.

L'autre furieusement se remit à l'ouvrage. Les yeux exorbités, le menton ruisselant, il reposa la corne. Elle était à demi pleine.

— Compagnon, dit le roi, il est clair maintenant que ta gloire est surfaite. Tu n'es qu'un dieu mineur. Je te propose donc un jeu à ta mesure. Vois-tu ce chat ?

— Eh bien quoi, c'est un chat, ronchonna le dieu Thor.

— Soulève-le de terre.

L'autre saisit la bête et la leva sans peine. Le chat fit le gros dos, ses pattes s'allongèrent et restèrent plantées sur le tapis de laine.

— C'est ce qu'il nous semblait, dit le roi en riant aux larmes. Cet animal est grand, et toi tu es petit.

Thor, furieux, répondit :

— Si petit que je sois, je suis prêt à combattre contre qui tu voudras.

Les narines fumantes, il brandit son marteau.

— Le moindre de mes gens pourrait te prendre au col d'une pincée de doigts et te jeter dehors, lui dit le roi d'Utgard. Qui puis-je t'opposer ? Ma nourrice peut-être, la vieille Hellé.

Il l'appela. Elle vint. C'était apparemment une sorcière maigre, pâle, boiteuse. Elle courba le dos, et d'un bond de tigresse elle se jeta dans les jambes de Thor. Il ploya les genoux.

— C'est assez, dit le roi. La nuit tombe. Il est temps de laisser nos amis se reposer un peu.

Thor et ses compagnons furent conduits dans une chambre haute. Là étaient trois grands lits. Honteux et fatigués ils se couchèrent sans un mot et bientôt s'endormirent, le front dans l'oreiller.

Le lendemain matin, ils firent leurs bagages. Le roi d'Utgard les accompagna jusqu'à la porte du château.

— Seigneur, lui dit Thor, je n'ai rien fait qui vaille. J'enrage et je suis triste.

— Ami, lui répondit le roi, il n'est pas un vivant qui soit meilleur que toi, et tes compagnons sont des gens redoutables.

— Sire roi, tu te moques !

— Du tout, ami, du tout. Vous avez affronté dans ce château bien plus que les géants, sachez-le. Personne en vérité n'est plus dévorant que Loki. Celui qui face à lui a mangé la moitié de l'auge était le feu du ciel, que j'avais appelé. Et sais-tu contre qui Thialfi a couru ? Non point contre un géant, il n'était qu'illusion, mais contre mon regard. Et la corne de buffle où tu as bu, dieu Thor, trempait dans l'océan par son bout effilé. Tu as presque asséché les eaux du monde.

— Le chat, demanda Thor, qui était-ce, dis-moi ?

— Le serpent de Mitgard, qui tient serrés les cieux, les terres et les mers. Et tu l'as soulevé si haut que j'ai eu peur. Pour un peu, compagnon, tu brisais l'univers.

— Et ta vieille nourrice ?

— C'était la Mort, dit le roi. Celle devant qui tous un jour ou l'autre tombent ne t'a même pas mis à genoux.

— Et toi, demanda Thor, qui es-tu, roi d'Utgard ?

Le roi hocha la tête et resta silencieux.

— Réponds-moi ! hurla Thor.

Il voulut l'empoigner aux épaules mais ne saisit que l'air paisible du matin. Le roi d'Utgard avait disparu, et avec lui sa citadelle. Devant les voyageurs n'étaient que les grands arbres et l'herbe de la plaine.

GRAND NORD

Le petit homme

Elles étaient cinq sœurs au bord de l'océan. Elles vivaient dans l'igloo que leur père avait bâti, mais qui se souvenait du père parmi elles ? Même pas l'aînée. Elles n'avaient jamais vu personne, sauf des rennes, au loin, une ourse et ses petits sur un îlot de glace, des oiseaux fuyants au-dessus des vagues.

— Y a-t-il quelqu'un sur cette terre qui soit semblable à nous ? dit un soir la plus jeune.

Elle écorçait du bois à petits coups de sa hache de pierre. Elle resta rêveuse.

— Si nous sommes ici d'autres y sont aussi, dit à voix d'oisillon la quatrième fille en aiguisant le fil de son couteau d'os sur un caillou poli.

Près du feu la troisième en fredonnant cousait une fourrure.

— Peut-être sommes-nous tombées de la poche trouée d'un vagabond céleste, dit-elle.

Elle sourit. La deuxième lui dit :

— Tu as raison. Nous sommes seules au monde.

Elle s'assit près d'elle, prit sa cuiller de bois et remua dans le chaudron le bouillon d'herbes et de racines. Alors l'aînée leur dit :

— Il nous faut quelqu'un pour nous aider à vivre. Un rêve m'a appris comment faire. Donnez-moi une hache, un couteau, une aiguille, une cuiller de bois. Je les mettrai ensemble, je soufflerai dessus comme on fait quand un feu s'épuise. Si tout va comme il faut, un allié naîtra.

Elle prit la cuiller, l'aiguille, le couteau et la hache de pierre, les posa sur son lit et s'accroupit devant. Elle gonfla ses joues, souffla, souffla à toute force comme sur la dernière étincelle du monde au fond de la nuit. Les outils disparurent. A leur place apparut un être tout vêtu.

C'était un petit homme. Les sœurs s'extasièrent. Il se leva, frotta des poings ses yeux et dit :

— J'ai du travail !

Il sortit de l'igloo, marcha jusqu'au bord de la mer puis s'en alla vers l'est où se dressait, au loin, une colline. Il la gravit. Au-delà de ce mont il vit une maison. Elle était de neige dure. Son toit était couvert de peaux de phoque et de fourrures d'ours. Il s'approcha, entra. Il appela :

— Ho ! ho !

Dans l'ombre du dedans personne ne lui répondit. Aux murs étaient des arcs et des carquois de flèches, aux poutres du plafond, pendue à des crochets, de la viande de renne. Il en découpa cinq quartiers, les chargea sur son dos et s'en alla, courbé contre le vent.

Les cinq sœurs l'accueillirent avec enthousiasme. Elles n'avaient jamais vu une viande aussi tendre et parfumée. Elles la firent rôtir. Ce soir-là leur dîner fut traversé de paroles gaies et de rires.

— Il y a une maison derrière la colline, leur dit le petit homme. Elle est belle, elle est riche, de bonnes nourritures sont pendues partout aux poutres du plafond.

Or, dans cette maison derrière la colline vivaient cinq frères. Au soir, quand ils revinrent de la chasse, ils virent qu'un voleur était venu chez eux.

— Demain, dit l'aîné, je monterai la garde. Si quelqu'un ose encore piller notre viande, je le tuerai.

Le lendemain matin au seuil de la maison au toit de peaux de phoques et de fourrures d'ours parut le petit homme. Il appela :

— Ho ! ho !

Au-dedans, pas de bruit. Il entra, vit un renne fraîchement écorché suspendu à la poutre. Il trancha cinq quartiers. Alors derrière lui le grand frère se dressa. Un long couteau pendait à sa ceinture. Il mit ses poings aux hanches et cria :

— Corbeau, viens là que je t'étrangle !

— Pitié, frère, gémit le petit homme.

Il tomba cul par terre. Il se mit à trembler, les mains sur la figure. L'autre dit :

— Je te laisse la vie si tu as une sœur.

— Je n'en ai pas. Je suis seul, seul au monde.

— Homme, tu en as une. Si tu n'en as pas une, je t'arrache les yeux !

— J'avoue, frère, j'ai une sœur cadette.

— Homme, tu en as deux. Si tu n'en as pas deux, je t'arrache les bras !

— Oui, frère, j'ai deux sœurs.

— Homme, tu en as trois. Si tu n'en as pas trois, je t'arrache les jambes !

— Calme-toi, frère, j'ai trois sœurs, en effet.

— Homme, tu en as quatre. Si tu n'en as pas quatre, je t'arrache la tête !

— Puisque tu le veux, frère, j'ai quatre sœurs.

— Homme, tu en as cinq. Si tu n'en as pas cinq, je t'arrache le cœur !

— Frère, j'ai cinq sœurs, mais pas une de plus.

— Demain, dit le chasseur, nous te suivrons chez toi, mes quatre frères et moi.

Le lendemain matin ils s'en furent par la colline jusqu'à la rive de la mer. Le petit homme leur désigna l'igloo des filles sur la plaine puis il courut devant, franchit le seuil et se coucha sur le lit au fond du logis. Les cinq chasseurs s'étaient vêtus de beaux habits, de belles bottes. Ils avaient lissé leurs cheveux sous leur capuchon de fourrure. Les cinq sœurs, voyant approcher ces êtres aux épaules larges, mirent de l'ordre dans la maison, firent sortir les fumées âcres à grands envols de couvertures. Quand ils furent tous face à face devant la porte, l'aîné des cinq chasseurs dit à la fille aînée :

— Belle femme, je suis venu. Vivons ensemble.

Ses quatre frères à leur tour dirent ces paroles aux sœurs cadettes et tous entrèrent, et tous s'assirent.

Le petit homme n'était plus sur le lit au fond de l'igloo. A sa place étaient une hache de pierre, un couteau, une aiguille, une cuiller de bois.

Soholynlan

Qui a vu la femme de Soholynlan et ne l'a pas aimée ? Personne. Elle était magnifique. Dans son regard de trois couleurs étaient l'innocence de l'enfant, la témérité de la jeune fille et l'incomparable tendresse de la mère. Et ses seins étaient fermes, et sa figure noble, et sa taille émouvante. Qui n'aurait voulu partager sa maison avec elle ? Personne, sauf Soholynlan lui-même. La beauté de sa femme ne suffisait pas à Soholynlan. Il désirait une autre épouse. Les hommes sont ainsi, à peine amants, déjà partis, toujours à vouloir s'énivrer d'alcools nouveaux.

Sa femme apprit un jour l'envie de son époux. Aussitôt un trou sombre se creusa dans son cœur, et ses yeux se mouillèrent. Elle sortit sur la plaine infinie. Au vent, aux herbes, aux bêtes elle parla ainsi :

— Vous tous, mes familiers, buissons, renards, nuages, rochers, nuées d'oiseaux, que mon chagrin soit vôtre ! Soholynlan veut prendre une seconde épouse, il veut faire de moi son esclave. Qu'ai-je donc fait de mal ? Ne l'ai-je pas aimé ? N'ai-je pas bien cousu ses habits de fourrure ? N'ai-je pas bien chauffé son lit et sa marmite ? J'ai fait cela, et plus encore. S'il n'en est pas content, tant pis. Je le quitte à jamais. Il ne me verra plus. Et que pas un de vous qui m'avez entendue ne lui dise où je suis !

Après qu'elle eut ainsi parlé aux vivants de la Terre elle leva la tête au ciel, ouvrit les bras et dit encore :

— Grande Ourse, prends mes bras, mes jambes, ma

poitrine ! Petite Ourse, mon cœur, mon ventre, mes poumons ! Toi, Étoile du Soir, prends ma tête, mes yeux, ma bouche, mes cheveux !

A peine ces paroles dites, la femme de Soholynlan ne fut plus une femme. Elle fut semblable à mille grains de neige. Elle s'envola dans les étoiles.

Quand Soholynlan, au soir, rentra chez lui, il vit le feu éteint, la viande encore crue sur la planche à couper, la maison en désordre. Il appela sa femme, il n'eut pas de réponse. Il sortit, la chercha et l'appela encore. Du crépuscule au jour, errant dans la plaine déserte, il tourna partout la tête en criant son nom. A l'aube, exténué, il tomba à genoux. A l'herbe il demanda :

— As-tu vu mon épouse ?

L'herbe lui répondit :

— Je l'ai vue. Malheur sur toi ! Tu as blessé ta femme, Soholynlan. Pourquoi te dirais-je ce que je sais ? Tu me blesses aussi quand tu cours sur la plaine.

Soholynlan tendit devant lui ses mains tremblantes. Il demanda aux buissons :

— Vous, dites-moi, si vous savez.

— Ta femme s'est enfuie, tu lui as fait offense, bruissèrent les buissons. Tu n'as guère de cœur, tu es insouciant, tu es aveugle aussi. Tu fais mal sans savoir, Soholynlan. Tu écrases nos fruits et tu brises nos branches, pour rien, par distraction. Nous ne te dirons rien.

Il courut aux rochers. Il dit aux mousses vertes :

— Aidez-moi, par pitié !

— Ta femme ne reviendra plus, lui répondirent les mousses. Elle a trouvé ailleurs meilleur maître que toi. Tu n'entends les plaintes de personne. Va-t'en, Soholynlan. Le soleil est rare. Ton ombre nous vole sa chaleur.

Alors Soholynlan à genoux se pencha sur le champignon rouge.

— Ô toi qui connais les chemins et les mystères des autres mondes, parle, si tu sais !

Et le champignon rouge lui répondit tout bas :

– J'ai vu, je sais, je te dirai. Ta femme est dans le ciel. Elle s'est dispersée, là-haut, en mille éclats.

Soholynlan est retourné chez lui en grande hâte. Dans l'ivoire précieux il a taillé une barque volante, il est monté dedans avec son grand harpon et il s'est envolé. Il a navigué parmi les étoiles. Trois fois dans la Grande Ourse il a lancé son arme. Dans la barque d'ivoire au bout du grand harpon il a ramené les bras, les jambes, la poitrine de sa femme. Et de la Petite Ourse en trois coups ajustés il a ramené le cœur, le ventre, les poumons de sa femme. Enfin il a volé vers l'Étoile du Soir. Et de cette étoile il a ramené dans sa barque la tête de sa femme, ses yeux, sa bouche, sa longue chevelure. Et sa femme vivante enfin est apparue, assise dans la barque. Il faisait grand vent dans le ciel. Elle a crié :

– Si tu ne m'aimes pas, laisse-moi où je suis !

Et Soholynlan lui aussi a crié dans la bourrasque :

– Je te ramène chez nous, femme ! Chez toi, chez moi, chez nous !

Ils sont redescendus dans leur maison terrestre. Et la femme de Soholynlan fut contente de ce qu'elle avait fait. Et Soholynlan aussi.

Asie

JAPON

Le jeune homme qui avait fait un rêve

Il était une fois un jeune paysan. Un matin, il dit à son père :

— J'ai fait un rêve.

Son père répondit :

— Raconte-le, mon fils.

— C'est un rêve précieux, dit le jeune homme. Je le garde pour moi.

Son père s'irrita. Il répéta :

— Raconte.

Le garçon refusa. Alors sur tous les tons, en frappant l'air du poing, en cognant le sol du talon, de plus en plus rougeaud, de plus en plus avide, son père pria, gronda :

— Je veux savoir. Raconte.

Il menaça son fils, empoigna un bâton et le leva sur sa tête. Le garçon prit la fuite. Il courut, courut loin, parvint au bord d'une rivière, vit une maison basse parmi les bambous qui grinçaient sous le vent. Il entra, entendit une voix méchante sous des haillons puants, près du feu où bouillait un chaudron :

— Que viens-tu faire ici ?

Deux mains aux doigts crochus sortirent des guenilles, puis une figure maigre aux yeux redoutables. C'était une sorcière. Elle cuisait des rats, des crapauds, des araignées. Le garçon répondit :

— Mon père m'a chassé.

Il dit pourquoi. La sorcière grogna :

— Raconte-moi ce rêve. Je te donnerai un éventail magique. Si tu t'éventes avec, tu t'envoles où tu veux.

— Ton éventail d'abord, répondit le garçon.

Elle fouilla un gros sac entre ses jambes, en sortit l'éventail et le tendit au jeune homme. Il le prit, s'éventa. Il sentit son corps flotter. Il s'éventa encore. Il sortit par la lucarne, s'éleva dans le ciel, rejoignit les oiseaux, suivit leur vol le long de la rivière jusqu'aux vagues de l'océan. Au loin, il vit une île. Il se posa dessus. Alors le sol bougea si fort qu'il faillit tomber à la renverse.

— Que viens-tu faire ici ? dit une voix tonnante.

Cette île était une baleine. Le garçon répondit :

— Un rêve m'est venu. Mon père l'a voulu. Je l'ai gardé pour moi. Il a pris son bâton. J'ai fui chez la sorcière. Je me suis envolé. Me voilà sur ton dos.

La baleine écouta, bâilla et demanda :

— Raconte-moi ce rêve.

— Que me donneras-tu ?

— Deux aiguilles subtiles. Si tu piques de l'une, elle tue. Si tu piques de l'autre, elle redonne vie à ceux qui l'ont perdue.

— Les aiguilles d'abord, répondit le jeune homme.

— Prends-les, garçon. L'une est sous mon œil droit. Elle est d'or, elle fait vivre. L'autre est sous mon œil gauche. Elle est d'argent, elle tue.

Il les prit, s'éventa, s'envola et se laissa pousser par la brise jusque sur une ville aux toits multicolores. Il se posa dans un jardin public. Partout autour de lui il vit des gens si tristes qu'ils sanglotaient sans retenue. Des hommes reniflaient, des femmes se mouchaient, les yeux rougis. Il leur demanda pourquoi ils pleuraient ainsi. Quelqu'un lui répondit :

— Notre princesse est morte.

— Ce n'est donc que cela ? dit le garçon. Menez-moi au seigneur de la ville.

On courut avec lui par les ruelles et les places jusqu'à l'escalier bleu qui montait au palais. On appela le prince. Il vint à son portail.

— Seigneur, dit le garçon, je peux rendre la vie à votre fille morte.

L'autre lui répondit :

— Si tu fais ce miracle, je te donne ma cité, son peuple et ses trésors.

Il le prit par la main et l'entraîna chez lui. Ils marchèrent longtemps sur des parquets glissants, le long de corridors aux murs dorés mais sombres. Le prince enfin poussa la porte d'une chambre. La princesse était là, pâle et frêle, couchée sur un grand lit. Le garçon s'approcha d'elle et lui piqua la main de son aiguille d'or. La fille soupira, s'assit, éternua et dit :

— J'ai bien dormi.

Son père ouvrit les bras mais ne put dire un mot, tant il était émerveillé. On fit un grand banquet. Au dessert, le seigneur se pencha vers son invité et lui demanda :

— Quel est ton secret ?

Le garçon répondit qu'il avait fait un rêve, qu'il n'avait pas voulu le raconter à son père, qu'il s'était enfui, qu'il s'était abrité dans une maison basse, qu'une vieille était là à remuer sa soupe dans un chaudron malodorant, qu'elle lui avait donné un éventail magique, qu'il s'était envolé, qu'il avait rencontré une baleine en mer, qu'il avait eu d'elle deux aiguilles subtiles et qu'il était venu sur la brise jusqu'à cette cité où l'on pleurait beaucoup.

Le seigneur demanda :

— Garçon, quel est ce rêve ?

— Seigneur, vous venez de l'entendre, répondit le garçon. Il finit ici même où nous sommes, à l'instant où vous dites : « Garçon, je te donne ma fille. »

Le prince s'inclina.

— Soyez heureux, dit-il.

J'ai entendu ces mots de mon oreille droite. J'ai reçu un soufflet sur mon oreille gauche et me voilà chez vous à vous conter l'histoire. Elle est dite. Bonsoir. Je retourne à la fête.

L'enfer et le paradis

Un jour, un fameux samouraï nommé Kasaï, fatigué de risquer partout sa haute et puissante carcasse, se prit à écouter son âme. Et son âme lui dit : « Par pitié, trouve-moi. » Kasaï s'étonna fort. « T'ai-je donc égarée ? Puisque tu sais parler, mon âme, dis encore. Où es-tu ? Réponds-moi et j'irai te chercher. — Je suis où est l'enfer. Je suis peut-être aussi où est le paradis. » L'âme lui dit ces mots, puis demeura muette.

Alors Kasaï décrocha son épée du mur de sa maison et s'en alla sur les routes à la recherche de ces lieux où était son âme. Or, comme il cheminait çà et là au hasard, passant devant un temple il vit un vieux moine assis contre le mur.

— Grand-père, lui dit-il, où est le paradis ?

— As-tu beaucoup pleuré ? lui demanda le moine.

— Pas plus qu'il ne convient à un homme de guerre.

— Alors, mon fils, je crains que tu ne puisses suivre le chemin qui conduit où tu voudrais aller.

— Et l'enfer, homme saint, sais-tu où il se trouve ?

— Samouraï, je l'ignore, lui répondit le moine. On dit que seulement trois sages s'en sauvèrent, après avoir couru ses labyrinthes. Mais en vérité personne ne parvint à savoir quel chemin ils avaient suivi.

— Pourquoi, homme saint ?

— Parce que le premier était devenu fou, le deuxième avait perdu la vue et le troisième, aux mille questions qui lui furent posées, répondit qu'il s'était trouvé lui-même. Il ne voulut rien dire d'autre.

Kasaï, fort accablé, salua le vieux moine et reprit son chemin. La nuit venue il se saoula dans un bas-fond d'auberge, convaincu que ces lieux où l'attendait son âme lui étaient à jamais inaccessibles. Le lendemain pourtant une lueur d'espoir aussi faible et ténue qu'un point de braise dans la cendre à nouveau le poussa à se remettre en route. Il marcha le front bas jusqu'à la ville d'Ise où était un marché. Un moment il erra parmi les charretées de fruits et de légumes, puis acheta pour quelques sous un bol de riz bouilli et s'assit contre un arbre pour déjeuner tranquille. Or, comme il somnolait à l'ombre fraîche, il vit passer un homme sur son âne, et soudain reconnut son visage. Il l'avait rencontré, un jour, dans la montagne d'Ise où il s'était égaré à pourchasser des brigands. Cet homme était ermite. Il avait hébergé le samouraï perdu puis il l'avait remis sur la route de la ville. Il y avait de cela quinze ans, peut-être vingt. Il n'avait pas changé d'un cheveu, d'une ride. Il s'appelait Hakuin. Il paraissait heureux. Kasaï d'un bond se dressa et de loin le suivit jusqu'à sa maison basse au bord de la forêt qui grimpait vers les brumes. Il demeura longtemps dans l'abri du sous-bois, sans oser s'approcher de la porte. Au crépuscule enfin il s'en vint sur le seuil, appela :

— Maître Hakuin !

Il attendit un peu, puis l'ermite apparut, une lampe à la main.

— Que me veux-tu, mon fils ?

— Me reconnaissez-vous ? dit Kasaï.

— Entre, répondit le vieil homme.

Après qu'ils eurent bu ensemble un bol de thé :

— Maître Hakuin, dit le samouraï, je cherche le chemin du paradis, je cherche aussi celui de l'enfer, car mon âme m'a dit qu'elle était en ces lieux. Aidez-moi, je ne sais pas où aller.

L'ermite resta longtemps silencieux à contempler son

visiteur. Puis sa figure se fit soudain si sarcastique et méprisante que Kasaï se dressa, le cœur bouleversé et les tempes battantes.

— Qui es-tu donc pour me prier ainsi ? grinça méchamment maître Hakuin. Un soudard, un brutal, un rustre, un pègreleux. Certes, je te connais. Tu pues autant qu'un fauve. Quinze années sont passées depuis ce jour où par indulgence coupable je t'ai accueilli sous mon toit, mais je n'ai oublié ni ta mauvaise odeur ni ton regard stupide. Comment l'aurais-je pu ? Tu es ce qui se fait de plus sot en ce monde. Toi, suivre le chemin du Ciel et de l'enfer ? Allons, laisse-moi rire. Plutôt mener un chien à la porte de Dieu !

Kasaï pâlit. Son œil se fit terrible et sa bouche trembla. Jamais aucun vivant n'avait osé l'insulter de la sorte. La fureur tout à coup déborda de son corps. Il empoigna son sabre, à deux poings le leva. Comme il allait l'abattre :

— Ici s'ouvre le chemin de l'enfer, dit maître Hakuin.

Il souriait, paisible, à nouveau tendre et simple.

Le samouraï laissa tomber ses bras puis lui aussi sourit, l'air tout illuminé. Enfin il s'inclina devant le vieil ermite. Alors il entendit au-dessus de sa tête :

— Ici, mon fils, s'ouvre le chemin du paradis.

C'est ainsi que commença le long voyage de Kasaï à la rencontre de son âme.

Les yeux du serpent

Près du monastère de Mi était autrefois une maison de thé. Il fut un temps où une jeune fille vint tous les jours s'y reposer. D'où était-elle ? Nul ne savait. Elle ne parlait à personne. Elle s'asseyait un moment à l'écart, buvait une timbale d'eau parfumée, grignotait quelques galettes, puis saluait timidement la compagnie et s'en allait prier au temple voisin.

La première fois qu'il la vit, le fils du tenancier de la maison de thé se sentit l'esprit plus allègre que d'habitude. La deuxième fois il la servit lui-même, et le temps qu'elle resta dans l'établissement il ne cessa de la regarder à la dérobée. La troisième fois il l'accueillit à la porte en bafouillant des politesses exagérées, s'empêtra dans ses tabourets, tomba sottement à ses pieds, se prit à rire en silence et décida de l'épouser.

Il pria une vieille voisine de lui parler en sa faveur. Le lendemain de ce jour l'aïeule vint donc demander à la visiteuse la permission de prendre place en sa compagnie, s'assit sans attendre la réponse, lui fit valoir les qualités indiscutables du garçon de la maison et décrivit avec éloquence l'émerveillement de son cœur, que révélaient assez ses maladresses. Le discours de la vieille émut tant la jeune fille qu'elle resta un long moment les yeux baissés et les joues en feu. Enfin elle répondit :

— J'ai fait le vœu de venir me recueillir cent jours durant

au monastère de Mi. Après ce temps je serai libre d'épouser ce jeune homme, s'il veut encore de moi.

Après cent jours impatiemment comptés, la passion du garçon ne s'étant attiédie en aucune manière, ils se marièrent.

Le jour des épousailles, comme le nouveau mari et sa femme sortaient de la maison, un orage soudain s'abattit sur le village. La noce en fut incommodée, mais les invités s'efforcèrent poliment de considérer cette pluie diluvienne comme un présage de prospérité. De fait, à dater de ce jour, la chance parut avoir pris logement à la maison de thé. Les clients y vinrent de plus en plus nombreux, la jeune épousée se trouva bientôt enceinte et chacun s'accorda à prédire qu'elle allait mettre au monde le premier-né d'une longue lignée de garçons. Comme le jour de la délivrance approchait, un soir, dans leur lit, après avoir soufflé la lampe, elle prévint son époux qu'elle désirait accoucher seule. Il s'effraya, protesta hautement que ce n'était guère raisonnable. Elle n'en voulut pas démordre, et avertit son mari que s'il s'avisait de ne point respecter sa volonté elle le quitterait sans espoir de retour.

Quand lui vinrent les douleurs de l'enfantement elle s'enferma donc dans sa chambre. Son homme sur le palier se mit à tourner en rond en se rongeant les ongles. Il entendit son épouse haleter et se plaindre. Il s'inquiéta extrêmement et la supplia à travers la porte de lui permettre d'appeler une sage-femme. Un cri de douleur lui répondit. Il n'y put tenir. Il entra.

Ce qu'il vit alors le fit trembler de pied en cap. Sur le lit en désordre un énorme serpent était enroulé autour d'un nouveau-né dont il léchait le corps de sa langue fourchue. Se voyant découvert il dressa sa tête. Ses yeux étincelèrent comme deux diamants noirs. Il poussa un sifflement bref et reprit aussitôt la timide et belle apparence de la jeune accouchée.

— Hélas, homme impatient, dit-elle en se cachant la face dans les mains, il m'est impossible désormais de rester dans ta maison. J'en ai l'âme qui saigne ! Je te laisse notre fils avec un de mes yeux. Ne lui donne rien d'autre à téter que cet œil. Ainsi il grandira à l'abri de tout mal. Si tu as besoin de moi un jour viens au bord du lac derrière le monastère de Mi et appelle-moi, je viendrai.

Elle disparut. Ce fut soudain comme si elle n'avait jamais été dans la chambre. Ne restèrent sur le drap que le nouveau-né et un œil magnifique qui regardait le plafond.

Ce prodige fut bientôt connu des gens du village. Pendant quelques jours on ne cessa de venir visiter la chambre où il avait eu lieu, puis on délaissa la maison. On s'étonna cependant que le nourrisson abandonné grandisse et prospère sans autre nourriture que le lait de l'œil de sa mère. On en vint à tant bavarder que le seigneur du pays eut vent des vertus magiques de cet œil. Comme il venait lui-même d'avoir un fils, il estima inconvenant qu'un simple tenancier de maison de thé possède un tel objet, alors qu'il en était lui-même dépourvu. Une nuit, il le fit voler par un serviteur borgne. L'époux de la femme-serpent en fut terriblement affecté, d'autant que son enfant répugnait à goûter aux soupes ordinaires. Les pleurs incessants et la mine de plus en plus pâlote du marmot le poussèrent bientôt à bout d'espoir. Il se souvint alors de ce que lui avait dit son épouse, avant de le quitter. Un soir au crépuscule il vint au bord du lac, derrière le monastère de Mi, et l'appela. Il la vit sortir de l'eau dans les brumes rosées du soleil couchant, et s'avancer vers le rivage. Il lui conta ce qui était arrivé, puis éclatant soudain en gros sanglots il lui dit qu'il ne savait plus comment nourrir leur enfant. Elle regarda son mari avec une grande tristesse et répondit :

— Puisqu'il en est ainsi !

Elle soupira, s'arracha l'œil droit qui lui restait, le tendit à son époux et dit encore :

— Me voilà maintenant aveugle. Hélas, je ne verrai pas

grandir notre garçon. Quand il aura l'âge d'homme, fais de lui le sonneur de cloches du monastère de Mi. Ainsi chaque matin je saurai qu'il fait jour, et chaque soir que la nuit vient. Et c'est mon fils qui me dira cela.

A seize ans d'âge le fils de la femme-serpent et du tenancier de la maison de thé devint donc le sonneur de cloches du monastère de Mi. C'est ce que l'on raconte, et il n'y a pas de raison d'en douter, même si les événements qui l'ont conduit à cette honorable profession sont étranges, car en vérité il y a plus de mystères dans le monde que les hommes ne sauraient en concevoir.

Comment Liang s'en fut sur le chemin de la perfection

Quand Gao, après de longues guerres, eut assuré son règne sur le trône des empereurs de Chine, il ordonna de grandes fêtes. Il y reçut les compliments de ses vassaux, l'assurance que son peuple l'aimait et l'impérial hommage de dix mille fleurs, dix mille musiciens et dix mille parfums unis ensemble pour lui offrir la migraine la plus carabinée de sa vie. Au terme de ces inoubliables réjouissances, il convoqua dans la salle du Conseil ses neuf présidents et ses quatre ministres afin que chacun lui fasse son rapport sur l'état de l'Empire. Quand ce fut son tour, le président Liang (un petit homme frêle en robe rouge et ceinture dorée) sortit du rang, s'avança devant son souverain et lui dit :

— Vie éternelle à Votre Majesté ! Votre humble serviteur constate qu'aujourd'hui le pays est à peu près paisible, que les vents sont propices et les pluies convenables, que votre peuple enfin travaille sans souci majeur. C'est pourquoi le très indigne président que je suis sollicite de Votre Grandeur la permission de se retirer du monde et d'aller cultiver dans la solitude les vérités de l'âme.

— Quoi ? répondit l'empereur Gao, tu veux m'abandonner ?

Il fronça les sourcils, se lissa la barbe, et dit encore, l'œil noir :

— Peut-être trouves-tu ta charge trop médiocre ?

— Certes non, dit Liang, au contraire. Je la trouve excessive. Plus on s'élève haut, plus la chute est vertigineuse. Je crains de tomber, seigneur, et de me faire mal. Voilà le vrai.

— Tu déraisonnes, répondit l'empereur. Ta fortune est solide, ta gloire enviable. Tu les délaisserais pour t'habiller de vêtements grossiers et souffrir tous les jours de la faim et du froid dans une cabane de branches ? Liang, mon ami, je ne vois là qu'ingratitude envers la vie qui t'a si bien pourvu.

— Contempler les saisons, sans désirs, sans entraves, nourri de peu, vêtu de rien, seigneur, quels honneurs valent ces libertés ?

— Président, dit Gao, tu oublies tes devoirs. J'ai besoin d'hommes forts et avisés au service de l'Empire.

— Seigneur, vous en avez. Votre Empire sans moi ne sera pas boiteux.

Bref, il eut beau plaider, Gao ne parvint pas à fléchir le vieux Liang.

— Rentre chez toi, dit-il. Pèse le pour, le contre, et demain nous reparlerons de tout cela.

Liang quitta le Conseil. Au soir, comme la lune apparaissait à la cime des cerisiers qui ornaient le seuil de sa résidence, trois mandarins vinrent frapper à sa porte. Il les reçut aimablement. Ces hommes lui dirent :

— Président, l'empereur nous envoie. Il vous aime beaucoup. Il tient à vous garder. Voulez-vous troubler ses humeurs ? Restez auprès de lui. Il veut que vous soyez son conseiller intime.

— Il ne peut pas m'offrir ce que je désire le plus au monde, répondit le vieil homme.

— Quoi donc ?

— La paix de l'âme.

Il leur servit du thé, puis les congédia et s'en fut dans la chambre de son épouse. Il lui dit son intention de quitter cette riche demeure où ils vivaient paisibles, et d'aller seul cultiver la perfection dans une hutte de montagne. Elle lui répondit :

— Ne pouvez-vous pas la cultiver ici ?

— Ce palais, ce confort ne sont pas favorables.

— Mon époux, je vous connais, vous reviendrez bientôt. Vous aimez bien manger, bien boire, vous vêtir de belles soies seyantes, parler aux assemblées, parader avec des érudits. Vous tiendrez quelques jours dans le froid des forêts, le temps de prendre un rhume !

— Je ne reviendrai pas.

— Voulez-vous nous laisser, moi-même, nos enfants, sans soutien, sans ressources ? Président, êtes-vous donc un père ou un brigand en fuite ?

— Femme, si je mourais, me reprocheriez-vous d'être un fuyard ?

— Mais vous êtes vivant !

— Je ne suis plus de votre monde.

Le lendemain matin, sans adieu à personne, il s'en alla de bonne heure. Il ne prit ni souliers ni vêtements de rechange. Pas même un sac de vivres. Les polices de l'Empire le recherchèrent une année durant. Ce fut en vain. Alors l'empereur Gao, qui ne pouvait se résigner à la perte de son très estimé président, fit clouer une affiche sur la porte de son palais. Il y était écrit en lettres rouges que la moindre information sur la retraite du vieux Liang serait payée d'un sac d'or et d'une charge de mandarin. Un jour, un bûcheron fendit la foule de la place, arracha l'écriteau et entra dans la demeure impériale.

— Majesté, dit-il, le président Liang est au mont des Nuages-Blancs. Il est en bonne santé, quoique fort maigre, et entretient passionnément devant sa cabane un jardin d'une ridicule exiguïté. A mon sens, il est heureux.

Ces paroles réjouirent infiniment l'empereur. Il fit aussitôt équiper son char et partit pour cette montagne où demeurait l'ermite. Après trois journées de voyage, comme il escaladait la pente il aperçut enfin Liang au bord du chemin. Des oiseaux voletaient autour de lui. Contre son flanc un cerf broutait l'herbe. L'empereur quitta son attelage et s'approcha, les bras ouverts.

— Vie éternelle à Votre Majesté ! lui dit le vieil homme. Je suis content de vous voir. En vérité, votre présence me manquait.

— Liang, mon cher président, lui répondit Gao, nous t'avons fait chercher partout. Le peuple te réclame, ton épouse, tes enfants aussi, et moi-même tous les jours je souffre de ton absence. Vois ce char qui t'attend. Mes chevaux même sont impatients de te ramener à la Cour !

— J'y reviendrai volontiers, répondit le bonhomme. J'ose cependant poser une condition à ce bienheureux retour : Que Votre Majesté daigne prendre une tasse de thé en ma compagnie, dans ma cabane.

— Je le ferai de grand cœur, dit l'empereur. Conduis-moi donc, ami.

Parmi les rocs et les arbres aux cimes brumeuses ils gravirent un moment la pente jusqu'à parvenir au bord d'un torrent qui cascadait au fond d'une faille profonde. Au travers de ce gouffre était posé un pont. Et ce pont était fait d'un tronc d'arbre branlant, pourri, mouillé d'embruns. Liang le franchit en fredonnant, d'un pas de funambule, puis à Gao sur l'autre rive il désigna sa hutte à quelques pas de là.

— Venez donc, Majesté, lui dit-il. Nous sommes presque arrivés.

Gao palpa du pied l'instable bout de bois, recula. Il gémit :

— Hé, je vais me tuer !

— Quittez votre manteau, vos bottes, votre peur, tout cela vous encombre ! Faites-vous léger !

— Mais je tiens à la vie !

— Risquez-la, Majesté.

— Liang, je ne peux pas. Vois, je pèse bon poids. Ce pont va s'effondrer !

Ils restèrent un moment face à face, chacun sur sa rive du gouffre. Liang dit enfin :

— Revenez donc à votre monde et laissez-moi au mien. Mille bonheurs sur vous, je boirai seul mon thé !

Il tourna les talons et rentra dans sa hutte.

Le fils du tigre

Il était une fois un garçon sans famille. Ses parents étaient morts. Il labourait les champs du seigneur du village. Sa vie était comme un voyage sans bonheur. Un soir, après qu'il eut poussé la charrue tout le jour, il prit son bœuf par l'encolure, posa la joue contre son mufle et resta un moment à pleurer. Enfin il murmura :

— Pourquoi n'ai-je à manger que des racines et des herbes amères ? Pourquoi ne suis-je pas aimé ?

Un rugissement fit tout à coup trembler l'air du crépuscule. Un tigre bondit hors de la forêt proche, trotta jusqu'au bord du champ et dit à voix humaine :

— Viens avec moi, Shia, viens, je suis ton père.

— Mon père ? Prouve-le, répondit Shia, tout tremblant.

— Vois, mon fils, dit le tigre.

Il lui tendit la patte. Shia vit briller autour d'elle un bracelet d'argent. C'était celui-là même qu'il avait passé au poignet de son père avant de le porter en terre. Il dit :

— Pourquoi me reviens-tu dans la peau d'un tigre ?

La bête répondit :

— Monte sur mon dos, mon garçon, et partons.

L'un chevauchant l'autre ils s'en allèrent. L'antre du tigre était au fond de la forêt. Ils passèrent là quelques années tranquilles. Le père chaque matin allait à la chasse, ramenait du gibier, qu'il dévorait cru. Shia faisait rôtir sa part devant la caverne. La nuit il écoutait les oiseaux dans les arbres.

Parfois sa flûte répondait à leurs chants. Un jour après dîner son père tigre lui dit :

— Shia, il serait bon que tu te maries. Nous irons ce soir au village voisin.

A travers la forêt et les champs ils allèrent sans bruit jusqu'aux maisons où les lampes brûlaient. C'était le plein été. Des lambeaux de nuées traversaient la lune. Sur la place, des filles riaient et bavardaient. De l'abri où ils étaient ils les examinèrent, puis père tigre dit :

— Quelle veux-tu ? Choisis.

Shia les observa un long moment encore. Enfin il répondit :

— Je veux la fille laide assise sur le banc, celle qui se tient à l'écart des bavardes.

Le tigre sortit de l'ombre en rugissant. En trois bonds il fut sur elle. Les autres, les bras au ciel, s'enfuirent en hurlant. Il emporta sa proie et sortit du village. Shia le rejoignit, prit la fille sur son dos. Personne ne les poursuivit. Ils eurent bientôt rejoint leur caverne au fond de la forêt.

Ils vécurent trois ans sans souci. Quand ce temps fut passé :

— Mon fils, dit le tigre, nous devons aller présenter nos respects aux parents de ta femme.

— C'est vrai, lui répondit Shia. Mais la coutume veut que nous n'arrivions pas les mains vides au village. Où trouver des cadeaux convenables ?

— Peigne-toi, lave-toi, et pour le reste, mon fils, fais confiance à ton père.

Le tigre s'en alla. Il courut jusqu'à la ville. Sur un marché que fuyaient en tous sens les gens épouvantés il vola un cochon gras, un flacon de vin, deux paniers de riz, et s'en revint au bois.

Le lendemain matin, Shia et son épouse se mirent en chemin. Il joua de la flûte pour alléger leur marche, et sa femme chanta. Père tigre, soucieux de ne pas effrayer les gens de rencontre, les suivit de loin. Vers midi des brigands leur barrèrent la route. Ils avaient trois poignards chacun à la ceinture.

— Ton riz ! Ton vin ! Ton porc ! dirent-ils à Shia.

— Comment vous les donner ? répondit sa femme. Ce sont des cadeaux pour ceux de ma famille.

Les autres ricanèrent et firent luire leurs couteaux devant leur figure. Shia se retourna et cria :

— Père !

Le tigre répondit :

— Shiahhh ! Shiahhh ! Shiahhh !

Les brigands firent « ho », puis « ahi », puis « houlà », et s'enfuirent en désordre à travers les fourrés.

Comme la nuit tombait, les deux époux arrivèrent aux maisons familières.

— Allez seuls, dit le tigre. Moi j'ai les pattes sales et je pue la forêt. Je resterai dehors. Demandez simplement qu'on me porte à manger.

La femme de Shia entraîna son mari jusqu'à la demeure de ses parents. Elle frappa à la porte. Sa mère vint ouvrir. Elle leva la chandelle devant les visiteurs, et voyant sa fille avec un inconnu elle s'empoigna les cheveux en criant au fantôme.

— Mère, la paix sur toi, je suis bien vivante ! Le tigre qui m'a emportée était en vérité un homme de bon cœur. Il m'a donné son fils, que voici, en mariage. Nous vivons heureux. Nous venons en visite avec quelques cadeaux.

La mère ouvrit ses bras. La fille fit de même. Elles s'embrassèrent en pleurant et riant. Le père vint aussi. Il embrassa son gendre. On but, on mangea, on joua de la flûte en l'honneur des ancêtres, puis Shia demanda une cuisse de porc. Il la mit sous le bras et sortit. Le tigre vint à lui.

— Merci, mon fils, dit-il, et adieu. Je m'en vais. Pour t'aider j'avais pris cette peau de bête. J'ai fait ce qu'il fallait. Je retourne dans l'au-delà où je dois demeurer. Reviens dans la forêt avec ton épouse. Creuse un trou sous l'arbre le plus grand. Tu trouveras dedans six cheveux, trois brillants comme l'or et trois blancs comme la neige.

Ayant ainsi parlé il s'éloigna et disparut bientôt comme fumée au vent.

Le lendemain, Shia et son épouse saluèrent leur famille et s'en retournèrent à la forêt. Au pied de l'arbre le plus grand qu'ils trouvèrent ils creusèrent un trou. Ils découvrirent les cheveux. Au-dessous d'eux étaient six pots de terre cuite. Trois étaient emplis d'or, et trois d'argent. Ils achetèrent une ferme, un troupeau, des champs, des pâturages. On travailla pour eux.

Shia ne cessa plus de jouer de la flûte. Il devint si bon musicien qu'un jour d'entre les jours Tzi, le dieu de la Mort, ému par ses chants, l'invita à venir égayer son palais. Shia, en ce temps-là, allait sur ses cent ans. Il prit son bâton et s'en fut dans l'au-delà. Sa femme l'accompagna jusqu'aux hautes montagnes où sont les portes du royaume de Tzi. Elle lui dit :

— Je t'attends, mon homme. Reviens bientôt !

Il répondit :

— Peut-être.

Elle l'attendit longtemps. Elle le vit un jour venir par le sentier.

— Rentrons chez nous, dit-elle.

Ils s'en allèrent. Mais bientôt elle vit que l'herbe ne ployait pas sous les pieds de son époux, que ses sandales ne s'enfonçaient pas dans la boue des marais, et qu'il marchait sans peine au-dessus des ruisseaux. Alors elle se coucha sur la terre, et ce fut à Shia, son époux, de l'attendre. Quand elle fut enfin aussi légère qu'une brume, lui jouant de la flûte et elle fredonnant, ils revinrent au royaume de Tzi.

Le bosquet d'orangers

Cet homme et cette femme vivaient il y a longtemps, dans leur maison de terre au pied de la montagne. L'homme chassait, pêchait et cultivait son champ. Son épouse tenait le ménage. Ils s'aimaient sans souci.

Un matin de printemps, l'homme alla relever ses pièges parmi les buissons du mont. Or, comme il traversait un bosquet d'orangers, il vit venir une fille aux pieds nus, belle comme un miracle et rieuse comme un œil de source. Elle le salua d'un air si vif qu'il se sentit troué. Il se reprit aussitôt. « Le temps de la semaille approche, pensa-t-il, j'ai du travail dehors et du bonheur dedans. »

— Fille, laisse-moi passer, dit-il.

Elle lui répondit :

— Je te vois tous les jours et tu ne me vois pas. Toutes les nuits je rêve de toi. Par pitié, aime-moi une année ou le temps d'un nuage au travers du soleil, qu'importe la durée, tu m'aideras à vivre.

L'homme sentit son sang s'échauffer. La fille l'entraîna sous le feuillage.

Quand la brise du soir se leva, il s'en revint chez lui. Sa femme lui servit à dîner. L'homme resta rêveur, pensant à cette fille, à son regard embrumé, à sa chevelure répandue parmi les herbes. Il ne put rien manger. Le lendemain dès le point du jour il courut au bosquet, espérant n'y trouver personne. Mais celle qu'il craignait et désirait aussi était là, fraîche, vive. Elle lui prit la main. Il la suivit encore. Au soir, le front ridé devant son bol de riz :

— Je me sens malheureux, dit-il, j'ai froid dans l'âme. J'ai peur de mourir.

— Repose-toi, mon homme, répondit son épouse.

Quatre, cinq et six soirs il s'en retourna vers sa maison basse, portant de jour en jour une peine plus lourde. Au septième matin sa femme, comme à son habitude, lui mit le sac à l'épaule, et dès qu'il fut parti elle sortit. D'ombre en ombre sous les arbres de loin elle le suivit. Il chemina sans rien voir alentour, pressé de retrouver celle qui lui faisait, il ne savait pourquoi, autant de bien que de chagrin. L'épouse, à peine entrée dans le bosquet d'orangers, vit la fille sortir d'un feuillage. Elle la trouva belle. La douleur qu'elle en éprouva lui fit mordre ses lèvres, mais elle resta droite à l'abri du rocher qui la dissimulait. Elle vit son époux s'enfoncer sous les branches avec son amoureuse, et soudain disparaître. Elle attendit le soir. Quand les amants revinrent elle resta cachée. Quand ils se séparèrent elle ferma les yeux. Quand son époux s'en fut, elle suivit la fille. Elle la vit alors ouvrir ses bras en gémissant et se changer en arbre. Elle n'était pas humaine. Elle était un Esprit.

L'épouse retourna à sa maison, servit à son mari un gobelet d'alcool, mit le couvert, s'assit. Comme il restait immobile et muet, elle lui dit :

— Mon homme, pour soulager ta peine, j'irais chercher remède au ciel, s'il le fallait !

Il répondit :

— Ma femme, une fille m'a dit que pour guérir du mal qui me ronge je devrais dévorer ton cœur, tes reins et ton foie. Je préfère mourir !

— Je veux bien te servir ma cervelle à dîner, dit-elle. Que vaut ma vie sans toi ? Écoute donc. Demain, ramène-moi trois lièvres, trois perdrix et trois essaims d'abeilles. Invite aussi la fille avec ses sœurs et ses frères. Nous mangerons ensemble. Puis s'il le faut tu m'ouvriras le corps et tu prendras dedans tout ce que tu voudras.

L'homme baissa la tête.

Au soir du lendemain il s'en retourna au logis avec sur son épaule trois lièvres, trois perdrix et trois essaims d'abeilles, avec aussi la fille, ses frères et ses sœurs. Tous paraissaient joyeux. Son épouse leur servit un beau repas de fête. Jusque passé minuit ils burent du vin et de l'alcool de riz. Quand ils furent tous ivres, la femme à pas menus vint derrière le siège de son mari. Elle lui dit à l'oreille :

— Regarde tes amis. L'ivresse les endort, ils ne peuvent plus cacher leur nature véritable.

Leur visage était vert, et leur chevelure s'était changée en rameaux feuillus. Les mains de la fille s'étaient couvertes d'écorce, ses joues aussi, par croûtes brunes. Ses yeux s'éteignirent et furent soudain comme des nœuds de bois.

— Femme, que faire ? gémit l'époux.

La femme répondit :

— Mon homme, avant le jour menons ces créatures au bosquet, répandons de la paille autour des orangers et allumons le feu sous les arbres. Tu seras délivré. Je le serai aussi.

Au premier chant du coq devant l'orangeraie ils se prirent la main et regardèrent l'incendie, qui brûlait haut. Le ciel rougeoyait. Dans le cœur de l'époux était une tristesse inguérissable. Dans le cœur de l'épouse était une peur vague. « Sans vouloir, pensa-t-elle, mon homme m'a fait mal. Peut-être moi aussi vais-je lui faire mal, maintenant, sans vouloir. » Ils revinrent chez eux, lentement, en silence.

Les deux amis

Zhang était de Nanchen. Il n'avait pas pris femme, bien qu'il ait passé trente ans. Il vivait de son champ et de quelques moutons avec sa mère et son frère cadet. Il apprit un jour que l'empereur cherchait des hommes de talent capables de rendre la justice et d'instruire le peuple. Il se dit que seule l'absence de diplômes l'empêchait d'être de ces gens estimables. Il résolut donc d'aller passer les examens nécessaires à la capitale. Il fit son baluchon de livres et s'en alla.

Il voyagea dix jours sans rencontre notable. A une journée de marche de la grande ville il s'arrêta dans une auberge où il loua une chambre pour la nuit. Des appels pitoyables et des gémissements dans la chambre voisine ne lui permirent pas d'y trouver le repos. Après s'être cent fois retourné sur sa couche il descendit dans la salle commune et demanda au valet de ménage qui se plaignait ainsi. L'autre lui répondit que c'était un lettré malade, qu'il était au bout de sa vie, et que l'on répugnait à le soigner parce que son mal était contagieux. Zhang s'indigna que l'on abandonne ainsi ce pauvre homme à ses souffrances. Il revint à l'étage, décidé à lui porter secours. Le valet le poursuivit.

— Vous risquez d'en mourir ! dit-il.

Zhang lui répondit :

— Qu'importe, si mon heure est venue, personne n'y peut rien changer.

Il poussa la porte de la petite pièce où le moribond haletait sur une litière de paille terreuse. Sa face était baignée de mauvaise sueur. Zhang se pencha sur lui et murmura :

— Soyez sans crainte, vous n'êtes plus seul.

Il le soigna cinq jours durant, lui fit des bouillons, des tisanes, lava son corps, l'enveloppa de couvertures chaudes et l'encouragea tant à vivre qu'au sixième matin le malade se réveilla aussi faible qu'un oisillon mais délivré de toute fièvre. Il ouvrit les yeux et dit à Zhang :

— Seigneur, je vous ai fait perdre beaucoup de temps, et vous m'en voyez affligé. Mon nom est Fan Shi.

Il sourit à son sauveur. Zhang lui répondit :

— On ne perd pas son temps à secourir ses semblables. Je suis heureux d'avoir pu vous aider à traverser cette épreuve.

Ils parlèrent ensemble et bientôt se lièrent d'amitié. Chacun, de son village, s'était mis en chemin vers la capitale afin d'y concourir aux examens de droit mais désormais, tant pour l'un que pour l'autre, il était trop tard. Ils s'attardèrent donc un mois dans cette auberge à boire et parler, à lire des poèmes, à resserrer enfin leurs liens fraternels. Après ces jours aimables il leur fallut songer à se séparer. La veille de leur départ, parmi les chrysanthèmes et les feuillages roux, Fan Shi dit à Zhang :

— C'est demain la fête du Double-Neuf, petit frère. Souvenons-nous de ce jour. Dans une année exactement, si tu me le permets, je viendrai sans faute chez toi. Je n'ai plus de parents, ta mère est maintenant ma mère, et j'ai hâte déjà de lui témoigner mon affection.

Zhang lui répondit :

— Grand frère, je suis pauvre. Mais si tu me fais l'honneur de ne point manquer à ta parole, je te régalerai d'un poulet au millet.

— Comment pourrais-je oublier ce rendez-vous avec mon frère juré ? dit Fan Shi.

Ils rirent ensemble, puis pleurèrent dans les bras l'un de l'autre. L'instant était venu de la séparation.

Zhang, de retour chez lui, conta son aventure à sa mère et à son cadet, après quoi il se remit au travail des champs avec une ardeur nouvelle. Un mois avant la fête du Double-Neuf il fit engraisser le plus beau poulet de sa basse-cour. Au jour dit il se leva de bonne heure, balaya sa maison, fit brûler de l'encens, orna la table de pétales de fleurs, disposa des sièges et alluma le feu sous la marmite. Sa mère lui dit :

— Le village de ton ami est à dix jours de marche. Il ne serait pas impossible qu'il ait quelque retard. Attends son arrivée pour cuire ta volaille, fils impatient !

— Comment Fan Shi pourrait-il être en retard au rendez-vous du Double-Neuf ? répondit Zhang. Si j'attends sa venue pour me mettre à la cuisine, il pensera peut-être que j'ai manqué de confiance en sa parole, ou que je suis un ami négligent, et j'en mourrai de honte.

Il se vêtit de beaux habits et s'en alla faire le guet devant sa porte. Sur les arbres pourpres de l'automne le soleil brillait comme aux plus beaux jours de l'été. Zhang attendit jusqu'à midi, courant à la lisière du village dès qu'il entendait des chiens aboyer. Comme personne ne venait, son cadet s'en alla travailler au champ. Au soir, quand la lune apparut dans le ciel pâli, sa mère sortit sur le chemin et lui dit :

— Zhang mon fils il est temps de rentrer. Il semble que ton ami ne viendra pas aujourd'hui.

— Il viendra, ma mère, il viendra, répondit Zhang.

Il ne voulut pas goûter au vin chaud que son cadet lui apporta. Jusqu'à minuit il espéra, guettant les pas lointains, les bruissements des herbes. Comme il allait et venait en ruminant son inquiétude, il aperçut enfin sur le chemin désert, au loin, une ombre humaine. Il s'approcha, titubant comme un ivrogne, tant il était fatigué. Il reconnut Fan Shi. Il tomba à genoux, se releva d'un bond, rit, s'exclama, dit enfin :

— Je t'attends d'arrache-pied depuis l'aube et te voici. Merveille ! Le poulet au millet est prêt depuis midi. J'ai balayé le seuil. Entre, grand frère, entre !

Fan Shi le suivit sans un mot. La chandelle et le feu s'épuisaient dans la salle. Zhang tisonna les braises. Son compagnon resta debout, pâle comme un cadavre.

— Petit frère, dit-il, pardonne mon retard.

Zhang lui ouvrit les bras. Fan Shi recula, leva la manche devant son visage et dit encore :

— Ne me regarde pas, je ne suis plus du monde des vivants. Frère, écoute-moi pour la dernière fois. Sache qu'après t'avoir quitté à la porte de notre auberge, je me suis fait marchand pour nourrir ma famille. J'ai travaillé sans repos, les heures et les jours ont traversé ma vie comme le sable fuit entre les doigts. Ces temps derniers, j'ai fait de mauvaises affaires. J'étais en grand souci. Ce matin, comme je sortais de mon lit, j'ai entendu les chants de la fête du Double-Neuf, dehors, dans la ruelle, et je me suis souvenu de notre promesse. Un vertige m'a pris. Entre nos deux maisons, dix journées de voyage ! Comment venir en une matinée ? J'ai réfléchi, et j'ai pensé que seul un spectre porté par le vent des ténèbres pouvait parcourir en un instant une aussi longue route. J'ai dit à ma femme : « Mon frère Zhang viendra sans faute à mes funérailles. Attends son arrivée avant de me porter en terre. » Je lui ai baisé les mains, je me suis tranché la gorge, et mon âme est venue au rendez-vous juré. Cher petit frère, j'espère que tu auras pitié de ma sottise et de ma négligence. Et si tu ne crains pas de faire un long chemin pour saluer ma dépouille, alors je quitterai le monde sans regret.

Après avoir ainsi parlé Fan Shi se détourna et s'en fut à la porte. Zhang le poursuivit, trébucha contre la pierre du seuil et tomba de son long dans la nuit froide. Quand il se releva, Fan Shi avait disparu. Il ne vit qu'un oiseau s'envoler d'un buisson proche. Alors il se mit à sangloter si fort qu'il réveilla sa mère et son cadet. On lui fit avaler un gobelet d'alcool, on frotta ses tempes d'esprit de sel. Quand enfin il s'apaisa, ce fut pour dire adieu à ces êtres aimés qui le suppliaient de prendre du repos. Il s'en alla dans le jour à peine né.

Tout au long de son voyage il mangea et dormit à peine, quittant avant l'aube les auberges où il faisait halte et se nourrissant de galettes de blé dur sans cesser de cheminer. Il parvint au village de Fan Shi après une semaine de marche, courut à sa demeure mais n'y trouva personne. Un voisin lui dit que l'épouse et les amis du défunt étaient allés enterrer son corps sur la colline au-delà des remparts. Zhang s'y rendit aussitôt. Il y trouva une femme en grand deuil et un enfant d'une dizaine d'ans agenouillé devant le cercueil. Autour d'eux étaient des gens en grand nombre. Ils parlaient à voix basse, l'air apeuré. Zhang demanda :

— Est-ce la sépulture de Fan Shi ?

La femme fit « oui » de la tête et répondit :

— Sans doute êtes-vous Zhang, son frère juré. Cher oncle, soyez le bienvenu malgré ces douloureuses circonstances. Mon époux à l'instant de mourir a exigé que je vous attende avant de le mettre en terre, mais j'ai supposé que vous ne viendriez pas, puisque ni moi ni aucun membre de ma famille ne vous avait prévenu de son décès. Je me suis donc résignée à ces funérailles. Hélas, quand nous avons voulu descendre son cercueil dans la fosse, aucun des hommes ici présents n'a pu le déplacer. N'est-ce pas un prodige épouvantable ?

Zhang tomba à genoux près d'elle en pleurant d'abondance, puis il parla longuement à son ami défunt. Il fit une prière, après quoi la caisse de chêne où était la dépouille put être soulevée sans effort. Zhang dit alors à l'assemblée :

— Fan Shi est mort pour moi. Comment pourrais-je vivre désormais ? Je vous supplie de me faire inhumer auprès de lui, et de ne pas vous effrayer du sang qu'il me faut maintenant répandre.

Il tira son poignard de sa ceinture, ferma les yeux et se trancha la gorge.

L'empereur Ming, informé de ces événements, fut grandement ému par l'extrême amitié de ces deux hommes. Afin qu'ils demeurent un exemple pour les générations futures il décida que chacun d'eux porterait désormais le titre de comte, bien qu'ils n'aient point satisfait aux examens nécessaires, puis il fit élever devant leur tombe un sanctuaire aujourd'hui encore honoré sous le nom de temple de la Fidélité.

Sur l'aile d'un papillon

« Millions de vivants, millions de soleils sur le vaste océan, reflets de l'astre unique. » A l'ombre du vieux saule au bord de l'étang, Cheng lève son pinceau en poils de lièvre et contemple le bref poème qu'il vient de calligraphier sur une pierre plate, après longtemps de méditation. Un oiseau effleure l'eau dormante et va se perdre dans le ciel limpide. Cheng, les yeux mi-clos, se laisse aller à la rêverie. Un rayon de lumière danse sur son crâne rasé, un papillon se pose dans un pli de sa robe. Il ouvre un œil, observe les ailes multicolores déployées devant lui. Parmi les nervures fragiles il découvre des chemins, des villes, des forêts, des paysans à leur charrue, des barques sur la mer, des palais impériaux. Bientôt ces images s'ordonnent, semblables à celles que forment parfois les nuées. Un visage humain apparaît, un visage d'homme mort et pourtant illuminé de malice innocente. Alors Cheng sourit et murmure :

— Enfin, Lao, vieux camarade, nous voilà réconciliés.

Cet homme nommé Lao, dont la figure est inscrite sur l'aile du papillon, fut autrefois un paysan que la misère persécuta au point de le rendre fou. S'éveillant, un matin apparemment semblable à tous les matins de sa vie, il appela ses domestiques d'une voix sonore. Or, de sa triste existence, nul ne l'avait jamais servi, ni homme, ni femme, ni chien. Son fils, contemplant son visage empreint d'une majesté dérisoire, comprit que Lao n'était pas sorti du rêve qui venait de visiter son sommeil. Il le secoua sans tendresse, mais ne parvint pas à le faire rentrer dans le monde solide. Le pauvre homme, dans un coin puant de sa masure, frotta son corps de parfums imaginaires, puis une invisible servante l'enveloppa dans d'impalpables serviettes. Après quoi il sortit au soleil, s'assit à l'ombre du tilleul sur la place du village et convoqua le peuple. Les villageois accoururent et s'amusèrent de lui. Il écouta les quolibets et les insultes de l'air compassé d'un seigneur accablé de flatteries, puis caressant son ventre creux il rota comme un mandarin pansu et ordonna que lui soit servi son ordinaire festin matinal. On lui jeta des touffes d'herbe et des épluchures moisies. Il les dégusta sans la moindre répugnance et se lécha les doigts en demandant que l'on complimente de sa part les cuisiniers. Les gens, bientôt lassés de le railler, s'accoutumèrent à sa folie. Ainsi Lao s'installa dans une opulence fictive et, une année entière, vécut déraisonnable, mais heureux.

C'est alors que Cheng, fatigué de la ville et de ses fastes, décida d'aller vivre quelques semaines méditatives dans le village de celui qu'on appelait, désormais, le Simple. Cheng était en ce temps-là le plus fameux médecin de l'empire. Dès qu'il vit Lao errant joyeusement dans les labyrinthes de sa citadelle intérieure, il fut pris du violent désir d'exercer sur lui son art. Non point par générosité, ni par goût des honneurs. Seule l'éperonnait une intime et dévorante ambition : vaincre le dragon de la démence.

Armé de son indiscutable génie il pénétra donc dans l'esprit de Lao le Simple et livra bataille, sept jours durant. Au matin du huitième jour, l'idiot se réveilla lucide. Dépouillé de sa bienheureuse folie il palpa son corps efflanqué, frotta ses yeux et pleura sur sa misère retrouvée. Il demanda quel péché il avait commis pour être ainsi revenu en enfer, après un an de paradis. Cheng lui répondit :

— Mon ami, ton désespoir me réjouit car il est le signe de ta guérison. Mon œuvre est accomplie. Permets donc que je me retire.

Lao le retint par la manche de sa robe et gémit :

— Homme cynique, regarde mes haillons crasseux, regarde mon corps délabré, mes côtes saillantes, ma face creuse. Comment oses-tu prétendre que tu m'as rendu la santé ?

— Il est vrai, lui répondit Cheng, que tu es fort maigre et mal vêtu. Je te conseille donc de t'habiller de laine et de manger raisonnablement, deux fois par jour. Si tu n'as pas d'argent pour payer ces élémentaires remèdes, je ne peux rien pour toi. Je soigne le corps des hommes, point les tares sociales. Adieu.

Cheng s'en alla, content de lui. Alors Lao demeuré seul désespéra si fort qu'il se pendit au faîte de sa hutte.

Le lendemain, son fils porta plainte devant le juge du district. Le docteur Cheng, selon le jeune homme en deuil, avait imprudemment empoisonné l'âme de son père et s'en était allé sans se soucier des dégâts qu'il avait provoqués. Les villageois interrogés abondèrent en ce sens : Cheng avait brisé la sérénité du Simple. Cheng devait être puni. Le juge convoqua l'intraitable docteur, qui plaida sa cause avec simplicité.

— Mon art guérit les fous, dit-il. Il est donc bienfaisant. Je n'ai fait que rendre à Lao son esprit perdu, car son bonheur était illusoire.

— Tous les bonheurs ne le sont-ils pas ? répliqua le juge. Et toi-même, Cheng, qui as précipité dans les ténèbres de la mort ce paysan misérable pour l'orgueilleux plaisir de le dépouiller d'une illusion, n'es-tu pas fou ?

Cheng ne répondit pas. Alors le juge édicta sa sentence :

— Homme savant mais peu sage, tu vivras désormais solitaire, et pour ne pas être tenté de te perdre dans ta propre folie tu briseras tes miroirs. Nous souhaitons que Lao le Simple un jour te pardonne. Va, et que ta présence ne souille plus notre regard.

Aujourd'hui vingt ans sont passés, peut-être davantage. Cheng n'est plus assez déraisonnable pour compter les jours, car les mêmes reviennent sans cesse sous des oripeaux différents, selon les saisons et le caprice des nuées. Cheng est sorti de sa gangue d'orgueil. Il sait maintenant que tout est illusion. Il laisse errer son regard sur son poème. « Millions de vivants, millions de soleils sur le vaste océan, reflets de l'astre unique. » Il prend la pierre plate sur laquelle sont inscrits ces mots et la jette à l'eau. Le miroir de l'étang se brise dans lequel il s'est un instant contemplé, le papillon s'envole et l'homme sage s'endort à l'ombre du saule que berce le vent.

Don Gan

Il était une fois un roi et une reine. Après cinq ans de vie commune ils n'avaient pas d'enfants. Ils allèrent au fleuve sacré sous les murailles de la ville. Ils s'y baignèrent. La reine s'allongea sur l'eau et pria. Le roi fit de même. Un rayon de soleil toucha l'époux au nombril, puis l'épouse au même point. Neuf mois après leur naquit un garçon. On l'appela Don Gan. Les devins convoqués autour de son berceau virent en lui une lumière infiniment vive et secrète.

Quand il eut quatre ans sa mère mourut d'une maladie rare qui l'avait en quelques semaines racornie comme une vieille. Son époux la pleura, puis il se remaria. Il eut un autre fils de sa nouvelle femme. On l'appela Don Yod. Les deux frères grandirent ensemble, proches autant qu'un seul être en deux corps, jouant aux mêmes jeux, lisant les mêmes livres, s'habillant de couleurs semblables et respirant au même rythme, endormis sur le même lit.

Or, un matin de sa fenêtre la reine les voyant rire et parler sous un arbre du jardin se dit qu'un jour viendrait où le vieux roi mourrait. L'un des deux garçons s'assierait alors sur son trône. Don Gan était l'aîné mais n'était pas son fils. Une peine amère envahit son cœur. « Mon garçon ne régnera pas, pensa-t-elle. A moins, bien sûr, que son frère ne meure. » Elle resta rêveuse à suivre cette idée nouvelle dans son esprit, puis revint dans sa chambre, se farda de farine, enfonça sous la langue une boule d'argile rouge et vint devant le roi, titubante, geignarde.

— Je meurs, dit-elle en s'affalant de son long sur le carrelage. Un démon est en moi. C'est celui qui tua votre première épouse. Il vous tuera aussi. Les devins me l'ont dit.

Elle se mit à baver de la terre rougeâtre, les yeux blancs, la bouche tordue. Le roi lui demanda :

— Ce démon, qui est-il ?

— C'est votre fils Don Gan. Chassez-le du pays. Il m'étouffe.

— Je sens moi-même un nœud, tout à coup, dans ma gorge, dit le roi.

Il toussa. Il appela ses gardes.

Ce soir-là dans leur chambre Don Gan dit à Don Yod :

— Frère, je suis banni.

— J'irai où tu iras, lui répondit Don Yod.

— Le jour vient, il est temps que je parte. Reste auprès de notre père, il a besoin de toi.

— Va devant, dit Don Yod. Je te suis avec le sac de vivres.

— Je ne veux pas de toi. Que deviendra notre royaume si ses deux héritiers s'en vont ?

— Ce royaume est à toi. Nous reviendrons un jour. Nous régnerons ensemble.

Comme l'aube naissait, ils partirent.

Ils arrivèrent bientôt dans une plaine où n'était aucun vivant. Après dix jours de marche sous le ciel nuageux ils jetèrent au vent leur sac vide. Au onzième matin ils abordèrent un désert montagneux où ils ne rencontrèrent ni torrent ni source. Bravement ils cheminèrent à travers les rocailles jusqu'à tomber épuisés comme deux bêtes à bout de vie. Ils se reposèrent un moment, puis Don Gan traîna son cadet à l'abri d'un rocher et lui dit :

— Attends-moi, je vais chercher à boire.

Tout le jour il erra de montagne en vallée, de vallée en

montagne, espérant un ruisseau. Quand il revint au soir Don Yod était couché les yeux ouverts sur les cailloux. Il ne respirait plus. Don Gan versa ses larmes entre les lèvres de son frère pour l'abreuver, lui souffla dans la bouche, le serra contre son cœur, mais il ne put le ranimer. Alors il le prit sur l'épaule, et n'espérant plus rien que mourir avant le jour prochain, il s'en alla dans la nuit.

Il franchit quatre cols. Au matin il aperçut entre les arbres une caverne d'où jaillissait un torrent. Au bord de ce torrent était un rosier rouge. Au pied de ce rosier Don Gan fit un cercueil de cailloux et d'ardoises. Il y coucha Don Yod. Quand il se redressa, il vit un vieil homme derrière lui qui le regardait, l'œil rond, la bouche ouverte, courbé sur son bâton d'ermite.

— De ma vie je n'ai vu un garçon aussi maigre, dit-il. Pauvre de toi.

Il lui tendit sa canne. Don Gan s'y agrippa, et l'un derrière l'autre, chacun tenant un bout ils cheminèrent jusqu'à une cabane adossée contre un roc, à l'ombre d'un grand arbre. L'ermite le fit boire et manger, puis il lava sa figure et coiffa ses cheveux. Enfin il demanda :

— Quel malheur t'a conduit jusqu'à cette montagne ?

Don Gan lui raconta ses peines, son errance et la mort de Don Yod.

— Nous irons demain chercher le corps de ton frère cadet, lui répondit l'ermite. Et je dirai sur lui les prières nécessaires à son repos.

Le lendemain matin ils allèrent au rosier, mais Don Yod n'était plus dans son cercueil de pierre. Ils le cherchèrent parmi les arbres alentour, ils l'appelèrent. Ce fut en vain. Alors ils s'en revinrent à la cabane, et Don Gan décida de ne plus quitter ce lieu, espérant qu'un jour il trouverait trace de son frère. Il vécut là une année, ramassant du bois mort dans la forêt, des fruits et des racines pour le repas du soir et des herbes sèches pour le lit de l'ermite.

Or, au-delà de cette montagne, sur la rive d'un lac était une opulente cité. Dans ce lac vivait un dragon solitaire. Il était, disait-on, le gouverneur des pluies de ce pays. On lui sacrifiait tous les ans un garçon afin qu'il soit content et abreuve les champs d'averses fécondes. Comme venait le jour du sacrifice, les hommes de la ville rencontrèrent Don Gan au bord d'une clairière où il ramassait des mûres. Ils le trouvèrent beau et digne de nourrir le maître du lac. Ils le saisirent donc aux poignets, aux épaules, et courant avec lui par les verdures de la pente ils l'amenèrent au roi de leur cité. Le roi le salua, l'examina, hocha la tête avec satisfaction, et le désignant à ses ministres :

— Voyez ses yeux, dit-il, ils sont pareils à deux grains de soleil ! Et son visage, n'est-il pas celui d'un être céleste ? Je l'accompagnerai moi-même avec ma fille sur la rive du lac. Assurément sa mort nous vaudra mille bruines tièdes et rosées précieuses.

Le lendemain au lever du jour on le conduisit sur le parvis du palais. La fille du roi du haut des escaliers vint au-devant de lui.

— Quel est ton nom, garçon ? demanda-t-elle.

Il répondit :

— Don Gan.

Elle resta longtemps à contempler son visage, puis elle baissa la tête. Une larme roula sur sa joue. Don Gan lui prit la main et l'entraîna sur le chemin du lac. Derrière eux cheminèrent le roi et ses ministres, puis mille cavaliers et mille musiciens, et le peuple bruyant sur des chariots fleuris.

On fit monter le prince sacrifié dans une barque rouge. Deux rameurs le menèrent jusqu'au milieu du lac. Comme il se tenait debout à la proue, prêt à laisser aller son corps dans l'eau limpide, un être ruisselant, terrible, magnifique surgit des profondeurs. Ses yeux étaient humains et brillaient au soleil du matin plus encore que les écailles d'or et d'émeraude qui recouvraient son front et son échine.

— Je n'entends sur la rive que des chants joyeux et des

cymbales allègres, dit le monstre à voix de tonnerre. Qui es-tu, toi que personne ne pleure ?

— Je suis Don Gan, le prince errant. J'avais un père ermite, il est dans l'affliction. J'avais un frère, je l'ai perdu. Si ma vie est utile aux gens de ce pays, je la donne volontiers.

— Comme tu es beau, fils de la lumière, et quel courage tu as ! répondit le dragon. Ta bonté m'offre un cœur. Je le sens dans ma gorge. Reviens à terre et dis à tous que désormais je ne veux plus que l'on meure pour moi.

Il inclina sa tête avec respect et se renfonça dans les eaux bouillonnantes.

La fille du roi fut la première à accueillir Don Gan sur le rivage. Elle lui prit les mains en pleurant de bonheur. Le roi lui dit :

— Garçon, la veux-tu pour épouse ? Il me plairait de célébrer ses noces avec un héros tel que toi !

Don Gan lui répondit :

— Seigneur, mon seul désir est de chercher mon frère et de le retrouver, où qu'il soit.

— Garçon, prends mille hommes et fouille la montagne !

Don Gan s'en retourna dans la forêt avec sa troupe. Il trouva son père ermite sur le seuil de sa hutte, assis et gémissant, les paupières collées par le sel de ses larmes. Il baisa ses yeux et son visage.

— Je n'espérais plus te revoir, lui dit le vieillard. Fils aimé, tu me rends la vie !

Le jeune prince et ses hommes se dispersèrent parmi les friches et les bois. Où n'étaient que des broussailles ils firent des villages. Où n'étaient que des rocs ils amenèrent de l'eau. Où n'était que la forêt ils firent des prairies. Où étaient le rosier et la tombe déserte ils construisirent un monastère. Bientôt les chants des moines résonnèrent sous les feuillages.

Un matin un novice vint à la hutte de l'ermite où Don Gan habitait, seul avec le vieillard. Il lui dit, essoufflé :

— J'ai rencontré un homme étrange, hirsute et nu. Il vit là-haut, dans les brouillards.

Don Gan y courut avec le moine. Ils virent l'homme. Il semblait fou. Il bondissait sans cesse au-dessus des rochers. Il s'approcha du prince et s'inclina.

— Frère aîné, dit-il, rieur, enfin tu me ramènes à boire !

Don Gan prit Don Yod dans ses bras.

Il lui fit prendre mille bains parfumés, lui rendit figure humaine, le vêtit de pourpre et le mena dans la cité au bord du lac. Don Gan épousa la princesse. On festoya quarante jours, puis il régna sur le pays. Et Don Yod revint chez son père. Il était mort. Sa mère aussi. Il gouverna ce vieux royaume. En vérité, ce fut ainsi.

L'arbre

Dans un pays aride fut autrefois un arbre prodigieux. Sur la plaine on ne voyait que lui, largement déployé entre les blés malingres et le vaste ciel bleu. Personne ne savait son âge. On disait qu'il était aussi vieux que la Terre. Des femmes stériles venaient parfois le supplier de les rendre fécondes, des hommes en secret cherchaient auprès de lui des réponses à des questions inexprimables et les loups lui parlaient, certaines nuits sans lune, mais personne jamais ne goûtait à ses fruits.

Ils étaient pourtant magnifiques, si luisants et dorés le long de ses branches maîtresses pareilles à deux bras offerts dans le feuillage qu'ils attiraient les mains et les bouches des enfants ignorants. Eux seuls osaient les désirer. On leur apprenait alors l'étrange et vieille vérité. La moitié de ces fruits était empoisonnée. Or tous, bons ou mauvais, étaient d'aspect semblable. Des deux branches ouvertes en haut du tronc énorme l'une portait la mort, l'autre portait la vie, mais on ne savait laquelle nourrissait et laquelle tuait. Et donc on regardait, mais on ne touchait pas.

Vint un été trop chaud, puis un automne sec, puis un hiver glacial. Neige et vent emportèrent les granges et les toits des bergeries. Les givres du printemps brûlèrent les bourgeons, et la famine envahit le pays. Seul sur la plaine l'arbre demeura imperturbable. Aucun de ses fruits n'avait péri. Malgré les froidures, ils étaient restés en aussi grand nombre que les étoiles au ciel. Les gens, voyant ce vieux père solitaire miraculeusement rescapé des bourrasques, s'approchèrent de lui, indécis et craintifs. Ils interrogèrent son feuillage. Ils n'en eurent pas de réponse. Ils se dirent alors qu'il leur fallait choisir entre le risque de tomber foudroyés, s'ils goûtaient aux merveilles dorées qui luisaient parmi les feuilles, et la certitude de mourir de faim, s'ils n'y goûtaient pas.

Comme ils se laissaient aller en discussions confuses, un homme dont le fils ne vivait plus qu'à peine osa soudain s'avancer d'un pas ferme. Sous la branche de droite il fit halte, cueillit un fruit, ferma les yeux, le croqua et resta debout, le souffle bienheureux. Alors tous à sa suite se bousculèrent et se gorgèrent délicieusement des fruits sains de la branche de droite qui repoussèrent ausssitôt, à peine cueillis, parmi les verdures bruissantes. Les hommes s'en réjouirent infiniment. Huit jours durant ils festoyèrent, riant de leurs effrois passés.

Ils savaient désormais où étaient les rejetons malfaisants de cet arbre : sur la branche de gauche. Ils la regardèrent d'abord d'un air de défi, puis leur vint une rancune haineuse. A cause de la peur qu'ils avaient eu d'elle ils avaient failli mourir de faim. Ils la jugèrent bientôt autant inutile que dangereuse. Un enfant étourdi pouvait un jour se prendre à ses fruits pervers que rien ne distinguait des bons. Ils décidèrent donc de la couper au ras du tronc, ce qu'ils firent avec une joie vengeresse.

Le lendemain, tous les bons fruits de la branche de droite étaient tombés et pourrissaient dans la poussière. L'arbre amputé de sa moitié empoisonnée n'offrait plus au grand soleil qu'un feuillage racorni. Son écorce avait noirci. Les oiseaux l'avaient fui. Il était mort.

Aputra

Dans la cité de Bénarès vécut autrefois une femme nommée Shali. Elle était l'épouse d'un brahmane de grand savoir, mais elle ne goûtait guère les austères bontés de cet homme. Un jour, par la volonté des dieux et la puissance de ses désirs elle fut adultère et se trouva grosse d'enfant. Elle eut peur, honte aussi. Comme elle n'avait aucun espoir d'être prise en pitié, elle s'en fut au loin. Son fils naquit un soir au bord de son chemin. Après qu'elle l'eut mis au monde, elle l'abandonna dans une palmeraie.

Une vache entendit les pleurs du nourrisson. Elle vint renifler le petit être nu, lava son corps à coups de langue, se coucha sur le flanc et lui offrit le lait de sa mamelle. Sept jours durant elle le nourrit sur un lit d'herbes au bord du chemin. Alors vint à passer dans sa charrette un lettré voyageur. « Cet enfant, pensa-t-il, a grand besoin d'un père. » Il s'en revint chez lui avec, au creux du bras, ce fragile cadeau que les dieux lui avaient fait et dit à son épouse :

— Femme, un garçon nous est donné. Je désire qu'il soit ton fils, comme il est désormais le mien.

L'enfant fut baptisé Aputra. Il fut dignement élevé. Quand il eut l'âge, son père lui chanta les chants sacrés de l'Inde. Aputra les apprit sans erreur, à voix juste.

Il advint qu'un jour les gens de son village décidèrent d'offrir en sacrifice aux dieux une vache au poil blanc.

Comme elle gémissait lamentablement au fond du temple où dès l'aube prochaine elle devait être immolée, Aputra vint la voir, vers l'heure de minuit. Le cœur pris de pitié pour elle autant que de révolte envers la cruauté des hommes, il décida de l'aider à s'échapper. Il la délia donc, la poussa devant lui. Sur le sentier pierreux ils s'en furent trottant jusqu'à la forêt proche sans voir que derrière eux s'effeuillaient les guirlandes de fleurs qui paraient l'encolure et les cornes puissantes de la bête. Les hommes partis à leur recherche de grand matin n'eurent guère de mal à trouver leur abri. Ils furent ramenés au temple du village. Aputra fut battu. Or, comme un lourd bâton menaçait de fracasser sa tête, la vache, le front bas, se rua sur les gens qui tourmentaient celui qui l'avait délivrée. Elle en renversa deux, franchit la porte et s'enfuit à grande allure. Aputra dit alors aux hommes rassemblés :

— Pourquoi vouliez-vous égorger cette bête ? Croyez-vous que la mort des créatures puisse réjouir les dieux ?

Un homme répondit qu'il parlait ainsi parce qu'il était le fils d'une vache. Alors l'un des prêtres du temple déclara qu'il connaissait la véritable mère d'Aputra. Chacun autour de lui se tut et l'écouta.

— Au cours de mes voyages, dit-il, un jour j'ai rencontré une femme épuisée par son errance perpétuelle et son inguérissable mélancolie. Son nom était Shali. Elle me révéla qu'elle était l'épouse d'un brahmane de Bénarès, qu'elle avait trahi cet homme de bien, qu'elle l'avait fui, qu'elle avait accouché d'un garçon aux yeux noirs et qu'elle avait abandonné ce fils illégitime dans la palmeraie où fut découvert Aputra. Après que cette femme m'eut fait le récit de sa vie, elle me demanda si ce crime lui serait un jour pardonné. Je n'ai pu lui répondre.

Le prêtre contempla l'assemblée silencieuse, puis il dit encore, désignant Aputra :

— Ce garçon est le fils de Shali, l'épouse déchue. Un sang maudit coule dans ses veines. Sa présence salit notre communauté. Qu'il soit chassé d'ici !

Aputra répondit :

— Moi, son fils, je vous dis : Je ne renie pas celle qui m'a mis au monde. Elle m'a confié aux dieux, pauvre femme qui n'a pu me porter plus loin que cette palmeraie ! Comme elle désormais j'irai par les chemins et mendierai ma vie.

On le poussa dehors, on lui jeta des pierres. Le dos courbé, il s'en fut en courant.

Un jour, après longtemps d'errance, il arriva dans la riche cité de Madura. Il était devenu un mendiant aux joues creuses, habillé de haillons pendants sur ses bras maigres. Dans son cœur pourtant régnait une chaleur puissante. Quand un croûton gris ou quelques dattes sèches tombaient dans son bol de bois il partageait ces trésors de misère avec quelques aveugles ou quelques jeunes êtres ridés comme des vieux. Il en était heureux. Ainsi jusqu'à l'hiver il vécut dehors, parmi ses semblables. Une nuit des temps froids, comme il avait trouvé refuge dans le temple de Lakmi, la déesse de la Fortune, un enfant rampa jusqu'à sa couche. Ses jambes étaient si faibles qu'il ne pouvait marcher. Il se mourait de faim. Aputra n'avait rien. Le temple était vide et ténébreux. Il prit l'enfant contre sa poitrine, le berça, dit tout haut :

— S'il y a quelqu'un ici, humain, dieu ou déesse qui ait quelque pitié pour les pauvres perdus, qu'il sauve cet enfant !

Une lumière d'or aussitôt éclaira la pénombre, et dans cette lumière apparut la déesse Lakmi. Elle s'avança jusqu'à la litière de paille où étaient Aputra et l'enfant moribond. Elle mit un genou à terre.

— Fils, dit-elle, je connais ta bonté. Je te donne ce bol. Prends-le, il est magique. Même aux jours de famine il sera toujours plein de bonnes nourritures.

Elle sourit. La lumière qui l'environnait peu à peu s'éteignit, la pénombre revint, ordinaire et déserte, mais près de la couche de paille était un bol nouveau. Il regorgeait de fruits, de riz, de bonnes viandes.

Ce bol miraculeux, Aputra le tendit, désormais, pour offrir. Les pauvres, de ce jour, sur le parvis du temple ignorèrent la faim, et l'esplanade où l'on accourut de partout fut pareille bientôt à un champ de blé offert aux piaillements d'une foule d'oiseaux. Le renom d'Aputra le charitable grandit et grandit tant qu'il déborda du monde. Un soir de lune et de grand vent il atteignit les demeures célestes. Alors le roi des dieux, craignant que les pouvoirs de cet homme trop vertueux ne fassent un jour trembler son trône, s'habilla de guenilles et comme un vieux courbé sur son bâton il s'approcha d'Aputra.

— Homme saint, lui dit-il, je suis le roi du Ciel. Je connais tes mérites. Tu as assez servi les pauvres de la Terre. Viens dans mon paradis.

Aputra lui répondit en riant :

— Roi des dieux, je ne veux rien de toi. Mon paradis est là, parmi ces êtres misérables. Il est dans leur regard quand ils viennent vers moi. Il est dans leur bonheur quand ils plongent leurs mains dans le bol inépuisable. Il est dans la caresse d'une main d'enfant affamé sur mon visage. Père céleste, que valent tes félicités, auprès de celles qui me sont tous les jours offertes ?

Le dieu des dieux gronda, la bouche arquée, l'œil sombre.

— Ta charité m'agace, dit-il. Ton bol sera bientôt comme un puits où personne ne viendra plus. Telle est ma volonté. Salut, homme imprudent !

Il retourna au ciel, rassembla des nuages et fit partout tomber des bruines et des averses. La terre se couvrit de fruits et de verdures, les charretées de riz débordèrent des granges et des légumes frais poussèrent sur les sables du désert. Les mendiants peu à peu ne vinrent plus au temple. Tous avaient à manger dans les jardins sauvages, au bord des chemins. Aputra resta seul avec son bol magique. Il courut çà et là, appelant les pauvres. Il voulait tout donner, on ne voulait plus prendre. Il connut la souffrance étrange des fortunés que l'on délaisse après les avoir trop aimés.

Alors il décida de fuir sous d'autres cieux. Il s'embarqua sur un navire en partance pour des îles lointaines. Parmi quelques marchands en quête de richesses il se sentit le plus insensé des hommes, lui qui n'avait d'espoir que de rencontrer la misère. Le bateau relâcha dans une île inhabitée. Il descendit à terre pour goûter un moment l'ombre fraîche des arbres. Comme le soir tombait, le sommeil l'envahit. Les marins l'oublièrent et repartirent sans lui. Il se retrouva seul sur cet îlot désert. Son bol qui aurait pu rassasier le monde désormais ne pouvait plus nourrir que lui. Son désespoir fut tel qu'il voulut en mourir. Enfin au bord d'un lac limpide au cœur de l'île il vint s'agenouiller et dit :

— Bonnes eaux, je vous confie ce bol magique par qui me furent donnés le bonheur et la peine. Si un vivant perdu d'amour vient prier après moi, un jour, sur ce rivage, remettez-le entre ses mains.

Ayant ainsi parlé il se coucha sur l'herbe et se laissa mourir de faim.

Pas plus que le soleil ne disparaît à jamais quand il se couche, ainsi ne finit pas l'histoire d'Aputra. Il quitta son corps sur cette île et renaquit dans celui d'un fils de roi avec, intacte au cœur, sa passion de nourrir les êtres. On dit qu'il régna sur son peuple avec une sainte bienveillance, avant de poursuivre la route infinie de la vie.

Majnun

Un jour, comme Majnun, accroupi au bord du chemin, tamisait obstinément la terre entre ses doigts, il vit les pieds d'un homme qui s'approchait de lui. Cet homme lui dit :

— Ô Majnun, que cherches-tu ainsi ?

— Je cherche Laïla, lui répondit Majnun.

L'homme rit et s'étonna. Il dit encore :

— Comment peux-tu espérer trouver ainsi Laïla ? Comment une perle aussi pure pourrait-elle être dans cette poussière ?

Majnun leva vers lui ses yeux brûlants, ses mains où fuyait la poussière, et répondit :

— Je cherche partout Laïla, dans l'espoir de la trouver un jour quelque part.

Le conte de Seifouddine

A Khorasan, aux temps anciens, vécut un conteur si époustouflant que son nom seul suffisait à parfumer les chemins des caravanes. Il s'appelait Seifouddine. En vérité, selon l'opinion des mendiants les plus compétents de Perse, il était incomparable. Si grande était sa renommée que quelques centaines de princes et marchands fortunés l'espéraient chaque soir à leur table. Mais il ne se rendait jamais à ces agapes. Il n'avait pas le temps, il n'était pas d'humeur, ou quelque fièvre le clouait dans son lit. Bref, il se fit ainsi prier jusqu'au jour où le plus riche horticulteur de Boukhara décida de l'offrir à ses inestimables amis. Il lui fit un pont d'or. Seifouddine accepta de traverser le fleuve et de se rendre enfin au palais de son hôte où trois cents invités bouleversés d'avance attendaient sa venue. On l'accueillit avec un respect chaleureux. Il s'assit noblement sur un tapis de soie devant l'assemblée frémissante, épousseta ses manches, attendit le silence, et se mit à parler.

Dès son premier récit, les yeux s'extasièrent. Ce Seifouddine était décidément le plus admirable conteur du monde.

— Connaissez-vous un homme, sous la voûte du ciel, qui vaille ce génie ? murmura le riche horticulteur à sa compagne alanguie, déjà, sur son épaule.

Vint un conte nouveau, tant émouvant et si purement dit que les rossignols firent silence dans les orangers, et que les pétales des roses effeuillées dans la fontaine s'en vinrent au bord de la vasque, pour mieux écouter. Le troisième récit apparut à tous d'une insurpassable beauté. Les chiens même se turent dans les lointains chenils. Les ânes, les chameaux de partout dans la ville accoururent sous les murailles du palais. Ils restèrent muets, les oreilles dressées, le museau frémissant, jusqu'au trente-septième récit.

Alors les cinquante-deux invités du dernier rang, épuisés, s'affalèrent les uns sur les autres dans un grand désordre de robes et de turbans, sept chameaux s'en allèrent en titubant comme des ivrognes et dix-huit ânes, retournant à leur fourrage, se trompèrent d'étable. L'océan de paroles où voguait Seifouddine n'en fut pas affecté. L'homme avait mis le cap sur les confins de l'art. Il poursuivit sa route. A la soixante-quinzième étape de son voyage immobile, tous les rossignols tombèrent de leurs arbres comme des fruits mûrs et ceux, parmi les convives, qui tenaient encore leur nuque raide enfoncèrent les index gauche et droit dans les oreilles et laissèrent doucement aller leur front contre les dalles. Le maître de maison resta seul impavide, implorant dans son cœur l'aide du Tout-Puissant. Mais ne voyant venir qu'une histoire après l'autre, l'horticulteur vaincu se détourna de Dieu et appela le diable. Satan vint aussitôt, sans se faire prier.

— Que veux-tu ? gronda-t-il.

— Délivre-moi, dit l'autre, désignant le conteur. Je sens que je me noie.

Seifouddine, à l'instant, plus que jamais fringant, entrait dans sa deux cent troisième histoire.

— Volontiers, répondit le diable. Pour prix de mon service, je viendrai demain soir chercher Saltan Bibi, ta jeune et belle épouse. Ce marché te plaît-il ?

L'horticulteur fit « oui » d'un souffle exténué. Satan prit aussitôt Seifouddine aux cheveux et l'entraîna dans son enfer.

Au soir du lendemain, il revint au palais, chercher comme promis l'épouse bien-aimée. Tout diable qu'il était, il semblait malade. Son teint était cireux, ses joues creusées, ses yeux cernés d'ombre malsaine.

— Saltan Bibi t'attend, lui dit l'horticulteur. Elle espère te plaire. Pour charmer ton esprit et embaumer tes sens, elle a appris tous les contes du grand Seifouddine. Elle te les dira jour et nuit, sans repos. Crois-moi, sa compagnie te sera bienfaisante.

— Ahi ! gémit Satan, épouvanté soudain comme si Dieu venait de le tirer par l'oreille. Qu'ai-je fait pour mériter une épreuve aussi rude ? Seifouddine m'a mis hors d'état de régner. Comme il me racontait sa cinq millième histoire, après qu'il eut forcé la porte de ma chambre, je l'ai prié d'aller se faire pendre ailleurs. J'étais à bout de forces. Un seul conte de plus, je me faisais ermite. Garde donc ton épouse, et bon vent à vous deux.

Le diable s'en alla, l'épouse demeura. Quant au grand Seifouddine, certains l'ont rencontré sur la route de Dieu. Il va, parlant tout seul, sans hâte ni souci. Ses contes sont sans fin. Son chemin l'est aussi.

Jayda

Il était un jour une jeune fille nommée Jayda. Elle n'avait aucun bien sur Terre, sauf ses deux mains, son corps agile et son regard sans cesse étonné par la lumière du monde. Elle vivait dans une hutte de branches au bord d'un ruisseau, se nourrissait de l'eau que lui donnait la source, des fruits que lui donnaient les arbres. Sa pauvreté était rude mais elle ne s'en plaignait pas. Elle l'estimait ordinaire. Elle ignorait qu'en vérité un esprit maléfique l'avait prise en haine et s'acharnait sans cesse à faire trébucher ses moindres espérances, à troubler ses moindres bonheurs, à tout briser de ce qui lui était destiné, pour qu'elle n'ait rien, et qu'elle en meure.

Or, un matin, comme Jayda dans la forêt faisait sa cueillette d'herbes pour sa soupe quotidienne, elle découvrit dans un buisson une ruche sauvage abandonnée par ses abeilles. Elle s'agenouilla devant elle, vit qu'elle était emplie de miel tiédi par le soleil. L'idée lui vint de le recueillir. Elle pensa, bénissant le Ciel : « J'irai vendre cette belle provende au marché de la ville, j'en gagnerai assez pour traverser l'hiver sans peine ni souci. » Elle courut chez elle, prit une cruche, s'en revint au buisson et la remplit de miel.

Alors l'esprit méchant qui veillait à sa perte sentit se ranimer sa malfaisance quelque peu endormie par la monotonie des jours. Comme Jayda s'en retournait, sa récolte faite, il ricana trois fois, esquissa autour d'elle un pas de danse invisible, empoigna une branche au-dessus du sentier, et agitant cette arme de brigand, comme passait la jeune fille il brisa la cruche qu'elle portait sur l'épaule. Le miel se répandit dans l'herbe poussiéreuse. L'esprit mauvais, content de lui, partit d'un rire silencieux, se tenant la bedaine et se battant les cuisses, tandis que Jayda soupirait et pensait : « Quelle maladroite je suis ! Allons, ce miel perdu nourrira quelque bête. Pour moi, Dieu fasse que demain soit meilleur qu'aujourd'hui. »

Elle s'en retourna, légère, les mains vides. Comme elle parvenait en vue de sa cabane elle s'arrêta, tout à coup sur ses gardes. Un cavalier venait entre les arbres, au grand galop. A quelques pas d'elle il leva son fouet, le fit tournoyer, traversa le feuillage d'un mûrier, fit claquer sa lanière sur la croupe de sa bête et lui passa devant, effréné, sans la voir. De l'arbre déchiré tomba une averse de fruits. « Bonté divine, pensa Jayda, le Ciel a envoyé cet homme sur ma route. Voilà qu'il m'offre plus qu'une cruche de miel ! » Elle emplit son tablier de mûres et reprit vivement le chemin du marché.

Aussitôt, l'invisible démon qui n'avait cessé de la guetter se mit à s'ébouriffer, pris de joie frénétique, à se gratter sous les bras comme font les singes, puis se changeant en âne il s'en vint braire auprès de Jayda. Elle le caressa entre les deux oreilles. Il en parut content. Il l'accompagna jusqu'au faubourg de la ville. Là elle fit halte un instant au bord de la grand-route pour regarder les gens qui allaient et venaient. L'hypocrite baudet, la voyant captivée, profita de l'aubaine. D'un coup sec du museau dans le panier gonflé de mûres il fit partout se répandre la provision, et se roulant dedans la réduisit en bouillie sale. Après quoi, satisfait, il s'en fut vers le champ. « Tant pis, se dit Jayda. On ne peut tout avoir. J'ai l'affection des ânes, un vieux croûton de pain m'attend à la maison. Mes malheurs pourraient être pires. »

Or, tandis qu'elle s'apprêtait à rebrousser chemin, vint à passer la reine du pays dans son carrosse bleu orné de roses peintes. Elle vit les mûres répandues, l'âne trottant, l'échine luisante de suc. Elle en fut prise de pitié. « Pauvre enfant, se dit-elle, comme le sort la traite rudement ! » Elle ordonna à son cocher de faire halte et invita Jayda à monter auprès d'elle. La reine fut tant émue par l'innocence de cette jeune fille qui n'osait rien lui dire qu'elle lui offrit une demeure de belle pierre. Jayda s'y installa, et devint bientôt une heureuse marchande.

Mais le mauvais génie veillait, ruminant des fracas. Il découvrit un jour où étaient les biens les plus précieux de sa maison : dans une remise, derrière le logis. La nuit venue, il y mit le feu. Jusqu'au matin il dansa autour de l'incendie, sans souci de roussir les poils de ses genoux. A l'aube, il ne restait que cendres et poutres noires où s'était élevée une belle bâtisse. Jayda, contemplant ce désastre, se dit que décidément elle n'était pas faite pour la richesse. Elle s'assit sur une pierre chaude. Alors elle vit une colonne de fourmis qui transportaient leur réserve de blé, grain par grain, de dessous les gravats en un lieu plus propice. Jayda, pour les aider, souleva un caillou qui encombrait leur route, et se vit aussitôt éclaboussée d'eau fraîche. Sous la pierre bougée se cachait une source.

Les gens autour d'elle assemblés s'émurent et s'extasièrent. Une vieille prophétie avait situé en ces lieux une fontaine de vie éternelle que personne n'avait jamais su découvrir. Le grimoire disait que seule la trouverait un jour, après un incendie, au bout de longues peines, une jeune fille autant aimante qu'indifférente à ses malheurs. Cette jeune fille était enfin venue. On lui fit une grande fête.

Jayda depuis ce temps est la gardienne de cette source, la plus secrète et la plus désirable du monde. A ceux qui viennent la voir, s'ils savent aimer, et s'ils savent enfin que le malheur ne vaut pas plus que poussière emportée par le vent, on dit qu'elle offre à boire l'immortalité dans le creux de ses mains.

La cité des ruses

Il était autrefois dans la région d'Antioche un habile marchand. Un jour que cet homme errait nonchalamment parmi les étalages du souk des charpentiers, il entendit parler d'une ville où le bois de santal valait le prix de l'or. L'œil soudain allumé, il se dit que c'était là l'occasion ou jamais d'amasser de confortables bénéfices. Il décida donc d'acheter cent chariots de ce bois parfumé et d'aller les revendre dix fois leur prix dans cette cité mirifique. Il céda sa maison et ses entrepôts à un négociant de son voisinage, en eut assez d'argent pour payer les cent charges de bois précieux, et chevauchant sa mule à la tête de sa caravane il se mit en chemin.

Il voyagea trois mois. Quand il parvint en vue de cette ville qui lui parut, de loin, belle comme un diamant parmi les palmeraies :

— Ô Fortune, dit-il, tout exalté, je t'ai tant poursuivie et te voilà enfin, au bout de cette route !

Il ignorait que les gens qui peuplaient ces ruelles lointaines étaient pour la plupart d'ingénieux filous. Dès que fut annoncée la prochaine arrivée du marchand, un boutiquier parmi les plus rusés de la cité se dit qu'assurément cet homme, avec ses cents chariots de santal, allait réduire à rien les quelques vieilles planches de ce bois hors de prix qu'il avait dans son échoppe. « Il faut qu'avant demain son trésor soit à moi », se dit-il.

Il sortit de la ville et là, près du rempart, à l'écart du

chemin il posa son bois rare sur quelques brins de paille et alluma du feu. Son parfum vint bientôt chatouiller les narines des gens qui allaient et venaient sur la route voisine. Le marchand parmi eux renifla, haussa les sourcils, et courut au bonhomme.

— Que fais-tu là ? dit-il.

— Du feu pour dîner, répondit le filou.

— Misère ! Tu brûles du santal ?

— C'est du bois de cuisine, il ne vaut presque rien. Et toi, que portes-tu dans tes charrettes ?

— Du santal, du santal, du santal et rien d'autre, répondit le marchand, la voix mourante. On m'avait dit qu'ici il valait le prix de l'or !

— Brave homme, je te vois accablé, dit l'escroc, l'air benoît. Ton bois coûte chez nous un sou la charge d'âne. Allons, tu m'as l'air honnête et tu me fais pitié. Je veux bien, par pure bonté, acheter tes chariots pour un petit boisseau de ce que tu voudras.

— Tout ce chemin pour rien, et me voilà ruiné, soupira le marchand. Mon santal est à toi, bonhomme. Dieu te garde !

Il entra dans la ville à pied, comme un vagabond. Il était épuisé. Il loua pour deux sous une chambre chez une vieille femme. Le soir venu devant un dîner maigre ils parlèrent ensemble. Le marchand raconta tristement son long voyage et sa désillusion.

— Pauvre naïf, lui dit la vieille, le santal dans cette ville se vend plus cher que l'or en bûches ! Ne sais-tu pas que tu es ici dans la cité des ruses ? Les gens de ce pays sont tous brigands, tricheurs, souffleurs de vent. Prends garde à leurs discours, sinon tu perdras tout, ton manteau, tes bottes, ta chemise et peut-être ta vie !

Le lendemain matin le marchand s'en alla visiter la cité. Devant une boutique il rencontra deux hommes occupés à jouer aux dés sur le pas de la porte.

— Ami, joue avec nous, lui dirent-ils. Si tu gagnes, nous te donnerons ce que tu voudras. Si tu perds, tu nous obéiras, quoi que nous demandions. Cela te convient-il ?

Le marchand répondit :

— Jouons, je gagnerai.

Il joua, il perdit. Les deux hommes lui dirent :

— Bois la mer. C'est notre ordre.

L'autre se rebiffa. Le ton, bientôt, monta. On s'attroupa autour de leur dispute. Parmi les gens soudain surgit un mendiant borgne.

— Tu m'as volé mon œil, cria-t-il au marchand. Rends-le-moi, ou, sinon, paie son prix !

Comme ils parlaient ainsi, un pauvre hère à la poitrine nue bouscula ses compères, jeta un bout de marbre aux pieds du voyageur et lui dit :

— Tu m'as volé l'habit que j'avais sur le dos ! Taille dans cette pierre une chemise neuve, ou, sinon, paie son prix !

Tous se mirent à gesticuler, à hurler, à juger à grand bruit de tout et de rien. Ils firent bientôt tant de vacarme que la vieille se mit à sa lucarne. Elle vit le marchand assailli par mille mains et bouches braillardes. « Pauvre homme », se dit-elle. Elle sortit dans la rue.

— Holà, les gens, cria-t-elle en piquant çà et là de ses coudes pointus. Il sera temps demain d'aller voir le juge si vous avez à plaider. D'ici là, bonne nuit !

Elle prit le marchand par la main et l'entraîna chez elle en grognant :

— Je t'avais dit d'éviter les querelles ! Tu es perdu si je ne t'aide pas. Allons, sèche tes larmes. Écoute-moi.

Elle le fit asseoir devant un bol de lait, leva son doigt crochu et dit encore à voix basse :

— Mon fils, je sais comment te dépêtrer de ces maux qui t'emberlificotent. Ces truands ont pour maître un aveugle si vieux et si sage qu'il a réponse à tout. Chaque soir à minuit ils vont lui rendre compte des affaires en cours, lui exposer leurs plans, lui demander conseil. Ce soir, déguise-toi en mendiant anonyme, va chez ce vieux savant avec les autres, assieds-toi dans le coin le plus sombre et tend l'oreille à ce que diront les hommes.

A l'heure dite le marchand s'en fut donc au conseil des rusés. Il prit place à l'écart, observa l'assemblée. Chacun vint à son tour devant l'aveugle assis sur un tapis, dans la lueur tremblante d'une lampe à huile. Le premier à parler fut le truandeur de bois rare.

— Longue vie, père sage ! dit-il pour commencer. Un marchand aujourd'hui est arrivé aux portes de la ville avec cent charges de santal. Je lui ai tout acheté pour un petit boisseau plein de ce qu'il voudra. Même s'il veut de l'or, l'affaire est magnifique.

— Erreur, mon fils, lui répondit l'aveugle. Celui qui vient faire ici commerce ne peut être qu'un homme infiniment subtil, sûr de sa force et de son savoir-faire. Sache donc que demain, quand tu iras chercher ces charges précieuses, ce marchand te dira : « Je ne veux en échange qu'un boisseau de puces moitié mâles moitié femelles, toutes vêtues d'argent et armées d'épées rouges. » Que feras-tu alors ? Tu seras obligé de rendre le santal et de payer en plus un dédommagement de mille pièces d'or. Ruser est un grand art, tu dois encore apprendre. Va, mon fils, et médite !

Le deuxième à parler fut le joueur de dés.

— Père sage, dit-il, après avoir vaincu ce marchand de santal, je lui ai ordonné d'avaler la mer. Il n'a su que répondre. Dès demain, je le traînerai devant le juge.

— Il te répondra ! gronda le vieil aveuge. Il dira : « Je veux bien assécher la mer, mais arrête d'abord tous les fleuves du monde, que je boive tranquille. »

— Maître, dit le troisième bougre, j'ai accusé cet homme de m'avoir volé l'habit que j'avais sur le dos, et je lui ai donné l'ordre de m'en tailler un neuf dans un carreau de marbre.

Le vieux lui répondit :

— Fils, tu me déçois. J'attendais mieux de toi. Tu perdras ton procès, car ton homme y viendra avec un pot de fer. Il te dira : « Compère, file dans ce métal un fil assez solide et fin pour coudre comme il faut ta chemise nouvelle. » Et que répondras-tu ?

Le borgne, bombant le torse, vint alors annoncer qu'il avait accusé le marchand de santal de lui avoir pris son œil.

— Fils inconséquent, rugit le vieil aveugle, l'homme te répondra, demain, devant le juge : « Arrache le tien, j'arracherai le mien, et nous les pèserons. S'ils sont de même poids, je n'aurai rien à dire et tu prendras les deux. » Vous êtes tous tombés sur plus malins que vous !

Chacun resta silencieux, tête basse. Le marchand s'en alla sur la pointe des pieds.

Le lendemain matin, au palais de justice, il répondit à ses accusateurs les paroles mêmes qu'il avait entendues du maître des ruses. Tous le saluèrent avec admiration. Chacun paya le prix de son procès : mille pièces d'or. Au voleur de santal il reprit ses cent charges, les vendit enfin leur prix et fit fortune. A la vieille secourable qui l'avait conseillé dans son dénuement il offrit une maison avec quatre servantes. Après quoi, rêvant à l'art des tromperies, il retourna chez lui, et l'on dit qu'il devint dans sa riche retraite un expert éminent en subtilités gaies.

La voix des sables

Il était une fois un vieux fleuve perdu dans les sables du désert. Il était descendu d'une haute montagne qui se confondait maintenant avec le bleu du ciel. Il se souvenait avoir traversé des forêts, des plaines, des villes, vivace, bondissant, puis large, fier et noble. Quel mauvais sort l'avait conduit à s'enliser parmi ces dunes basses où n'était plus aucun chemin ? Où aller désormais, et comment franchir ces espaces brûlés qui semblaient infinis ? Il l'ignorait, et se désespérait.

Or, comme il perdait courage à s'efforcer en vain, lui vint des sables une voix qui lui dit :

— Le vent traverse le désert. Le fleuve peut en faire autant.

Il répondit qu'il ne savait voler, comme faisait le vent.

— Fais donc confiance aux brises, aux grands souffles qui vont, dit encore la voix. Laisse-toi absorber et emporter au loin.

Faire confiance à l'air hasardeux, impalpable ? Il ne pouvait accepter cela. Il répondit qu'il était un terrien, qu'il avait toujours poussé ses cascades, ses vagues, ses courants dans le monde solide, que c'était là sa vie, et qu'il lui était inconcevable de ne plus suivre sa route vers des horizons sans cesse renouvelés. Alors la voix lui dit (ce n'était qu'un murmure) :

— La vie est faite de métamorphoses. Le vent t'emportera au-delà du désert, il te laissera retomber en pluie, et tu redeviendras rivière.

Il eut peur tout à coup. Il cria :

— Mais moi je veux rester le fleuve que je suis !

— Tu ne peux, dit la voix des sables. Et si tu parles ainsi, c'est que tu ignores ta véritable nature. Le fleuve que tu es n'est qu'un corps passager. Sache que ton être impérissable fut déjà maintes fois emporté par le vent, vécut dans les nuages et retrouva la Terre pour à nouveau courir, ruisseler, gambader.

Le fleuve resta silencieux. Et comme il se taisait un souvenir lui vint, semblable à un parfum à peine perceptible. « Ce n'est peut-être rien qu'un rêve », pensa-t-il. Son cœur lui dit : « Et si ce rêve était ton seul chemin de vie, désormais ? »

Le fleuve se fit brume à la tombée du jour. Craintif, il accueillit le vent, qui l'emporta. Et soudain familier du ciel où planaient des oiseaux il se laissa mener jusqu'au sommet d'un mont. Loin au-dessous de lui les sables murmuraient :

— Il va pleuvoir là-bas où pousse l'herbe tendre. Un nouveau ruisseau va naître. Nous savons cela. Nous savons tout des mille visages de la vie, nous qui sommes partout semblables.

La voix sans cesse parle. Comme la mémoire du monde, le conte des sables est infini.

La fourmi amoureuse

Le roi Salomon, cheminant un jour par les sentiers du désert, rencontra une fourmilière. Toutes les fourmis aussitôt vinrent à lui pour saluer l'empreinte de ses pas. Une seule ne se soucia pas de sa présence. Elle resta devant son trou, occupée à un labeur apparemment infini. Salomon l'aperçut à l'écart de ses compagnes. Il se pencha sur son corps minuscule et lui dit :

— Que fais-tu donc, bête menue ?

La fourmi lui répondit, sans se laisser autrement distraire de son travail :

— Vois, roi des rois, un grain après l'autre je déplace ce tas de sable.

— Ô fourmi généreuse, lui dit Salomon, n'est-ce point là un labeur exagéré pour tes faibles forces ? Ce tas de sable te dépasse de si haut que tes yeux ne sauraient en voir la cime. Aurais-tu la longévité de Mathusalem et la patience de Job, tu ne pourrais espérer l'effacer de ta route.

— Ô grand roi, lui répondit la fourmi, c'est pour l'amour de ma bien-aimée que je travaille ainsi. Cet obstacle me sépare d'elle. Rien ne pourra donc me distraire de son effacement. Et si à cette œuvre j'use toutes mes forces, au moins je mourrai dans l'étrange et bienheureuse folie de l'espérance.

Ainsi parla la fourmi amoureuse. Ainsi le roi Salomon découvrit, sur le sentier du désert, le feu de l'amour véritable.

Les savants et le lion

Un jour d'entre les jours, deux savants se promenaient dans le désert. Nasruddin le Simple les accompagnait. Il avait reçu d'eux un sou troué pour éventer leurs visages, tandis qu'ils cheminaient. Ces deux conséquents érudits, traînant la babouche sous leur bedaine et devisant gravement, faisaient assaut de tant de science que Nasruddin, ébahi, en oubliait parfois d'agiter sa branche de palmier devant leurs faces. Il n'éventa bientôt plus que sa propre figure quand il entendit le premier de ces sages révéler à son acolyte :

— Ami très vénéré, donnez-moi n'importe quel relief de carcasse animale — un os, une vertèbre, une dent, même usée — et je me fais fort de reconstituer sur-le-champ autour de ces débris la chair disparue de la bête, ses molécules, ses atomes, son sang, ses organes, sa peau, bref, son corps tout entier. N'est-ce point là de l'admirable biologie ?

— Bagatelle, très estimé compagnon, bagatelle, répondit l'autre. Je dirai même plus : faribole ! Balbutiement de novice ! Car moi, ayant fait cela, de quoi suis-je capable, dites-moi ? Osez le pressentir, le flairer, l'avouer. Oui, vous avez deviné. Inclinez-vous donc, monsieur. Oh, pas devant moi, qui ne suis qu'un fétu de paille dans le vent cosmique qui nous emporte tous vers l'éternité, mais devant la Science, monsieur, Ma science qui Me permet à Moi, monsieur, d'insuffler la vie dans le corps de votre bestiole. De ressusciter votre cobaye pantelant, mon tout bon ! De faire qu'il se dresse sur ses pattes et respire à nouveau l'air de la Création, mon tout petit ! Hé, ne sommes-nous point là à la hauteur de Dieu ? Oui mon cher, mon minuscule disciple, grâce à moi nous y sommes !

Devisant ainsi dans l'humble simplicité des sages, ils rencontrèrent au bord du sentier le crâne d'un lion. Les deux savants l'examinèrent avec une gourmandise d'experts puis, oubliant le monde alentour, ils se défièrent aimablement de prouver l'étendue de leur science. Le premier fit ce qu'il avait dit, sans la moindre faute. Il marmonna quelques formules considérablement intelligentes et versa trois gouttes de potion sur le crâne du fauve où l'on vit aussitôt repousser son museau, ses babines troussées, sa langue entre les crocs, sa royale crinière, son pelage luisant, son corps aux muscles souples et ses pattes griffues, enfin sa queue posée sur son flanc alangui. Alors Nasruddin le Simple, éventant la face, les épaules, les pieds du deuxième savant, risqua sa misérable voix.

— Je ne doute pas de votre éblouissant génie, ô sage illustrissime, dit-il. Vous êtes assurément capable de rendre la vie à ce fauve que vient de fabriquer votre considérable collègue. Cependant, j'ose espérer que vous préférerez goûter à ces quelques oranges que j'ai portées pour vous.

Il sortit de son sac, fébrilement, ses fruits.

— Vous tremblez. C'est trivial, répondit le savant en riant doucement, la bouche en cul de poule. Sachez, mon ridicule ami, que l'homme de science est le grand prêtre de la puissance créatrice. Il ne saurait prendre en compte les effrois des timorés et les jérémiades des obscurantistes. Il peut rendre force et souffle à la bête. Il le fait. Alléluia ! Et par tous les dieux et les diables surpassés, advienne que pourra ! L'avenir est à ceux qui osent !

Il retroussa sa manche et le geste assuré il versa une goutte de son médicament sur le front du lion. La bête se frotta une oreille contre les cailloux mais parut décidée à ne sortir pour rien au monde de son sommeil sempiternel. Une deuxième goutte mouilla le coin d'un œil, qu'il ouvrit aussitôt. Il bâilla, se gratta mollement la crinière. Nasruddin laissa là son sac et ses agrumes et s'en fut chercher refuge sur la plus haute branche d'un arbre mort. Il vit de son perchoir une troisième goutte s'écraser sur le museau du lion endormi. L'animal se dressa, salua le soleil d'un rugissement fier.

— Dieu ! dit l'homme de science, bras ouverts à l'extase, ne suis-je pas très grand ?

Dieu ne répondit pas, mais le lion le fit (les lions, c'est connu, parlent à coups de crocs). Il lança une patte et l'autre, ouvrit sa gueule énorme, dévora les savants, et se sentant soudain une envie de tendresse s'en fut la truffe au vent chercher une lionne parmi les dunes du désert.

L'amant véritable

C'était un homme droit, un amant véritable. Un jour, après avoir médité une pleine année dans une grotte du désert, il s'en alla frapper à la porte de sa bien-aimée. Derrière la porte close il entendit sa voix. Elle demanda :

– Qui est là ?

– C'est moi, dit l'homme, sur le seuil.

– Il n'y a pas de place pour toi et moi dans la même maison, répondit la voix de sa bien-aimée, derrière la porte close.

Alors cet homme droit, cet amant véritable s'en retourna au désert où une pleine année encore il médita. Quand enfin il revint frapper à la même porte, à nouveau il entendit la voix de sa bien-aimée. A nouveau elle demanda :

– Qui est là ?

Cette fois l'homme droit répondit :

– C'est toi-même.

Et la porte s'ouvrit.

Afrique

AFRIQUE NOIRE

Le singe qui voulut être roi

Un singe s'éveillant un matin sur son lit de feuillage s'étira au soleil, se gratta sous les bras, souffla fort par le nez et sentit tout à coup plantée dans son esprit une idée lumineuse. « Je suis beau, puissant, respectable, se dit-il. Pourquoi diable ne serais-je pas, moi, l'habitant des verdures, grand maître d'ici-bas ? L'homme mérite-t-il plus que moi la confiance de Dieu ? Non. Il est arrogant, sans souci, sans pitié pour ceux qui l'environnent. Je le vaux mille fois, soit dit avec l'humilité qui convient aux vrais sages. Il serait donc normal que notre Créateur le rabaisse à ma place et m'élève à la sienne. La royauté du monde, voilà ce qu'il me faut. Allons entretenir notre Père céleste de cet intéressant projet. »

Ayant ainsi pensé il se dressa, grimpa en quatre bonds d'athlète au sommet de son arbre, tendit sa face au ciel et appela l'Inventeur de la vie. Dieu aussitôt parut, devant lui, sur la branche.

— Que me veux-tu, mon fils ?

— Seigneur, répondit l'autre, pourquoi as-tu fait l'homme gouverneur de la Terre ? Il est incompétent, cruel, et si gonflé d'orgueil qu'il se prend parfois pour toi-même. Bref, je ne veux pas médire, mais il faut que tu saches. Tout ce qui vit ici sous son autorité t'ignore, te raille ou te maudit.

— Vraiment ? dit Dieu.

— Vraiment, ô Père incontesté. Moi seul sais t'honorer comme à tout instant tu dois l'être. Sacre-moi roi du monde, charge-moi pour ton bien de ce fardeau, et nul n'osera plus négliger ta gloire, je t'en fais le serment.

— Est-il possible que l'on n'éprouve plus aucun bonheur à vivre ? demanda Dieu, perplexe. Écoute, fils velu. Allons ensemble par les chemins, et si nous découvrons un seul être, enfant d'homme ou d'animal, brin d'herbe ou rocher, qui maudisse la vie que je lui ai donnée, je te fais à l'instant, promis, juré, craché, maître des créatures.

Le singe, sûr du mal qui règne sur la Terre, descendit de son arbre, et tandis qu'il battait sa poitrine bombée au rythme du tam-tam de guerre :

— Vois-tu ton ombre, fils ? murmura Dieu à son oreille. C'est moi. Va, je te suis.

Et l'autre s'en alla, flairant l'air, l'œil luisant. A peine avait-il fait dix pas sur le sentier qu'il buta de l'orteil contre un caillou à demi enfoui dans la poussière.

— Ahi, la brute épaisse, couina-t-il, sautillant çà et là sur un pied. Inutile, Seigneur, de chercher plus avant. Ce bout de roc n'honore pas la vie. Il la cabosse, l'entrave, la meurtrit. Ne suis-je pas déjà assez justifié ?

— Prends-le dans ta main droite, lui dit Dieu, et prends dans ta main gauche une pierre semblable. Heurte-les.

Le grand singe obéit. Du choc jaillit une étincelle.

— Du feu, dit Dieu, riant. De l'éclair, de la vie. C'est là le chant du cœur des pierres. Il me plaît. Il m'émeut. Passons notre chemin, mon fils. Ce n'est pas ce caillou qui te sacrera roi.

Le Velu ronchonna et poursuivit sa route, le dos rond et les bras ballants. Vers midi il parvint au bord d'un ruisseau. Il s'accroupit, but à grands coups de langue et dit en désignant les vagues scintillantes :

— Peut-on sérieusement vous honorer, Seigneur, en fuyant sans repos comme fait ce courant ? Voyez-le se hâter. Voulez-vous mon avis ? Il déteste votre présence.

Les poings aux hanches il ricana, l'air méchamment content. Des bruissements de l'eau montèrent ces paroles :

— Frère, que dis-tu là ? Je vais partout où l'on m'espère, dans l'herbe, dans le bec des oiseaux, dans les mains qu'on me tend. Regarde l'arc-en-ciel. C'est ma prière. Regarde les jardins. C'est moi qui les abreuve. Je suis l'ouvrière de la vie, je travaille à la beauté du monde. Ce n'est certes pas moi qui te sacrerai roi.

— Va donc au diable, grogna le singe.

Il cogna le sol du talon, tendit l'index à des huttes lointaines.

— Allons chez les humains, dit-il. Ils me justifieront. Je connais leur malice.

A l'entrée d'un village, au pied d'un arbre sec un lépreux gémissait, offrant au ciel ses mains harcelées par les mouches. Le singe vint à lui, battit à petits coups son épaule et lui dit :

— Homme, je te comprends. Tu as fort à te plaindre. Admets, bien franchement : ta vie est un enfer. Dieu est un père insupportable. Crache donc ton vinaigre, ami, nous t'écoutons.

L'homme lui répondit :

— Moi, maudire la vie ? Singe, ne vois-tu pas que si je souffre ainsi c'est par amour pour elle ? Mon corps est repoussant, je n'ai ni femme ni maison, mais je peux encore goûter la bonté du soleil, les lumières du soir, les silences de l'aube. Chaque jour qui se lève est un cadeau de Dieu.

— Ce n'est pas ce lépreux qui te sacrera roi, dit une voix paisible à l'oreille du singe.

L'autre tout ronchonnant s'en revint au chemin, s'en fut de quelques pas. Il s'arrêta bientôt, l'œil soudain allumé.

— J'entends quelqu'un gémir, dit-il.

Un aveugle venait, tâtonnant du bâton le long des murs de terre. Comme il passait dans l'ombre du chercheur impatient il tourna çà et là son visage et balbutia :

— Seigneur, Seigneur, donnez-moi la lumière !

— La lumière, c'est moi, murmura Dieu. Je suis là. Il me cherche. Laisse-le donc aller, ô singe. Ce n'est certes pas lui qui te sacrera roi.

— Une femme, voilà ce qu'il me faut, marmonna le Velu, les sourcils batailleurs. Regarde celle-là qui va laver son linge. Entends-la criailler contre son nourrisson qui lui mange le sein.

Il vint à sa rencontre.

— Ô toi que je cherchais, lui dit-il, ouvre ton cœur et parle sans crainte à ton grand frère des forêts. Ton époux te bat-il ?

La femme répondit :

— Parfois il est injuste.

— Et ce fils qu'il t'a fait, ne t'irrite-t-il pas ?

— Quand il crache mon lait, dit la femme, il m'inquiète, et je gronde.

— Avoue-le donc, ma sœur. La vie te pèse, et rudement.

La femme répondit en serrant l'enfant turbulent sur sa poitrine :

— Il m'arrive en effet de la trouver bien lourde.

— Sais-tu qui t'a chargé de ce fardeau de jours que tu traînes ici-bas ? dit l'autre, triomphant. C'est Dieu. Tu vas donc le maudire à belle voix sonnante.

Ce fut son dernier mot dans la langue des hommes. Car la jeune mère le contempla avec dans ses yeux tout à coup écarquillés un éclat si naïvement innocent et réprobateur que le singe en perdit la parole et jamais ne la retrouva.

Et savez-vous ce que Dieu fit, afin que soit à jamais bénie la femme qui avait su chanter plus haut que tous la louange de la vie par la seule lumière de son regard ? Il fit d'elle l'unique créature capable d'amour aussi vaste que Sa main, qui tient le monde.

Krutongo et le Malheur

Krutongo était chasseur. Son corps était de belle force et son cœur était bon. Son épouse, un soir de pluie, accoucha d'un garçon. L'enfant, à peine né, regarda autour de lui, soupira, puis gémit, puis mourut. Krutongo et sa femme en eurent tant de chagrin qu'ils restèrent longtemps sans plus savoir parler. Après un an leur vint un deuxième garçon. Il ne fit que passer par notre monde. Il n'y demeura qu'une nuit, puis il reprit son chemin. Après encore un an pour la troisième fois l'épouse fut enceinte. Quand Krutongo le sut, il la prit dans ses bras et la berça en pleurant. Tandis qu'ils se tenaient ainsi agrippés l'un à l'autre comme deux perdus, l'homme et la femme se demandaient : « Vivra-t-il ? » Mais ils ne pouvaient rien dire car la peur nouait leur gorge, et l'espoir aussi, qui est parfois pire que la peur.

Le jour de la naissance de ce troisième enfant fut par malheur, comme les autres, un jour de deuil. Alors Krutongo dit à son épouse :

— Ce pays ne nous aime pas. Nous devons le quitter.

Ils firent leurs bagages et se mirent en route. Ils cheminèrent quatre semaines sans guère de repos, franchirent de grands fleuves, des brousses, des marais. Ils arrivèrent enfin dans une plaine verte. Au fond de cette plaine était une forêt. Krutongo flaira l'air, examina le ciel, la forme des nuages, puis il hocha la tête et dit :

— Femme, vivons ici.

Il posa son sac et bâtit sa maison. Après cent jours dans ce nouveau pays, il vit que le ventre de son épouse s'arrondissait encore. Il lui dit :

— Il nous faut de la viande, il nous faut du poisson. Femme, je pars en chasse. Si avant mon retour notre enfant sort de toi, tu devras le mettre au monde sans un gémissement. N'appelle personne à ton aide, surtout n'appelle pas, sinon notre malheur reviendrait aussitôt.

Son épouse promit. Il prit son arc, ses flèches, et de grand matin s'en alla.

Quand le temps de l'enfantement fut venu, Krutongo était encore au-delà de la plaine et de la forêt. Il traquait du gibier le long d'une rivière. Son épouse se coucha dans la maison déserte. Elle se tint le ventre, elle serra les dents, le front ruisselant. Longtemps dans son cœur elle appela son époux. Il ne l'entendit pas, il cheminait au loin, l'œil à l'affût, dans les hautes herbes mouillées. Alors elle soupira, haleta et gémit :

— Pauvre de moi, pauvre de moi, comment accoucher seule ?

A peine eut-elle dit ces mots qu'un homme apparut près du lit. Cet être en vérité avait figure humaine, mais c'était un démon.

— Femme, dit-il, je vais t'aider.

Il mit l'enfant au monde, puis il alluma du feu et fit bouillir des légumes. Quand la soupe fut cuite :

— Femme, as-tu faim ?

Elle répondit que oui. Alors il dit encore :

— Si tu veux manger, donne-moi ton fils.

— Toi, je te reconnais, tu es notre malheur, cria-t-elle en serrant son enfant contre elle. Va-t'en !

Le démon ricana. Il répondit :

— Partir ? Pour aller où ? Je suis très bien ici.

Il mangea seul et s'installa. Il coucha par terre à la cuisine. Le lendemain il fendit du bois et prépara un nouveau repas.

— Tu n'auras rien, dit-il. Pas la moindre bouchée.

Passèrent quatre jours, et cinq jours, et six jours. La

femme peu à peu dépérit. Sa peau se tendit sur les os de son visage et ses yeux s'enfoncèrent sous le front. Son nourrisson se mit à gémir et pleurer contre son sein. Elle ne put l'apaiser. Elle n'avait plus de lait. Pas un instant elle ne détourna son regard de la lucarne, suppliant dans son incessante prière son époux d'apparaître. Elle ne vit rien au loin que les nuages sur le chemin désert. L'espoir l'abandonna.

Or, ce matin-là, comme Krutongo avait fait halte sur la rive du fleuve pour écouter les bruits des herbes, un oiseau se posa sur le bout de sa lance, et là, battant des ailes, il se mit à siffler :

— Vite ! Vite ! Vite !

L'homme leva le front. L'oiseau lui dit encore :

— Vite ! Vite ! Vite !

Le sang de Krutongo s'affola, lui noua la gorge, se mit à battre contre ses tempes. Il pensa : « Ma femme est en danger. » Alors en grande hâte, sans souci des canards sauvages qui fuyaient devant lui il s'en retourna. Il traversa la forêt, agile et bondissant comme un cerf, parvint sur la vaste plaine, courut vers sa maison lointaine, enfin poussa la porte. Son épouse était assise dans un coin sombre avec son nourrisson. Elle était épuisée. Le démon, près du feu, buvait une écuelle de soupe. Il dit à Krutongo :

— Bienvenue, chasseur ! As-tu fait bon voyage ?

Krutongo lui répondit :

— Le mal est dans ton œil. Sors de cette maison !

— Calme-toi, lui dit l'autre. Je m'en vais, je m'en vais !

Il trotta vers la lumière du jour. Avant d'être dehors, il avait disparu. Krutongo prit dans ses bras sa femme avec l'enfant et tous trois goûtèrent le bonheur des retrouvailles.

— Je ne vous quitterai plus, dit-il. Désormais je cultiverai la terre devant la porte.

Dès le prochain matin il se mit au travail. Il piocha, défricha, brûla l'herbe, puis il dit à sa femme :

— Demain, je sèmerai.

Or, à peine levé, à l'aube naissante, il vint au bord du champ et ne vit devant lui qu'un fouillis de buissons. En une seule nuit tout était revenu, broussailles, cailloux, fourrés, touffes d'épines. « Misère, se dit-il, ce démon de malheur s'acharne contre nous. Visible ou invisible, il nous harcèle et nous harcèlera sans cesse. Comment lui échapper ? »

Il s'en fut visiter grand-mère l'araignée qui sait tout de la vie, qui sait tout de la mort, et qui sait tout aussi de l'entre-vie-et-mort. Elle lui dit :

— Krutongo mon fils, ton retour de la chasse a fait fuir le Malheur. Il n'ose plus se risquer dans ta maison. C'est une bonne chose. Mais il connaît assez de tours et de maléfices pour t'empêcher de vivre en paix. Ainsi, tous les soirs, comme il l'a déjà fait, il viendra dans ton champ et par sa magie noire il gâtera ton travail du jour. Or, ce malfaisant ne peut être vaincu en combat ordinaire. Sa puissance est trop grande. Tu devras donc ruser, si tu veux t'en débarrasser. Krutongo, tu m'écoutes ?

— Grand-mère, je t'écoute.

— Sculpte une statue de bois avant la nuit prochaine. Fais en sorte qu'elle ressemble à ton épouse, qu'elle ait son visage et sa taille, la courbe de ses hanches, la rondeur de ses seins, et qu'elle porte aussi un enfant dans ses bras. Quand elle sera faite, tu la planteras au milieu de ton champ, tu enduiras son corps de colle d'hévéa, puis tu te cacheras, et tu regarderas. As-tu compris ?

— Grand-mère, j'ai compris.

Il fit tout exactement. Comme le soir tombait il planta la statue bien droite sous la lune, il la badigeonna de colle d'hévéa. Il alla se cacher. Alors l'esprit mauvais apparut sur le chemin. Dès qu'il vit la statue, il courut devant elle.

— Bonsoir, bonne femme, dit-il. Ton mari le chasseur t'a laissée seule ? Tu m'en vois content, te voilà toute à moi !

Il la saisit au cou. Sa main droite resta collée.

— Bougresse, dit-il, tu résistes à ton maître ?

Sa main gauche griffa la figure impassible. Il cria :

— Lâche-moi !

Il lança son pied droit contre la jambe de la statue, puis son pied gauche, cogna des genoux, du ventre, du front. Il se trouva bientôt collé de haut en bas contre la fausse femme. Il se débattit, cracha, hurla. Alors Krutongo se dressa et sortit de sa cachette en brandissant sa longue lance.

— Hé, démon, cria-t-il, nous sommes fatigués de toi. Sais-tu cela ?

— Je m'en vais, chasseur, je m'en vais, gémit l'autre, agité de soubresauts grotesques.

Krutongo tourna autour de lui, puis il dit en riant :

— Est-ce donc ce pantin qui nous a fait si mal ?

Il leva sa lance et d'un coup le tua.

De ce jour il vécut heureux avec sa femme. Quand il entra dans la vieillesse, autour de sa maison était un grand village peuplé de ses fils et de ses filles, tous pères vénérables et mères de famille. Et quand il mourut ses ancêtres l'accueillirent dans l'autre monde avec fierté, car il avait fait ce qu'aucun d'eux n'avait su faire. Il avait vaincu le Malheur.

La fête de Moussa

Dix filles allaient cueillir des figues. Elles riaient, chantaient, rêvaient. Toutes pensaient au soir prochain. Ce soir-là, le plus beau des soirs, Moussa le fier, le fils du roi, offrait une fête à son peuple. Toutes iraient en pagnes fins, chacune espérait que Moussa prendrait sa main parmi les autres et la choisirait pour épouse.

A l'ombre bleue du grand figuier, par jeu moqueur, poussant du coude la plus jeune :

— Tu ramasses des figues mûres ? lui dirent-elles. Il ne faut pas. Les figues vertes sont meilleures !

La naïve les crut, laissa là les fruits mûrs, ramassa les fruits verts et s'en revint chez elle.

— Holà, holà, lui dit sa mère, c'est là toute ta provision ? Décidément tu es trop sotte. Je veux ici avant ce soir un plein panier de figues mûres. Sinon tu n'auras pas ton pagne. Adieu la fête de Moussa !

En courant et pleurant la fille retourna par le sentier de brousse au figuier solitaire et là, les mains tendues, elle chanta ce chant :

— Figuier, me faut des figues, des figues pour un pagne, un pagne pour la fête, la fête de Moussa. Dieu, pourvu que j'y sois avant qu'elle s'achève !

Le figuier répondit :

— Moi, ma fille, me faut de la bouse de vache. Va m'en chercher, reviens, et je te donnerai ce qu'il faut à ta mère !

La fille courut à l'enclos des bêtes. Aux vaches elle chanta :

— Vaches, me faut des bouses, des bouses pour des figues, des figues pour un pagne, un pagne pour la fête, la fête de Moussa. Dieu, pourvu que j'y sois avant qu'elle s'achève !

Les vaches répondirent :

— Fille, nous faut de l'herbe et des pousses de joncs. Va nous en ramasser, et nous te donnerons ce qu'il faut au figuier.

La fille s'en alla, courut, courut encore et parvint au grand champ.

— Grand champ, me faut de l'herbe, de l'herbe pour des bouses, des bouses pour des figues, des figues pour un pagne, un pagne pour la fête, la fête de Moussa. Dieu, pourvu que j'y sois avant qu'elle s'achève !

Les herbes répondirent :

— Fille, il nous faut de l'eau, de l'eau de bruine fine. Va prier Dieu là-haut et nous te donnerons ce qu'il faut à tes vaches.

Et la fille chercha l'arbre qui touche au ciel. Il était loin. Elle grimpa sur sa plus haute branche.

— Dieu, me faut de la bruine, de la bruine pour l'herbe, de l'herbe pour des bouses, des bouses pour des figues, des figues pour un pagne, un pagne pour la fête, la fête de Moussa. Dieu, pourvu que j'y sois avant qu'elle s'achève !

Dieu ne demanda rien. Il lui donna la bruine, le champ lui donna l'herbe, et les vaches leurs bouses, et figuier ses fruits. Elle revint chez elle avec un grand panier empli de figues mûres. Sa mère s'en alla derrière la maison, trouva au poulailler un haillon poussiéreux.

— Fille, voilà ton pagne. Il pue, emporte-le et va donc à la fête, la fête de Moussa !

La fille s'en alla, les yeux mouillés de larmes et la bouche tremblante. Au bord de son chemin elle aperçut bientôt une hutte bancale. Une vieille était là, assise près du seuil. Comme venait la fille, elle tendit la jambe au travers du sentier.

— Vieille mère, pardon, laisse-moi le passage.

— Où vas-tu donc, petite ?
— A la fête du soir, la fête de Moussa.
— Va ton chemin, petite, va.
A peine eut-elle fait dix pas sur le sentier :
— Hé, petite, reviens !
La fille s'en revint devant la pauvre hutte.
— Attise un peu mon feu, je crains qu'il ne s'éteigne.
La fille remua les braises, mit de la paille entre les bûches et le bois crépita, et les flammes jaillirent. Comme elle s'en allait, la jambe de la vieille à nouveau s'allongea au travers du sentier.
— Vieille mère, pardon, laisse-moi le passage.
— Va ton chemin, petite, va.
Elle fit trente pas.
— Hé, petite, reviens !
La fille s'en revint. Comme son cœur pesait dans sa poitrine !
— Fais cuire un bol de mil, j'ai faim, lui dit la vieille.
La fille mit à cuire un bol de mil pilé. A l'instant de partir :
— Vieille mère, pardon, laisse-moi le passage.
— Va ton chemin, petite, va.
A peine eut-elle fait cinquante pas sur le sentier :
— Hé, petite !
Sans un mot, tête basse, la fille s'en revint.
— Va donc puiser de l'eau et mets-la sur le feu dans la grande bassine. Quand elle sera chaude tu prendras la serviette blanche et tu me laveras le dos de haut en bas.
La fille puisa l'eau, la chauffa, la versa sur le dos de la vieille, prit la serviette blanche et se mit à frotter. Or, tandis qu'elle s'échinait, le vieux dos se fendit comme une figue mûre.
— Petite, que vois-tu ?
— Je vois un trou profond entre tes deux épaules.
— Petite, que vois-tu, dis, que vois-tu encore ?
— Je vois au fond du trou des habits magnifiques !
— Choisis ceux qui te plaisent et pare-toi. Il faut que tu sois belle à la fête du soir, la fête de Moussa !

La fille s'habilla et partit en riant, courut jusqu'à la fête, et quand elle y parut les musiciens se turent et les gens ébahis dirent :

— Quelle beauté !

Et le prince Moussa eut les yeux emplis d'elle. Alors il s'avança entre toutes les filles et la prit par la main, et la prit pour épouse, et le conte s'en fut. Où est-il aujourd'hui ? Dis-moi de ses nouvelles !

Pourquoi Dieu s'éloigna du monde

Aux premiers temps, le ciel était posé sur la cime des arbres. Le Créateur venait de bâtir son royaume, et tout y était neuf, simple, aimable à vivre. En ce temps-là les tornades ne ravageaient pas les maisons des hommes, elles n'emplissaient pas leur bouche de sable, elles ne les emportaient pas au loin, par-dessus les murs, bras et jambes tournoyants. En ce temps-là les pires bourrasques étaient des souffles revigorants, et les calebasses à peine vidées se remplissaient de nourritures succulentes et légères, et les moustiques étaient nos petits frères, et les hyènes couchaient à l'ombre des enfants. En ce temps-là les hommes étaient tous des seigneurs, car tous avaient ces vertus qui font les vrais seigneurs : la générosité, l'œil franc et la paix du cœur. Et les femmes étaient rieuses, terribles, douces, folles aussi, sans cesse poussées par leur témérité hors du tout-à-fait-droit, du tout-à-fait-visible, du tout-à-fait-dans-l'ordre.

En ce temps-là trois d'entre elles étaient amoureuses d'un homme. La première courait pour lui aux sources les plus fraîches, la deuxième rêvait de lui offrir un fils vigoureux et parfumé comme le vent du ciel, la troisième errait dans son propre cœur et ne savait rien dire, tant l'amour la poignait. En vérité, elle aurait voulu prendre le monde dans ses mains et l'effeuiller comme une rose sur la bouche de son époux.

Un jour, comme elle longeait un champ de mil, rêvant à l'offrande impossible, elle détacha un grain d'une tige penchée, le fendit d'un coup d'ongle, respira son parfum. Alors le désir lui vint d'offrir au bien-aimé une saveur nouvelle. « Nous pilerons le mil, se dit-elle, joyeuse, et de sa farine poudreuse nous ferons des gâteaux pour l'élu de nos cœurs. » Le mil, en ce temps-là, n'était ni récolté ni cuit en boule sous la cendre. L'idée plut fort à ses compagnes. Elles creusèrent des troncs d'arbres et préparèrent des pilons, nouèrent leurs boubous sur leurs reins indolents, et hop, tchac ! hop, tchac ! elles se mirent à piler le grain dans les creusets.

— Comme mon pilon est léger ! dit la première aux seins houleux, aux yeux illuminés.

— Voyez le mien, dit la deuxième, il monte jusqu'au ciel et me revient en main tout trempé de rosée !

La troisième, exaltée, rieuse, émue aux larmes, lança le sien si haut qu'il traversa la peau de la voûte céleste et s'en alla frapper le Créateur au front. Le ciel, je vous l'ai dit, était en ce temps-là tout proche de la terre. Dieu, vexé, sursauta, se pencha par la brèche ouverte, les sourcils batailleurs et la bouche orageuse. Devant sa case, l'amante téméraire enfouit au creux des bras sa figure effrayée par le regard courroucé qui lui tombait dessus.

— Ô femme, lui dit Dieu, je n'ai pas fait le ciel assez haut ni la Création assez secrète pour ton cœur impatient ! Je ne te maudis pas car j'aime ta tendresse, mais ta folie me trouble et je m'éloigne d'elle. Désormais, la Terre vivra seule et connaîtra les larmes, la faim, la soif, le froid avec le chaud, le sel avec le miel. Les hommes peineront à chercher l'autre vie où je serai caché, à désirer toujours d'autres joies, d'autres femmes et d'autres horizons.

Et comme Dieu parlait ainsi le bruit de ses paroles s'éloigna. Il ne fut plus bientôt qu'une rumeur indistincte dans le ciel de plus en plus haut. Et les femmes avec les hommes restèrent seuls à chercher sans cesse le secret du bonheur. Mais l'amoureuse demeura bénie, bien que par elle nous soit venu le mal que nous avons à vivre. Car rien d'autre que la puissance de son amour ne sut faire dans le firmament la brèche jamais refermée, par où le Père inaccessible ne peut s'empêcher de nous voir et de nous chérir, nous ses enfants turbulents.

L'oiseau

Madi était le nom de cet homme. C'était un grand chasseur d'oiseaux. Il avait un fils, un seul fils. Sa femme l'avait mis au monde, puis elle avait quitté la vie. La maison de Madi était la dernière du village. Au-delà était la forêt. Chaque matin Madi allait poser ses pièges, et chaque soir il ramenait ses proies.

Or un jour il dit à son fils :

— J'ai mal aux yeux, j'ai mal aux membres, garçon, va chercher le gibier.

Le garçon s'en alla dans la forêt. Il vit un oiseau blanc sous un arbre. Il était pris dans un lacet. Quand il voulut le délier, l'oiseau se mit à lui chanter :

Ne me prends pas, fils de Madi,
c'est ton père qui doit le faire,
fils de Madi, fils de Madi,
je viens de loin, où est ton père ?

Le garçon recula, contempla, tout craintif, l'oiseau à voix humaine, puis s'en fut en courant et criant :

— Père ! Père !

A son père il conta ce qui s'était passé. Tous deux s'en revinrent au bois. Quand ils furent au pied de l'arbre où l'oiseau, dans l'herbe, était pris :

— Mon garçon, est-ce lui qui parle ?

— C'est lui, père, prends-le.

Le père prit l'oiseau. Dès qu'ils furent chez eux :

— Je vais faire du feu, dit l'homme. Égorge-le.

L'enfant aiguisa son couteau sur la pierre du seuil, revint à l'oiseau blanc, l'empoigna par le cou. Alors l'oiseau chanta :

Ne me tue pas, fils de Madi,
c'est ton père qui doit le faire,
fils de Madi, fils de Madi,
je viens de loin, où est ton père ?

— Père, père, cria l'enfant, viens égorger l'oiseau, ma main tremble !

Le père vint en ronchonnant. Il pensa que son fils était lâche, qu'il n'avait pas de cœur, que le sang l'effrayait. Il égorgea l'oiseau, le pluma, le vida, enfin le découpa, puis il dit au garçon :

— Mets-le dans la marmite. Moi, je vais préparer la pâte des galettes.

Dès que l'enfant eut rassemblé les morceaux de l'oiseau épars sur la table :

Ne me cuis pas, fils de Madi,
c'est ton père qui doit le faire,
fils de Madi, fils de Madi,
je viens de loin, où est ton père ?

L'enfant cria, les larmes aux yeux :

— Père, père, il parle encore !

« Comme je suis seul, pensa l'homme, sans aide dans ce monde étrange, sans amour, sans plaisir de lit. » Assis devant le feu il fit cuire l'oiseau puis il dit à son fils :

— Mangeons-le maintenant.

Il piqua son couteau dans la marmite. Quand le garçon voulut piquer aussi le sien :

Ne me mange pas, fils de Madi,
c'est ton père qui doit le faire.

— Je n'ai pas faim, dit l'enfant.

L'homme mangea et dans son ventre l'oiseau reprit forme vivante et par la bouche il s'envola. L'homme se coucha sur sa litière de feuilles. Il avait mal au corps, aux membres. Il mourut à la nuit tombée. L'oiseau revint devant la porte :

Fils de Madi, fils de Madi,
je viens de loin. Où est ton père ?

L'enfant pleura.

— Père, où es-tu ?

Le lendemain à l'aube claire il s'en alla par les chemins du monde.

Kotendimina

Il était une fois la femme d'un roi. En vérité, elle était femme plus que reine. Des cent serviteurs qui veillaient sur elle, aucun n'avait le droit d'entrer aux cuisines. Elle seule préparait les repas de son époux, cuisait les viandes, rôtissait les galettes et tranchait les légumes dans la marmite. C'était là son bonheur. Mais dans ce bonheur simple elle avait une peine. C'était de n'avoir pas d'enfant. Elle espéra longtemps. Une nuit avant l'aube elle sortit devant sa porte et les mains sur le ventre elle dit aux étoiles :

— Père et mère, vous qui connaissez Dieu, demandez-lui un fils pour votre fille !

Depuis la veille ce fils était en elle, mais elle l'ignorait. Son nombril s'arrondit, son ventre se gonfla. Un soir, le roi revint fourbu et crotté de la chasse.

— Fais chauffer de l'eau, je veux prendre un bain, dit-il à son épouse.

Elle mit sur le feu une grande bassine, monta sur la terrasse, emplit une baignoire au clair de lune et attendit son roi, mais son roi ne vint pas. Il s'était endormi au travers de son lit. A minuit le tonnerre gronda. La femme ne bougea pas de sa place auprès de la baignoire. Quand la pluie lourde s'abattit, elle courba le dos mais ne songea pas un instant à se mettre à l'abri. Et quand vint l'aube tiède elle était toujours là, à veiller sur le bain de son homme.

Le roi, de grand matin, bâilla, frotta ses yeux, monta sur la terrasse. Il vit sa femme assise, immobile, muette.

— Femme, que fais-tu là ?

— Mon époux, je t'attends.

Il se souvint alors du bain qu'il voulait prendre. Il s'agenouilla devant elle.

— Femme belle et fidèle, dit-il, toi qui es restée sous la rosée du soir et sous la pluie battante à espérer ma venue, sois à jamais honorée. Dieu fasse ton enfant fécond comme l'orage, fort comme le tonnerre et beau comme la foudre !

A midi ce jour-là elle accoucha d'un fils. On fit de grandes fêtes. Sept ans heureux passèrent. Puis le roi oublia la beauté de la reine. Il prit une autre épouse. De la nouvelle aimée deux garçons lui naquirent. Alors il oublia son premier-né, qu'il avait jusque-là élevé avec une affection vigilante. Il lui dit un matin :

— Hors de ma vue, tu me salis les yeux. Va chez mes serviteurs, tu vivras avec eux.

Sa mère prit son fils par l'épaule et le mena dehors.

— Mère, lui dit l'enfant, je veux la vérité. Ce roi est-il vraiment mon père ?

— Il l'est, mon fils. Depuis que je suis femme, aucun homme sauf lui n'a couché dans mon lit. Ne te révolte pas contre ses injustices. Ce qu'il t'ordonnera, fais-le. Fais-le non point pour lui, mais pour nourrir ta force.

Le garçon répondit :

— Mère, j'obéirai. Mais désormais mon nom sera Kotendimina, Celui-que-rien-ne-fait-souffrir. Ainsi le roi pourra me traiter comme un chien, je n'éprouverai ni douleur, ni haine.

Le lendemain matin il revint au palais, s'en fut trouver son père et lui dit :

— Roi, écoute ton fils. Mon nom n'est plus le tien. Kotendimina, tel est celui que j'ai choisi. Tu peux disposer de moi comme tu le voudras. Tu n'as plus le pouvoir de me faire pleurer.

— Tu serviras tes frères, lui répondit le roi. Tu tiendras leur maison. Tu nourriras leurs bêtes.

Il en fut ainsi.

Un jour des messagers du royaume voisin vinrent à la Cour annoncer ce qui suit :

— Notre seigneur veut marier sa fille. Cependant il exige, avant de l'accorder, que celui qui la veut dise le nom secret qu'elle tient dans son cœur. A celui qui trouvera seront donnés en outre trois chariots d'or et la moitié des terres du pays.

Les deux frères cadets aussitôt ordonnèrent à Kotendimina de seller leurs chevaux. Ils s'en allèrent fringants sur leurs belles montures, poussant à coups de fouet devant eux leur frère aîné en sandales de corde. A l'heure de midi ils firent halte au bord du chemin.

— Va chercher de l'eau, dit le troisième prince à Kotendimina.

Alentour, aucun puits, ni ruisseau, ni rivière. Loin au-delà des hautes herbes était une forêt. Kotendimina y courut, s'enfonça dans l'ombre broussailleuse, flaira l'air, entendit sous les arbres le chant d'une source. Il la chercha, la découvrit. Au pied d'un roc moussu elle sortait de terre, limpide, scintillante. Il s'accroupit au bord, emplit ses calebasses. Alors de l'humus noir sortit un serpent prodigieux.

— Fils d'homme, qui es-tu ? lui dit le monstre.

Le garçon se nomma.

— Fouille un peu sous le roc, dit encore la bête. Vois-tu ces ossements ? Ce sont les restes de mes derniers repas. Cent guerriers, pour le moins, qui espéraient me vaincre.

— Serpent, je suis venu sans armes, répondit Kotendimina. Fais donc ce que tu veux, je ne combattrai pas.

— Les hommes sont mauvais, siffla l'énorme gueule entre ses dents pointues. S'ils étaient simples et désarmés, je pourrais les aimer, mais non, ils sont cruels, avides, arrogants. Ils veulent tout par force.

— Je ne veux que de l'eau, dit Kotendimina.

Le serpent remua sa longue tête plate, hésita, dit enfin :

— Si tu partais d'ici sans une égratignure, m'aiderais-tu ?

— Sur ma vie, je le jure.

— Écoute donc. Suis tes frères où ils vont. Laisse-les vanter leurs mérites. On leur demandera de deviner le nom secret de la princesse. Ils ne sauront pas le dire et devront s'en aller, mais toi, tu resteras. Tu attendras la nuit. Alors devant le roi tu lèveras la tête, tu désigneras l'étoile la plus vive et le roi fera de toi son gendre. Je te rends là, fils d'homme, un grand service. En échange, je veux que tu m'apportes ici sept pains blancs comme le ciel de l'aube. Le feras-tu ?

— Promis, dit Kotendimina.

Il prit ses calebasses, sortit de la forêt, courut à ses frères et leur dit, hors d'haleine :

— Mes princes, voici l'eau.

— Il était temps, fainéant, grondèrent les deux autres.

Ils burent, ordonnèrent rudement à leur aîné poussiéreux de marcher devant, et reprirent la route.

Le lendemain matin ils entrèrent en ville. Trois cents candidats, nobles et fils de nobles, étaient aussi venus. Tous furent rassemblés sur la place publique devant l'estrade où se tenaient le roi, ses ministres, ses guerriers et ses femmes. Chacun vint devant eux, dit un mot à voix forte. Aucun ne sut trouver le nom que la princesse portait au secret de son cœur. Vint le soir rouge et doux. Les frères, dépités, dirent :

— Allons-nous-en.

— Mes princes, patientez, dit Kotendimina. Je veux me présenter comme vous l'avez fait.

— Qu'espères-tu, pauvre fou ? ricanèrent les autres. Nous partons à l'instant. Si tu veux nous revoir, tu nous courras après.

Les deux frères s'en furent. Kotendimina s'avança devant l'estrade. La nuit était venue. Les étoiles au ciel s'allumaient une à une. Il dit, le front levé :

— Ton nom brille là-haut.

— Tu seras mon époux, répondit la princesse.

On fit sept jours de noce. Au huitième matin, Kotendimina dit à son épouse :

— Fais cuire sept pains blancs. Nous partons en voyage.

Il salua les gens qui l'avaient accueilli.

— Mon fils, lui dit le roi, je vais bientôt mourir. Mon peuple attendra ton retour. Tu régneras sur lui.

Et Kotendimina s'en alla avec sa femme, mille guerriers, des chevaux, des moutons, de l'or et des diamants par pleines charretées. Ils parvinrent bientôt au bord du grand chemin où était la forêt, au fond des hautes herbes.

— Attendez-moi ici, dit Kotendimina.

Il courut vers les arbres, posa les sept pains blancs contre le roc moussu et s'agenouilla au bord de la source. Il entendit bientôt :

— Tu es un homme de mémoire.

La gueule du serpent se dressa devant lui.

— J'ai pour toi des nouvelles, dit encore la bête. Ton père est mort hier. Rentre chez toi, le peuple s'impatiente. Il a chassé tes frères et c'est toi qu'il réclame. Demain, on te sacrera roi. Écoute maintenant. L'important, le voici : quand chacun sera retiré dans sa maison, après la musique et les danses du couronnement, tu iras dans la chambre où dormira ta femme et d'un coup de couteau tu trancheras sa gorge.

— Moi, tuer mon épouse ? dit Kotendimina.

— Fais ce que je te dis, répondit le serpent. Va maintenant. Va vite !

Bondissant au travers des buissons et des herbes il rejoignit le cortège. Sa femme était impatiente de le revoir. Elle lui prit la main. Il se détourna d'elle et gémit dans son cœur.

Le lendemain matin il entra dans sa ville. Sa mère le mena au trône du roi mort.

— Ton père t'a traité durement, lui dit-elle. Mon fils, c'était par amour vrai. Il t'a appris la valeur de la vie, ses pièges, ses beautés, ses douleurs, ses miracles.

La nuit venue chacun s'en retourna chez soi. Alors, à la porte de la chambre où était sa femme, Kotendimina dégaina son couteau. Il faisait noir, si noir qu'à peine il devina le lit sous la fenêtre. Il s'approcha, courbé comme s'il charriait sur ses épaules tous les fardeaux du monde. A tâtons il palpa le visage endormi. Sur le cou palpitant il appuya sa lame et d'un geste vif le trancha. Puis il alla s'asseoir, épuisé, dans un coin. Il pleura jusqu'à l'aube, le front dans ses mains. Comme le jour naissant traversait la pénombre :

— Que fais-tu là ? dit une voix aimée.

Il releva la tête et vit son épouse penchée sur lui. Du lit sur le plancher un flot de poudre d'or illuminait la chambre.

— Quoi, femme, tu n'as rien ? dit Kotendimina.

Il lui toucha le cou. Il était lisse et tendre.

— Tu sembles fatigué, lui dit-elle. Je vais faire chauffer une bassine d'eau. Je laverai ton corps. Puis cette poudre d'or qui nous vient Dieu sait d'où, nous la distribuerons aux pauvres.

— Ma femme, tout est bien, dit Kotendimina.

Certes, il était fourbu, mais il ne s'endormit pas au travers de son lit. Il prit un bain délicieux sur la terrasse où était sa baignoire, et de ce jour régna sur deux pays heureux.

Le temps du sacrifice

Il était un berger familier de toujours du langage des bêtes. Ce que disaient ses bœufs, ses vaches, ses moutons, il l'entendait sans peine. Il arrivait aussi qu'il parle avec son chien. Tous deux s'aimaient d'affection forte. Où l'un allait, l'autre suivait. Or, un soir de chaleur, comme le vieux soleil à l'horizon lointain ramenait sur son lit ses couvertures rouges, l'homme et son compagnon assis au frais devant leur porte virent venir par les buissons secs de la brousse un de ces chiens errants qui disputent aux rats les os dans les ordures, aux sorties des villages. Dès qu'il fut à portée de voix, ce vagabond tendit son long museau vers la maison tranquille, et d'un aboiement bref :

— Salut, chien de berger, dit-il.

— Salut, répondit l'autre.

— Hé, n'as-tu pas envie de courir avec moi ?

— Un autre jour, peut-être.

— Viens, nous irons hurler à la lune qui monte !

— Ce soir je ne peux pas, dit le chien du berger. Je sens du feu qui couve. La maison de mon maître brûlera vers minuit. il faut que je sois là.

Le berger pensa : « Il plaisante. Il s'amuse à me faire peur. Mais sait-on jamais ? Nos vieux sages disent : Dieu veille sur toi, veille sur tes biens. » Il déménagea son lit, sa cuisine, ses habits de fête, ses menus trésors, ne laissa plantés que les quatre murs et le toit de paille. Le ciel se couvrit. L'orage gronda. La foudre tomba. La maison brûla. L'homme balaya les cendres fumantes, retroussa ses manches et se construisit une autre demeure plus belle et plus vaste.

Passèrent cent jours. Or, un matin doux, comme le soleil au fond du levant ouvrait grand son œil, le chien vagabond s'en revint rôder le long de l'enclos où les bêtes dormaient encore. Il flaira le vent, pissa contre un pieu, puis il appela :

— L'ami, es-tu là ?

Le chien du berger sortit dans la cour où son maître nu s'aspergeait d'eau fraîche au bord du puits. Il lui répondit :

— Salut, frère errant !

— Viendras-tu ce soir courir avec moi ? Je n'ai pas d'ami, personne avec qui faire un brin de route !

— Demain si tu veux. Ce soir, impossible ! Depuis quelques jours, le vent pue la hyène. Il en viendra vingt, peu avant minuit. Elles attaqueront l'enclos. Tous nos bœufs mourront, nos moutons aussi. Il faut que je reste auprès de mon maître.

Le berger pensa : « Si ce chien dit vrai, malheur sur moi ! » Tout au long du jour il mena ses bêtes dans les solides bergeries du seigneur du village. A la nuit tombée vingt hyènes se glissèrent d'ombre en ombre. Elles envahirent l'enclos désert, se firent les crocs sur des branches mortes et s'en retournèrent bredouilles en hurlant aux étoiles par les sentiers de la brousse.

Passèrent encore cent journées tranquilles. Un beau jour vers midi, comme des oiseaux, au plus haut du ciel, éventaient à grands coups d'ailes la face ronde du soleil, le chien errant revint, la langue à ras de terre. Il s'arrêta au bord de l'ombre où le berger somnolait près de son compagnon et dit, tout essoufflé :

— Hé, salut, chien de l'homme !

— Frère, que me veux-tu ?

— Du bien, ami, du bien ! Ce soir au crépuscule je viendrai te chercher. J'aimerais te chanter un chant que j'ai appris. Les paroles sont roses et la musique jaune.

— Hélas, lui dit le chien de l'homme, ce soir mon maître meurt. Je ne peux le quitter.

Le berger effaré se dressa d'un bond, courut au chien errant et revint aussi vite, s'agenouilla sur l'herbe, implora le ciel bleu, joignit enfin les mains devant sa bête amie.

— Mon chien, toi qui sais tout, dis-moi, dis-moi que faire pour éviter la mort !

— Rien, répondit le chien.

— Comment, rien ? rugit l'autre. Tu m'as sauvé deux fois. Tu ne peux maintenant me laisser sans secours !

— Homme, lui dit le chien, je t'ai donné deux fois l'occasion de payer le prix d'un long séjour sur Terre. La première fois, tu as refusé d'offrir ta maison et tes biens aux flammes de la foudre. La deuxième fois, tu n'as pas voulu que les hyènes dévorent tes bœufs et tes moutons. L'un ou l'autre de ces sacrifices t'aurait valu cent années de vie heureuse. Hélas, cette nuit je te pleurerai.

Peu avant minuit, le berger mourut. Son chien près de lui leva le museau vers la lune pleine.

— Ô Lune, dit-il, pourquoi les humains ne savent-ils pas baisser le front ? Pourquoi ne savent-ils pas que les malédictions de la cave, pour qui les accueille sans effroi, sont toujours les bénédictions du grenier ? S'ils savaient, ils vivraient !

Ti-Tête et Ti-Corps

Un jeune bûcheron marchait dans la forêt. Il était beau, content. Il aimait les jeux du soleil à travers les feuillages. Un serpent traversa le sentier, à trois pas devant lui. Il était énorme. Son corps était rouge et vert. Le garçon s'avança, leva sa hache, le trancha en deux et reprit son chemin sous les arbres. De la tête du serpent mort une fille sortit. Du corps rouge et vert naquit un homme. Il parut étonné de se trouver au monde.

La fille courut après le jeune bûcheron, mit la main dans la sienne et lui fit l'œil de miel. L'autre la trouva belle. Il la prit donc pour femme. On l'appela Ti-Tête. L'homme né du corps rouge et vert fut appelé Ti-Corps. Il s'en alla tout seul.

Ti-Tête fut heureuse avec son bûcheron. Ils eurent huit enfants. Après dix-neuf années naquirent vingt petits-fils. Après vingt-cinq années, vingt petites-filles. Ti-Tête en fut très fière.

Ti-Corps, lui, ne trouva nulle part le bonheur. Il se fit vagabond. Il mendia son pain sur les chemins. Il mendia l'amour, parfois, devant les portes. Sa récolte fut maigre. Il vécut pourtant sans douleur excessive, car le Créateur lui avait fait don d'une voix magnifique. En vérité, ses chants étaient si captivants, que les gens, longtemps après qu'il fut parti, osaient à peine respirer.

Donc, en ces temps anciens, Ti-Tête était grand-mère et Ti-Corps la cherchait partout dans le pays. A l'entrée des villages il disait aux enfants :

— Il y a trente ans, elle était faite ainsi. L'avez-vous rencontrée ?

On riait de lui. On lui lançait des bouses. Il allait plus loin. Il disait encore :

— Son nom était Ti-Tête. Un jour elle a suivi un jeune bûcheron.

Parfois on le plaignait. On lui répondait :

— Va voir à la ville voisine.

Un soir, comme il chantait tout seul, assis contre un vieux mur : « Ti-Tête, où est Ti-Tête, où s'est perdue Ti-Tête ? » quelqu'un lui dit :

— Elle a eu huit enfants. Ses petits-enfants peuplent notre village. Je suis le quarantième. Ma grand-mère est la plus aimée des femmes de ce monde.

Ti-Corps entra dans ce village. Sous l'arbre de la place il s'assit et se mit à chanter. C'était un chant inconnu des hommes, même des plus anciens. Tous l'écoutèrent, les femmes, les enfants, et les oiseaux aussi, dans les feuillages. Même les chiens se turent. Ti-tête, dans sa maison, s'enfonça du coton mouillé dans les oreilles.

— Grand-mère, que fais-tu ? lui dit son petit-fils, le dernier, le plus beau, couché contre sa hanche.

Elle lui répondit :

— Parle, mon petit, parle, fais du bruit, pleure fort !

Toute la nuit Ti-Corps chanta. Quand le jour se leva, il se tut au milieu d'une phrase. L'assemblée écouta le silence du petit matin. Alors une autre voix, limpide, haute, ferme, reprit le chant perdu dans l'aube naissante.

— Grand-mère, dit l'enfant dans la maison ouverte, qui t'a appris ces mots ? Je ne les comprends pas. Tu ne nous as jamais chanté cette musique. J'ai peur d'elle. Pourquoi ?

Ti-Tête ne répondit rien. Elle sortit devant sa porte et s'avança vers la place, sans cesser de chanter. Alors Ti-Corps se leva et tous deux s'en allèrent dans la brousse. Personne n'osa les suivre. Quand ils furent à l'abri de tout regard ils se couchèrent sur la terre et ne furent plus Ti-Tête ni Ti-Corps mais un seul serpent rouge et vert qui disparut dans le secret des herbes.

Il en fut ainsi. Et rien n'aurait pu faire qu'il en fût autrement. Car aussi éloignés que soient les êtres, aucun obstacle ne peut les séparer pour toujours, s'ils sont faits pour aller ensemble dans le secret des herbes.

Ogoa

Avant que l'homme soit, sur Terre n'était rien qu'un arbre haut et fort au milieu d'une plaine. De gros nuages vinrent, un matin, sur cet arbre. Le tonnerre gronda, l'éclair fendit le ciel. Alors par cette fente descendit une table, une chaise, une pierre céleste, et descendit aussi la Mère, Woyengi. Sur la chaise elle s'assit, sur la pierre céleste elle posa les pieds, sur la table elle mit de l'argile mouillé et de cet argile elle pétrit les humains. Elle souffla sur eux. Ils se firent vivants. A chacun elle dit :

— Tu peux être une femme ou un homme. Choisis.

Chacun choisit. Puis à chaque homme, à chaque femme un par un elle demanda quelles sortes de vie, de biens et de malheurs il désirait avoir. L'un voulut la richesse et l'autre des enfants, et l'autre une vie brève, et l'autre une vie longue, et tous parmi les maux qui affligeaient la Terre choisirent aussi leurs chagrins. A chacun elle dit :

— Ce que tu veux sera.

Parmi les gens que créa Woyengi étaient deux femmes presque sœurs, tant elles étaient amies. L'une avait désiré des enfants forts et riches. L'autre n'avait rien voulu de ce qui fait le bonheur ordinaire des femmes. Elle avait demandé de grands pouvoirs magiques. Ogoa était son nom. Dans le même village et la même ruelle les deux filles grandirent, puis l'une eut un garçon, deux filles, un fils encore. Ogoa fut pour eux une bonne marraine. Elle était devenue célèbre et redoutée. Elle savait guérir, elle savait tuer, elle comprenait tout du langage des bêtes et lisait les pensées des gens, même lointains. Pourtant elle était triste. Elle aimait ses filleuls, elle veillait sur eux, mais elle aurait voulu des enfants bien à elle. Or, elle n'en avait pas, et son cœur lui pesait.

Alors elle décida de retourner auprès de Woyengi pour qu'elle la recrée, et change son destin. Elle mit dans un sac ses secrets, ses pouvoirs, ses magies invincibles, et sur le chemin droit un jour elle s'en alla. Elle voyagea longtemps, traversa la savane, parvint à la forêt, s'enfonça droit parmi les buissons, les broussailles. Sur ce pays feuillu régnait un roi puissant : Isembi, l'homme vert. Un soir, comme elle cheminait dans l'ombre du sous-bois, elle entendit marcher pesamment derrière elle. Elle se retourna. Elle vit venir Isembi. Il lui dit :

— Es-tu cette Ogoa dont on parle partout ?

Elle lui répondit :

— Il n'y a qu'une Ogoa, et je suis celle-là.

— Viens donc jusque chez moi, tu es mon invitée.

Ils s'en furent ensemble, burent du vin de palme et mangèrent des lièvres. Isembi demanda :

— Où vas-tu, Ogoa ? Ce chemin que tu suis ne conduit nulle part.

Ogoa répondit :

— Vois, je suis une femme. Je voudrais des enfants. Je vais voir Woyengi pour qu'elle me recrée et change mon destin.

— Tu voyages pour rien. Aucun être ici-bas ne peut voir Woyengi.

— J'ai des pouvoirs puissants.

— Ils ne suffiront pas.

— Veux-tu les éprouver ? Ils valent bien les tiens.

Isembi répondit :

— Allons dans la clairière et mesurons nos forces.

Ils allèrent dans la clairière. Sous le soleil mouvant au travers des feuillages Isembi récita ses formules majeures, et le sac d'Ogoa aussitôt se vida. Ses pouvoirs, ses secrets, ses magies s'envolèrent comme fumée au vent. A son tour Ogoa dit ses incantations, tourna sur l'herbe tendre. Ses pouvoirs, ses secrets, ses magies lui revinrent. Encore elle invoqua les puissances obscures. Les pouvoirs, les secrets, les magies d'Isembi vinrent avec les siens. Encore elle tourna, les bras ouverts, sur l'herbe. Isembi tomba mort. Elle reprit son sac et le mit à l'épaule. Comme elle s'en allait, la femme d'Isembi la retint par le bras.

— Rends sa vie à mon homme. Tu l'as prise pour rien.

— Femme, je la lui rends, répondit Ogoa.

Elle toucha son front. Isembi s'éveilla.

Elle reprit sa route. Cheminant sans repos elle arriva bientôt dans la ville d'Egbé. Là était une case ornée comme un palais. Au seuil de cette case un homme se tenait. Comme elle traversait la place en grande hâte, il lui dit :

— Es-tu cette Ogoa dont on parle partout ?

Elle lui répondit :

— Il n'y a qu'une Ogoa et je suis celle-là.

— Je suis Egbé, le roi d'ici. Le bruit de tes pouvoirs est venu jusqu'à moi. Tu es mon invitée.

Sur des nattes d'osier on lui servit du vin et du rôti d'antilope. A la fin du festin Egbé lui demanda :

— Où vas-tu, Ogoa ?

— J'aimerais que mon ventre gonfle, et qu'il enfante. J'aimerais allaiter. J'aimerais être mère. Je vais voir Woyengi pour qu'elle me recrée.

— Aucun vivant jamais n'a pu voir Woyengi, lui dit le roi Egbé. Seuls le peuvent les morts, qui reviennent à elle. Tu voyages pour rien.

Elle lui répondit qu'il parlait comme un homme au cœur pauvre et peureux. Elle le défia. Il se mit en colère. Dans la cour où le vent rugissait ils sortirent. Egbé dit ses formules et ses incantations, et le sac d'Ogoa vidé de ses pouvoirs s'affaissa comme une outre flasque. A son tour Ogoa chanta, tournoya dans la poussière soulevée et son sac à nouveau se gonfla, s'alourdit. Ses pouvoirs lui revinrent avec ceux d'Isembi et ceux aussi d'Egbé, et Egbé tomba mort. Son épouse accourut, hurlant, les bras au ciel.

— Femme, sèche tes pleurs, lui dit la voyageuse.

Elle toucha le front d'Egbé. Il s'éveilla.

Ogoa, cheminant au-delà de la ville, arriva sur la plage au bord de l'océan. Elle s'avança dans les vagues. Alors elle entendit une voix forte et rude. Et cette voix lui dit :

— Moi, le vaste océan, j'avale qui m'affronte.

Elle lui répondit :

— Je suis seule en ce monde, Ogoa sans enfant, c'est ainsi qu'on m'appelle. Je vais voir Woyengi, et il faut que je passe.

L'eau lui vint aux chevilles, aux genoux, à la taille. Elle marcha pourtant, sans souci pour sa vie. L'eau lui vint jusqu'aux seins. Encore elle avança, pensant : « Je vais mourir », appelant dans son cœur les enfants qu'elle n'avait pas eus. L'eau lui vint au menton. Alors elle cria :

— Vaste océan, écoute !

Puissamment sur les vagues elle chanta ses chants secrets. La mer se retira, revint à la ceinture et revint aux genoux. Entre deux murs d'eau grise parut un chemin sec. Et par ce chemin sec elle parvint à terre au-delà de la mer. Là n'était aucun homme. Un seul être habitait dans ce royaume nu. C'était le dieu Ada.

Il vit venir de loin Ogoa sur la plaine. Il s'avança vers elle.

— Es-tu cette Ogoa dont on parle partout ?

Elle lui répondit :

— Il n'y a qu'une Ogoa et je suis celle-là.

Il lui tendit la main, l'amena dans sa case, lui offrit un festin de viandes délicieuses.

— Que viens-tu faire ici ? demanda-t-il enfin. Jamais aucun humain n'a foulé cette terre.

— Je veux voir Woyengi, notre première Mère.

— Retourne-t'en chez toi. Personne ne peut voir Woyengi. Ni toi, ni moi, personne.

— Un grand désir me tient : mettre un enfant au monde.

Si tu veux m'empêcher de suivre mon chemin, ce désir t'abattra.

Ada pensa, surpris : « Quelle est donc cette femme qui veut se mesurer à la force d'un dieu ? » Ogoa dit encore :

— As-tu peur, dieu Ada ?

Ils allèrent aussitôt sur la plaine déserte. Par la force du dieu la tête d'Ogoa fut d'un coup arrachée et monta dans le ciel comme une boule d'herbe au vent tourbillonnant, mais son corps resta droit, semblable à un tronc d'arbre sur l'herbe rase, et la tête emportée bientôt redescendit, à nouveau se planta sur le cou, à sa place. Alors la voix d'Ogoa retentit dans l'air bleu et la tête du dieu quitta ses épaules puissantes. Comme elle s'élevait, le chant noir d'Ogoa se fit plus rude encore. Le corps du dieu Ada chancela, s'affaissa. La tête revenue roula dans la poussière. Tous les pouvoirs du dieu s'enfuirent de son corps, entrèrent un à un dans le sac d'Ogoa et Ogoa s'en fut, courbée sous le fardeau de ces magies conquises.

Sans repos elle voyagea jusqu'au dernier rocher de la plaine. Là se tenait un coq. Il dit à Ogoa :

— Tu n'iras pas plus loin.

— J'irai, répondit-elle. Je veux voir Woyengi.

Le coq lui répondit :

— Au-delà de ce roc il n'est plus de pays. Je garde la frontière entre les deux royaumes, celui du Tout, celui du Rien. Femme, retourne-t'en. Personne ne peut voir Woyengi notre Mère.

Ogoa se tint droite et ne répondit pas. L'incantation lui jaillit soudain de la gorge. Alors le roc prit feu et le coq sur le roc s'embrasa lui aussi. Il ne fut plus bientôt que fumée vite enfuie. Dès que cette fumée fut dissipée, Ogoa découvrit devant elle un grand champ.

Au milieu de ce champ était un arbre haut et fort. Elle marcha jusqu'à lui et se dissimula entre ses racines pareilles à d'énormes serpents. Elle attendit cinq jours. Alors elle vit le ciel se couvrir de nuages. Le tonnerre gronda, l'éclair fendit l'espace. Par la fente elle vit une table descendre, elle vit une chaise, une pierre céleste. Elle vit Woyengi descendre aussi du ciel. Elle la vit pétrir des humains sur la table, et les faire hommes et femmes, et les pousser chacun sur son chemin de vie. Quand la table fut vide elle l'épousseta et la lança en l'air, au-delà des nuages, avec sa chaise et sa pierre céleste. Puis elle vint à l'arbre. Elle dit doucement :

— Ma fille, tu te caches et pourtant je te vois.

Ogoa se dressa. Woyengi dit encore :

— Je connais ton désir. J'ai suivi ton voyage. Je sais aussi comment tu as vaincu tous ceux que tu as rencontrés. Quand j'ai pétri ta vie, tu n'as voulu rien d'autre que des pouvoirs magiques. Je te les ai donnés. Maintenant tu veux voir ton ventre s'arrondir. Tu souffres, sans enfants. Hélas, tu as choisi, aussi, cette souffrance. Veux-tu me défier ? C'est moi qui ai créé ta force et ta faiblesse. Le coq, le dieu Ada, Egbé et Isembi tenaient aussi de moi ce que tu leur as pris. Ogoa, ma petite, rends à chacun son bien.

A peine ces paroles dites, chacun de ces vaincus retrouva ses pouvoirs. Woyengi disparut. Ogoa s'en alla avec sa peine lourde, son désir infini. Elle marcha longtemps, sans savoir où se perdre, puis un jour elle se réfugia dans les yeux d'une femme. Le bonheur la chassa. Alors de femme en femme elle se mit à errer, sans cesse renaissante et sans cesse vaincue. Ainsi vécut-elle. Ainsi elle vit encore. Quand une femme vous regarde avec la soif d'aimer sans savoir qui aimer, qui vous regarde ? Hommes, c'est Ogoa, Ogoa la perdue.

La passion du marabout

C'était un marabout. Il avait quinze élèves. Il leur apprenait tous les jours l'algèbre, le Coran et la philosophie. Un matin, à l'heure de la pause, comme les écoliers sortaient à grand bruit de la salle, le plus petit d'entre eux joignit les mains dans un coin et dit, comme à son habitude :

— Dieu nous garde de la passion.

Le maître, pour la première fois, rentra chez lui pensif. Il demeura silencieux tout au long du repas que lui servit sa femme, puis enfin demanda :

— Mon épouse, dis-moi. Qu'est-ce que la passion ?

Elle lui répondit :

— Tu l'ignores ?

— Je n'en ai pas, dit-il, la moindre idée.

— Mon vénéré mari, tu es sage et savant, tu as lu tous les livres, les hommes du pays te respectent. Si toi tu ne sais pas ce que passion veut dire, comment moi, pauvre femme ignorante, pourrais-je le savoir ?

Le marabout se tut. Il s'en alla au lit.

Le lendemain matin, sa femme lui parut boudeuse. Il lui dit :

— Quel beau jour !

Elle le regarda, l'œil noir. Il la prit dans ses bras. Elle se défit de lui en grognant. Il lui dit encore :

— As-tu mal dormi ?

— Je suis triste, répondit-elle. Tu te soucies de moi comme d'un crottin d'âne.

— Lumière de mon œil, ma bien-aimée, ma gazelle, comment peux-tu parler ainsi ? Que te manque-t-il pour que tu sois heureuse ?

— J'aimerais avoir un chien.

— Un chien ? C'est impossible, gémit le marabout. Un chien dans la maison d'un savant tel que moi, voilà qui serait incongru comme un furoncle au bout du nez. Un lettré convenable n'a pas chez lui de bêtes.

— Tu ne m'aimes plus, lui répondit sa femme en tamponnant ses yeux du coin de son mouchoir. Je m'en doutais. Je ne resterai pas un jour de plus ici.

Elle frappa le sol du talon et marcha noblement vers la porte. Le marabout resta un moment bouche ouverte, puis le cœur lui manqua. « Seigneur, se dit-il, ma bien-aimée s'en va. Elle quitte la maison. Comment vivre sans elle ? Je deviens fou. Je tombe dans un gouffre. » Il hurla :

— Femme, ne pleure plus ! Que veux-tu ? Trois chiens ? Deux chiens ? Un chien ? Un beau chien ? Tu l'auras !

Il courut à l'école. La mine embarrassée il dit à ses élèves :

— Si quelqu'un a chez lui des chiots, j'en veux un.

On le considéra d'un œil réprobateur. La sueur de la honte lui vint au front, mais il se tint digne. Tout au long du jour il fut triste et rogneux. Le soir même, son épouse eut un petit chien noir.

Trois matins passèrent. Elle se reprit à geindre. Son mari, l'œil tout doux, la caressa, lui dit :

— De quoi souffres-tu, ma perdrix dorée ?

— De rien, répondit-elle. Va-t'en. Tu m'ennuies.

— Quand je te vois fâchée j'en ai le cœur qui tombe. Que puis-je t'offrir qui te fasse plaisir ?

— Rien, dit-elle. Je voudrais simplement que tu tranches le cou de mon chien. Mais tu ne le veux pas. Je le vois bien.

Le marabout leva les bras au ciel et glapit, grimaçant :

— Horrible ! Affreux ! Abject ! Égorger un chiot, moi, de ma propre main ! Me prends-tu pour un boucher ?

— Suffit ! gronda sa femme. Puisque je suis horrible, affreuse, abjecte, je n'encombrerai pas plus longtemps ta maison. Tu peux dès aujourd'hui chercher une esclave nouvelle. Ne compte plus sur moi. Je rends mon tablier.

Elle le dénoua et le jeta en boule aux pieds de son mari. Le marabout poussa un hurlement d'agonie.

— Reste, reste, dit-il, les mains tout à coup égarées. Je plaisantais. Tuer un petit chien ? Simple formalité !

Il retroussa ses manches, prit un marteau, le laissa tomber sur ses orteils, cassa trois bols et quatre tasses à chercher un couteau, en trouva un, faillit s'éborgner, prit le chien par la nuque et le cœur chaviré le cloua sur la table.

— Merci, lui dit sa femme.

La bête fut bientôt mise à cuire.

Au soir, quand il revint de l'école, elle posa devant lui la cuisse du chiot dans une assiette creuse.

— Je n'en mangerai pas, lui dit-il d'un ton ferme. Femme, n'insiste pas. C'est non. D'ailleurs, j'ai l'estomac noué.

Elle ne répondit rien. Elle quitta la table, ramassa bruyamment ses affaires, les fourra dans un sac et chaussa ses souliers.

— C'est bon, dit-il enfin dans un sanglot lamentable. Remets tes sandales et dînons, s'il te plaît.

Elle sourit enfin, prit l'assiette, sortit et la jeta, courut à la cuisine, revint avec un plat de poulet aux épices, s'agenouilla devant son époux, prit ses mains, les baisa et lui dit doucement :

— C'est cela qu'on appelle passion.

Le marabout sourit aussi, hocha la tête.

— C'est vrai, femme. Que Dieu nous garde d'elle.

Le lendemain à l'heure de la pause, tandis que les enfants sortaient à grand bruit de la classe, il vint au plus petit de ses quinze écoliers. Tous les deux dans un coin se recueillirent. L'enfant fit sa demande habituelle à Dieu. Son maître murmura :

— Ainsi soit-il, petit.

Quand il revint chez lui au bout de la journée, il regarda son épouse d'un œil neuf. « C'est une carne, se dit-il. Je la déteste. » Il lui souhaita le bonsoir avec une gaieté féroce.

Le conte des échanges

Une femme avait deux garçons. Un jour elle alla ramasser du bois. Elle s'en revint avec un fagot sur la tête. En haut de ce fagot étaient deux oiseaux rouges. Ils s'étaient posés là, leurs pattes s'étaient prises dans l'enchevêtrement des branches. La mère à ses enfants donna l'un, donna l'autre. L'aîné dit :

— Mon ventre gargouille ! Je vais le plumer, le rôtir. Mère, allume le feu !

— Moi, dit le cadet, je garde le mien. Je vais l'échanger.

— Frère, contre quoi ?

— La fille d'un chef.

— La fille d'un chef contre un oiseau rouge ? Frère, tu perds la raison !

— Tant mieux et tant pis. Adieu, frère aîné. Adieu, ma mère.

Il prit son oiseau et s'en alla.

Au premier village il vit des enfants qui jouaient devant une forge.

— Garçon, donne-nous ton oiseau rouge.

— Amis, le voici.

Les enfants prirent la volaille, lui tordirent le cou, la firent griller. Le garçon s'assit dans la poussière, se mit à pleurer.

— Rendez-moi l'oiseau de ma mère !

— Tais-toi, lui dirent les autres. Nous te donnerons un couteau.

Le garçon s'en fut avec son couteau. Il arriva bientôt au bord d'un étang. Là étaient des gens accroupis à quatre pattes, comme des chiens. Ils étaient occupés à trancher des bambous à coups de dents. Ils grognaient, geignaient, mordaient et rognaient. Leur bouche saignait. Ils s'acharnaient en vain.

— Prenez mon couteau, leur dit le garçon. Vous couperez mieux.

— Merci, lui dirent les gens.

Ils coupèrent sec, ils coupèrent dur. La lame grinça, se brisa. Le garçon gémit :

— Rendez-moi le couteau que m'ont donné qui ? Les gens de la forge contre un oiseau rouge que m'a donné qui ? Ma mère, ma mère !

Les autres lui dirent :

— Calme-toi. Nous te donnerons un panier d'osier.

Le garçon s'en alla, son panier au bras. Au bord de la route il vit un grand champ, et dans ce grand champ des hommes courbés sur la terre. Ces gens emplissaient leurs habits de fèves. Leurs poches crevaient. Par les déchirures ils les perdaient toutes. Le garçon leur dit :

— Prenez mon panier.

Le panier fut bientôt plein. On en mit encore, on s'assit dessus pour que tout y tienne. Le panier craqua, se fendit. Le garçon cria, le front dans ses mains :

— Rendez-moi le panier d'osier que m'ont donné qui ? Les gens des bambous contre un long couteau que m'ont donné qui ? Les gens de la forge contre un oiseau rouge que m'a donné qui ? Ma mère, ma mère !

— Garçon, ne crains pas, lui dirent les gens en riant pour tromper sa peine. Nous te donnerons un pot d'huile.

Le garçon partit, son pot dans les bras. Le voici venu devant un grand arbre. Cet arbre était blanc. Tronc, branches, feuillage, il était tout blanc.

— Arbre, tu es pâle, lui dit le garçon.

L'arbre répondit :

— Garçon, je suis malade. Je pourrais guérir si tu me donnais de ton huile douce qui sent bon la vie.

Le garçon frotta l'arbre d'huile, puis il s'assit et se mit à chanter, à voix forte et triste :

— Rends-moi le pot d'huile que m'ont donné qui ? Ceux du champ de fèves contre un panier rond que m'ont donné qui ? Les gens des bambous contre un long couteau que m'ont donné qui ? Les gens de la forge contre un oiseau rouge que m'a donné qui ? Ma mère, ma mère !

L'arbre lui donna un fagot de branches. Le garçon s'en alla, l'échine courbée sous sa charge. Il vit des marchands à l'ombre d'un rocher. Ces marchands cuisaient leur soupe du soir. Mais que brûlaient-ils sous leur chaudron ? Leurs souliers, leurs ongles, leurs cheveux, leur barbe.

— Prenez mon bois, dit le garçon.

Ils firent une flambée haute et claire. Quand ne resta plus que cendre et charbon, le garçon cogna du talon. Sa voix s'éleva, poursuivant au ciel la fumée enfuie.

— Rendez-moi le fagot de branches que m'a donné qui ? L'arbre maladif contre l'huile douce que m'ont donné qui ? Ceux du champ de fèves contre un panier rond que m'ont donné qui ? Les gens des bambous contre un long couteau que m'ont donné qui ? Les gens de la forge contre un oiseau rouge que m'a donné qui ? Ma mère, ma mère !

— Voici du sel, dirent les marchands. Tu y gagnes au change.

Ils lui en donnèrent un grand sac. Le garçon courut jusqu'au bord du fleuve, goûta l'eau, cracha. Le fleuve lui dit :

— Tu ne m'aimes pas ?

— Fleuve, tu es fade.

— Garçon, sale-moi, et j'aurai du goût.

Le garçon versa dans le fleuve une pluie de sel. Quand le sac fut vide il se pencha, et ouvrant les bras à son reflet dans l'eau :

— Rends-moi le sac de sel que m'ont donné qui ? Des marchands au camp contre un fagot lourd que m'a donné qui ? L'arbre maladif contre l'huile douce que m'ont donnée qui ? Ceux du champ de fèves contre un panier rond que m'ont donné qui ? Les gens des bambous contre un long couteau que m'ont donné qui ? Les gens de la forge contre un oiseau rouge que m'a donné qui ? Ma mère, ma mère !

— Voici mes poissons, lui dit le fleuve. Prends, ils sont tous à toi.

Le garçon chargea sur l'épaule son sac ruisselant. Il parvint bientôt dans un beau village. Des esclaves couraient çà et là, poursuivant des rats et des sauterelles. Le garçon leur dit :

— Hé, que faites-vous ?

— Notre chef reçoit soixante étrangers, et nous n'avons rien à manger. Nous chassons ces bêtes pour le grand dîner !

— Hommes, menez-moi devant votre maître.

Quand il y fut :

— Seigneur, voici de quoi nourrir tes invités, dit-il en posant sur la table son sac de poissons mouillés.

On cria merci, on fit la cuisine, on servit soixante plats sur des feuilles de palme. Quand tout fut mangé, le garçon s'en fut sous l'arbre à palabres. Il joua du pipeau, battit du tambour de danse et chanta ces paroles :

— Hommes, rendez-moi les poissons luisants que m'a donnés qui ? Le fleuve puissant contre un sac de sel que m'ont donné qui ? Des marchands au camp contre un fagot lourd que m'a donné qui ? L'arbre maladif contre l'huile douce que m'ont donnée qui ? Ceux du champ de fèves contre un panier rond que m'ont donné qui ? Les gens des bambous contre un long couteau que m'ont donné qui ? Les gens de la forge contre un oiseau rouge que m'a donné qui ? Ma mère, ma mère !

— Que veux-tu, garçon ? demanda le chef.

— Ta fille en mariage.

— Prends-la, aimez-vous et soyez heureux.

La belle fille en robe dorée, lui-même vêtu d'habits nobles, tous deux chevauchant une jument blanche revinrent au village où étaient la mère et le frère aîné.

— Frère aîné, salut ! Voici mon épouse. Je l'ai échangée contre l'oiseau rouge !

L'autre en fut si surpris qu'il disparut sous terre.

J'ai pris ce conte par l'oreille, je l'ai chauffé dans mes dedans, sur mon souffle je l'ai rendu.

Les yeux de l'ami

C'était la fille d'un seigneur. Elle était belle et fière. Son père lui dit un jour :

– Ma fille, marie-toi.

Elle fit la fine bouche, puis son œil s'éclaira.

– Si je dois prendre un époux, dit-elle, je veux qu'il soit puissant. Qu'on l'enferme avec moi dans ma chambre, et que de quinze jours il ne mange rien ni ne boive ! S'il parvient au bout de cette épreuve sans avoir un instant gémi, il sera le maître de ma vie. Mais s'il abandonne avant l'heure, s'il défaille, s'il triche ou se plaint, mon poignard tranchera sa tête !

– Fille, tu es digne de moi, lui répondit son père.

Il envoya des messagers crier partout dans les villages :

– Qui veut vivre, qui veut mourir ? Qui veut la fille du seigneur ? Qui veut être l'homme héroïque ?

Sept princes vinrent en sept semaines. Aucun ne résista à la faim, à la soif. Ils furent tués.

Or, il était un fils de roi svelte, joyeux et vif comme un aigle. Il avait pour ami un fils de paysan aussi pauvre qu'il était riche. Ils ne se séparaient jamais. Ils allaient ensemble à la chasse, ils se baignaient aux mêmes rivières, déjeunaient dans les mêmes plats. Un soir, comme ils campaient loin de la ville dans la brousse, ce prince dit à son compagnon :

– J'irai demain tenter ma chance chez la décapiteuse d'hommes.

– Ami, ta vie m'est précieuse. Renonce.

— Frère, j'irai, quoi qu'il m'en coûte.

Devant le feu jusqu'à minuit ils restèrent pensifs. Le fils du pauvre dit enfin :

— Il me vient une idée. Écoute. Dans la salle où tu logeras, place ton lit contre le mur, sous la lucarne. Fais en sorte que celui de la fille soit aussi loin que possible de ce lieu où tu dormiras, et que sa servante se tienne près de la porte avec la lampe. Moi je viendrai toutes les nuits, sous la lucarne exactement. Je ferai un trou dans le mur. Et de dehors, par un bambou que je glisserai dans ce trou, je t'abreuverai de lait. Ainsi passeront quinze jours aussi tranquilles qu'une sieste.

Pour sceller leur accord chacun au-dessus du feu frappa joyeusement dans la paume de l'autre.

Le lendemain matin le fils du roi s'en alla chez cette fille belle et fière qu'il désirait prendre pour femme. On lui dit :

— Entre là !

Il défit son vêtement et déposa son sac sous l'étroite fenêtre. La fille assise sur son lit au milieu de la salle le regarda. Elle lui sourit. Il ne dit pas un mot. Il se coucha et attendit. Vers minuit il entendit gratter derrière ses épaules. Il vit bientôt sortir un roseau d'un trou rond. Il le mit à la bouche, et lui vint un ruisseau de lait. Il but, puis le roseau s'en retourna dehors. La fille, allongée sur le dos, rêvait, les yeux ouverts. La servante dormait près de la lampe. Aucune ne bougea.

Quatorze nuits passèrent ainsi sans anicroche. Vint la quinzième nuit.

— Ce soir ma servante couchera où tu es, lui dit la coupeuse de têtes.

Il hésita un instant, puis haussa les épaules, prit son sac et s'en alla s'asseoir près de la porte. La servante à minuit sentit le roseau s'enfoncer dans le pli de son coude. Elle vit couler le lait. Elle mit un bol dessous. Dehors, sous la lucarne, le frère serviable entendit cascader un rire aigre. Il se dit :

« Misère, la ruse est découverte ! » Il prit la fuite sous la lune en trébuchant partout, courut jusqu'à la brousse, et là tombant à genoux dans l'herbe haute il appela sur lui la mort.

— Hélas, dit-il aux buissons alentour, mon ami, à l'aube qui vient, sera décapité. Comment pourrai-je vivre après ce malheur ?

— Qu'as-tu donc à gémir ? dit une voix, dans l'air.

Il leva le front. Il vit une femme. Son corps semblait de brume, elle était lumineuse, elle se balançait un peu, au gré du vent.

— Quelle beauté ! dit-il. Déesse, qui es-tu ?

— Je suis Dohoguwa. J'attendris les peines. Quelle est la tienne, dis-moi ?

Elle l'écouta parler et sangloter encore. Quand il se tut, elle dit :

— Je peux sauver ton frère, mais tu devras payer sa vie d'un sacrifice difficile. Demain, si tu le veux, il sera marié. Toi, tu seras aveugle.

— Déesse, prends mes yeux. Que mon ami survive. Même si de ma vie je ne vois plus le jour, je serai un homme content !

La grande dame passa la main sur ses paupières, prit la lumière et disparut.

Le lendemain matin, à peine réveillée, la servante sous la lucarne prit le bol recouvert d'un linge, s'en vint à sa maîtresse et l'attira dehors.

— Ce fils de roi est un tricheur, dit-elle.

— Un jeune homme aussi beau, répondit la fille, aussi ferme de cœur ! Je ne peux pas te croire. Servante, tu te trompes.

— Hélas non. Chaque nuit on l'a nourri de lait. J'en ai la preuve.

Elle ôta la serviette de sur le bol. Ses yeux s'écarquillèrent, sa bouche fit « ho ». Le lait s'était changé en cailloux d'or. Sa maîtresse éclata de rire.

— Servante, dit-elle, quelle menteuse tu es ! Ce fils de roi est le meilleur des hommes. Son cœur est un soleil. Je l'ai su dès que je l'ai vu paraître !

Ce matin même ils se marièrent. Le prince s'étonna de ne pas voir son compagnon parmi les invités, puis il n'y pensa plus.

L'aveugle devenu pauvre comme un bâton dans la poussière chemina un an au hasard, tendant la main aux bruits de pas et ne trouvant nulle part d'épaule amie. Quand fut passé ce temps, il entendit chanter la naissance d'un fils dans la demeure où vivait le prince. Il pensa : « Quel bonheur ! Je vais écouter rire et babiller cet enfant derrière la maison, sans que personne ne me voie, puis je mourrai avec sa vie en tête. » Il s'avança dans la rue en s'appuyant aux murs, parvint à la lucarne où il avait versé, quatorze nuits durant, son lait dans un roseau. Un serviteur sortit, le vit, le reconnut. Il retourna dedans en appelant son maître.

— Votre ami de toujours est là, devant la porte, dit-il. Seigneur, quelle pitié ! Il est comme un mendiant, il n'a plus de regard !

— Qu'il entre ! dit le maître.

L'aveugle franchit le seuil en tâtonnant.

— Approche, dit le prince. Approche encore.

Quand il fut à deux pas :

— Assieds-toi maintenant.

Il serra son enfant contre son épaule. Son épouse à son côté resta droite et muette. L'aveugle s'accroupit sur la natte. Le prince posa son nouveau-né devant lui et dégaina son couteau. Il fendit d'un coup bref la poitrine de l'enfant. Il arracha son cœur et du cœur de son fils il frotta les yeux morts de son ami. Aussitôt leur revint la lumière. Alors le frère pauvre à son tour prit le cœur, écarta les bords de la blessure et le remit en place. Puis il pinça la peau et lui souffla dessus. Le corps de l'enfant redevint lisse et doux.

Sa mère agenouillé le coucha dans ses bras et lui tendit le sein. Il se mit à téter goulûment le lait tiède.

L'homme, la femme et l'Être d'Ombre

Aux premiers temps du monde était un homme seul. Il n'avait pas d'ancêtres. Personne ne vivait sur la Terre avec lui. Personne ne lui disputait les sources, elles n'avaient jamais reflété d'autre visage que le sien, ni la forêt, elle était toute à lui. Il était libre d'aller ou de ne pas aller, d'oublier Dieu ou de l'entendre, de dormir après le lever du soleil, de manger à minuit. Pourtant il n'était pas heureux. Son cœur sans cesse le fuyait comme un animal apeuré.

Un jour, tandis qu'il cheminait sous les feuillages, une pensée lui vint si vivement qu'il resta planté au milieu des broussailles, la bouche grande ouverte. « Quelqu'un manque à ma vie », se dit-il. Aussitôt apparut sur son chemin un être pétri d'ombre. Il était large et haut. Il dit à l'homme :

— Donne-moi ta main droite.

L'homme tendit la main et l'Ombre l'entraîna.

Ils marchèrent longtemps parmi les arbres. Des oiseaux les accompagnèrent, des bêtes furtives. Vint le soir, puis la nuit. Ils marchèrent encore. Comme le soleil du matin illuminait la crête des buissons, ils parvinrent au bord d'une clairière. Là était une cabane. Une femme sortit sur le pas de la porte. Elle regarda l'homme. Ses yeux brillèrent. Il s'avança vers elle. Il n'avait jamais osé imaginer une créature aussi belle. Il voulut lui dire qu'elle l'émerveillait. Il ne sut que sourire et gémir doucement. Un moment ils restèrent face à face à se contempler, puis l'Être d'Ombre vint entre eux, toucha du doigt leurs lèvres closes, donna ainsi sa voix à l'un, sa voix à l'autre. Après quoi il se dissipa comme une fumée sans parfum.

Jusqu'aux premières pluies l'homme vécut heureux auprès de sa compagne qui se plaisait à rire et à jouer avec lui. Puis un jour que le tonnerre roulait au loin sous le ciel bas il ressentit une souffrance imprécise, une pesanteur vague, une mélancolie. La femme voulut le caresser pour soulager sa peine, mais sa bouche et ses mains se mirent à trembler sans oser se poser sur le corps nu près d'elle. Elle pensa : « Quelque chose manque à notre vie », mais elle ne sut trouver quoi. Elle sortit sous l'auvent et regarda tomber l'averse. Pour la première fois des larmes lui vinrent aux yeux. Alors devant elle apparut l'Être d'Ombre. Il l'entraîna dans la cabane. Il la fit se coucher près de son compagnon. Il effleura leurs ventres. L'homme sut aussitôt quel était son désir, la femme sut comment le guider et l'assouvir. L'Être d'Ombre s'en fut sans qu'ils s'en aperçoivent.

Quand revinrent les jours ensoleillés, la brume demeura dans les yeux de l'épouse. Ses gestes peu à peu s'alanguirent. Son rire se perdit en rêveries. Ses seins durcirent, ses hanches s'arrondirent, son nombril se gonfla. Et l'homme s'inquiéta. Il ne savait que faire. Il s'en alla courir les sentiers, chercha partout, dans les trous de la terre, à la cime des arbres, celui qui les avait instruits. Il n'en vit pas la moindre trace. Le soir, quand il revint fourbu à la clairière, il le trouva assis au chevet de sa compagne. Entre eux, dans un berceau de feuilles, était un nouveau-né.

— Homme, dit l'Être d'Ombre, voici ton premier fils. J'ai accouché ta femme. D'autres enfants naîtront de son ventre. Le prochain sera mien. Il en sera ainsi désormais. Sur deux enfants venus vous aurez l'un, moi l'autre. Tel sera mon salaire pour le savoir que je vous ai donné.

L'homme lui demanda :

— Qui es-tu, Être Obscur ?

— Je suis la Mort, répondit l'Ombre.

Vint le jour où la femme mit au monde une fille. L'homme la prit au creux des bras, caressa du doigt son visage, lui sourit et se souvint tout à coup qu'il l'avait promise à la Mort. Il s'effraya. Il s'en alla fermer la porte, revint à son épouse. Il vit qu'elle pleurait.

— C'est mon enfant, dit-elle. Je ne veux pas la perdre.

L'homme lui répondit :

— Nous ne la perdrons pas. Elle est belle. Ses yeux, déjà, nous aiment. Je la défendrai.

Dès la nuit il s'en fut la cacher dans un nid de buissons. Ils la nourrirent en secret.

Vinrent de nouvelles saisons. D'autres enfants naquirent. L'homme bâtit pour eux une hutte en un lieu où ne menait aucun chemin. La Mort de temps en temps passait par la clairière, et ne voyant jouer sous l'auvent que le premier-né, elle ne demandait rien. Or un jour, comme elle errait au hasard du sous-bois, taciturne et solitaire, elle entendit des cris et des rires sous un rayon de soleil tombé des hauts feuillages. La Mort à pas de mort s'approcha, vit des enfants heureux, dans l'herbe, qui jouaient. Sa tête se pencha sur sa poitrine et son dos se courba. Elle se sentit lasse et triste infiniment.

— Homme et femme, gronda-t-elle, j'avais voulu la paix entre nous, et la voilà brisée. Soyez maudits, vous qui m'avez trompée. La forêt désormais sera votre ennnemie, et je ne prendrai pas la moitié de vos enfants mais tous, et vous avec. Vous me craindrez partout. Je viendrai à mon heure, invisible, muette. Ô vous que j'ai aimés, je vous ferai douter de l'amitié de Dieu.

La Mort depuis ce temps est sur tous les chemins. Personne ne l'évite. Si ce n'est pas sous telle lune, c'est sous une autre qu'on la rencontre. Même à qui sait l'attendre elle est toujours nouvelle.

MONDE ARABE

Le sage

Il était une fois un vieillard centenaire. Cet homme avait deux fils. Tous les trois habitaient une cabane bancale au fond d'une ruelle, entre les derniers murs du faubourg et la cité des ordures. Ils étaient misérables et mécontents de vivre.

Un soir, les deux frères revinrent à leur masure sans le moindre croûton, sans la moindre salade, sans le moindre bâton de réglisse à rogner. Ils s'assirent par terre et restèrent la tête basse à écouter les bruits de leurs estomacs vides. Leur père s'attabla devant son bol empli de crépuscule, réfléchit longuement, dit enfin :

— Mes enfants, j'ai très faim.

Les deux garçons grognèrent. Une mouche vint bourdonner autour d'eux, explora leurs oreilles et le bout de leur nez, s'en retourna dehors par la lucarne. Le vieillard marmonna :

— Je déteste avoir faim. Plus encore, mes fils, je déteste vous voir maigres et guenilleux.

Tous les trois à l'unisson poussèrent un soupir à fendre le cœur de la lune. Un chien hurla au loin.

— Mes enfants, vendez-moi, dit enfin le vieil homme.

Les fils pensèrent : « Il est devenu fou. » Le père leur jeta un coup d'œil pointu et poursuivit tranquillement son idée droite.

— Menez-moi au marché, posez-moi sur une couverture et mettez à mon cou un écriteau sur lequel, proprement, vous écrirez ces mots : « Sage à vendre. Bon prix. » J'ai en tête des trésors de conseils, de bon sens, des réponses qui n'ont jamais servi. Mon acheteur pourra me consulter sur tout. Je serai le remède à ses perplexités. Par ailleurs, à mon âge, mon entretien ne lui coûtera guère. Je m'habille d'un rien, je ne mange pas plus qu'un vieux chat, assis, debout, couché, je m'endors n'importe où. A bien y réfléchir, je suis une excellente affaire. C'est dit. Vous me vendrez. Avec l'argent gagné vous pourrez vivre à votre aise, pour peu que vous sachiez l'investir comme il faut. Pour l'heure, bonne nuit.

Il s'endormit assis.

Le lendemain matin, la volonté d'un père étant indiscutable, les deux frères amenèrent le leur au marché. Un négociant fortuné trouva l'offre plaisante. Il se paya le vieillard pour mille dinars d'or. Avoir dans sa maison un sage centenaire valait bien ce prix, selon son sentiment. Il le mena chez lui sur un âne loué et le fit déposer dans une chambre vide, au fond de sa maison. Il voulut éprouver sur-le-champ ses talents.

— La paix sur toi, dit-il. Vieux père, j'ai besoin d'un conseil. Goûte ce miel. J'ai l'intention d'en acheter quelques milliers de pots. Est-il de bonne fleur ?

Le vieil homme flaira, risque sa langue, inspira un grand coup et répondit :

— Seigneur, il est agréable au palais, mais je crains qu'il ne soit pas bienfaisant. Il est fait d'un pollen qui sent la mort humaine.

— Tu n'as fait que goûter, s'étonna le marchand. Comment peux-tu savoir cela ?

— Seigneur, apprends ceci : le savoir est l'époux, la saveur est l'épouse et leur fille est la vérité.

— J'ai des doutes, répondit l'autre.

Il alla visiter le maître des abeilles. Il lui demanda où ses ruches étaient plantées. L'homme lui désigna un bosquet d'oliviers proche d'un mur de cimetière. Le marchand, émerveillé, s'en retourna en hâte, prit l'aïeul dans ses bras.

— Ô Sage ! lui dit-il. Ô Ornement majeur de ma demeure !

— Seigneur, lui répondit le vieux, Dieu me garde d'être ce que vous dites. Je ne veux pas orner. Je veux, si c'est possible, être parfois utile. Servez-vous donc de moi, ou laissez-moi en paix.

— Vieillard, dit le marchand, ces paroles sont si pertinentes qu'elles valent bien un dîner royal !

Il lui fit servir un repas de pain tendre et de mouton rôti.

Aux premiers jours d'été il revint le voir.

— Que puis-je pour toi, seigneur ? lui demanda le sage.

— Écarte le rideau et regarde dehors. Que vois-tu ?

— Un jardin. De beaux arbres.

— Et que vois-tu encore ?

— Une jument, seigneur. Sa crinière est superbe, ses membres sont fins. Elle est de belle race.

— J'aimerais l'acheter.

— Tu aurais tort, seigneur. Elle est née d'une mère au bord du retour d'âge.

Le marchand protesta.

— Vieillard, c'est impossible !

Il courut interroger le vendeur de la bête. Le sage avait bien vu. Son maître s'en revint.

— Merci, grand-père, dit-il, tout ébloui. Ton œil voit l'invisible. Je t'offre un supplément de pain et de mouton.

Le vieillard soupira :

— Seigneur, n'as-tu rien d'autre ?

Aux premiers temps d'automne il se fit un matin grand bruit dans la maison. Assis sur son tapis le vieux sage écouta, ferma les yeux et sourit. Son maître en beaux habits vint joyeusement lui souhaiter le bonjour.

— Je me marie, dit-il. Écoute comme on chante ! Père sage, je veux te présenter la reine de ce jour, ma fiancée bien-aimée. Approche, ma gazelle. Grand-père, franchement, comment la trouves-tu ?

— Elle est belle, seigneur, c'est l'évidence. Je ne peux dire plus.

— Tu m'as l'air réticent, répondit l'autre, l'œil inquiet. N'oublie pas : tu me dois la vérité entière.

— Je te la dois, hélas. Donc il me faut parler. Voici : ta gazelle a pour mère une putain notoire.

— Qu'oses-tu dire là ? Son grand-père était prince !

— Vérifie, répondit le sage.

Le presque marié sortit en grande hâte. Il revint déconfit. Le vieil homme, ce soir-là, dîna de pain et de mouton.

Une semaine après ce jour ses fils le visitèrent. Les mille dinars d'or de la vente du sage avaient changé leur vie. Ils avaient acheté une épicerie fine.

— Père, es-tu heureux ? Ton maître est-il honnête ?

— Il l'est, mes fils. Il me soigne. Il m'honore. Chaque fois que je lui donne un conseil judicieux il me fait porter un dîner de pain tendre et de mouton rôti. Je lui en suis reconnaissant, car c'est le seul cadeau qui soit à sa mesure. Que pourrait offrir de mieux le fils d'un rôtisseur et d'une boulangère ?

Comme il parlait ainsi, le maître de maison passait dans le couloir. Il entendit, rougit, fuma par les oreilles et faillit exploser. « Malheur ! se dit-il. Est-il possible que je sois un enfant du bas peuple ? » Il courut chez sa mère (une sœur du sultan). Dès qu'il fut devant elle :

— Qui suis-je ? lui dit-il.

— Mon fils, répondit-elle, je dois me confesser, puisque tu le demandes. Au temps de ma jeunesse, je ne pouvais donner un garçon à ton père. Je m'en désespérais, et lui n'en dormait plus. Nous t'avons acheté pour mille dinars d'or à une boulangère qui venait d'accoucher. Son mari, autant qu'il m'en souvienne, était un rôtisseur de la rue des Cuisines.

— Acheté, ma mère ? Pour mille dinars d'or ? Ô Vérité !

Il partit d'un grand rire.

A peine de retour dans sa maison, il s'en fut embrasser son Père de Sagesse, mais ne put dire un mot. Il riait trop.

— Tu as enfin appris l'humilité joyeuse et tu sais qui tu es, lui dit le sage. Tu n'as plus désormais besoin de mes services. Donc, adieu. Je vais aider mes garçons à l'épicerie fine. Ils ont besoin de moi. Ils vendent de ce miel qui sent le cimetière. Ô travail infini !

Il sortit, s'étira au soleil du jardin, et du pas mesuré d'un centenaire vert il s'en fut sous les arbres.

Le secret des larmes

La demeure d'Akhmed était simple mais son cœur était un palais. Il riait souvent, preuve qu'il était généreux. Aux trois portes de sa maison tous les matins venaient six pauvres. Dans chaque main tendue il déposait un sou d'or. C'était là sa façon de faire sa prière avant d'aller à son travail. Un jour parmi ces miséreux vint un vieillard qu'il n'avait jamais vu. Le bonhomme contempla la pièce offerte, fit la grimace et dit en guise de merci :

— La générosité d'Akhmed est peu de chose. Je connais une fille dont l'âme embellit tout. Auprès de sa bonté celle d'Akhmed est comme la lune à côté du soleil.

Akhmed lui demanda :

— Où vit-elle ?

L'homme lui désigna le levant, puis s'en fut en grognant, sa barbe maigre au vent.

Akhmed de cet instant ne pensa plus qu'à cette créature incomparable, rêvant à son visage heureux, à son haleine parfumée, aux mille lumières de son regard. Parfois quelqu'un en lui disait : « Tu imagines trop. » Un autre dans son cœur répondait : « Elle est plus émouvante encore que dans tes songes. » Un jour lui vint une voix nouvelle. Elle lui dit : « Akhmed, va donc la voir. » Sur l'heure il confia ses biens à ses amis, se vêtit en mendiant et s'en alla pieds nus par les steppes et les montagnes.

Il voyagea longtemps. Il se perdit parfois, parfois désespéra. Un matin, comme il franchissait le rempart d'une ville il entendit parler d'elle. Un enfant lui désigna, au bord du fleuve, une maison à la porte bleue. Il y alla et demanda l'aumône. La fille (un vrai soleil) apparut sur le seuil et lui tendit un petit sac de pièces. Akhmed la regarda. Ses jambes tout à coup ne le portèrent plus. Il lui dit :

— Je n'avais pas osé vous rêver aussi belle. Je viens de loin pour vous. Et maintenant, pauvre de moi, je sais que je ne pourrai vivre si vous ne m'aimez pas.

La jeune fille lui sourit, lui prit les mains et répondit :

— Homme bon, je te reconnais. Nous sommes promis l'un à l'autre. Mais je ne peux pas t'accueillir avant d'avoir entendu le secret des larmes.

Elle lui apprit qu'à trois journées de marche au-delà du fleuve était une cité où les gens pleuraient et se lamentaient sans cesse, tant ils étaient malheureux.

— Je veux savoir, dit-elle, pourquoi ils sont inconsolables.

Pour se faire aimer d'elle, Akhmed aurait couru jusqu'au bout du monde. Il s'en alla donc à cette cité, le pas sonnant, le cœur allègre. Comme il parvenait en vue de ses murailles il entendit au loin monter une rumeur sinistre. Des plaintes, des gémissements, de longs hurlements de chiens emplissaient le ciel gris. Il entra dans la ville. Les passants sanglotaient, les enfants criaillaient, les maraîchers vendaient leurs légumes en pleurant, les forgerons forgeaient en reniflant leurs larmes. Même les soldats du guet assis contre les murs essuyaient leurs yeux rouges en regardant tristement le sol entre leurs pieds. Akhmed, cherchant à qui parler, vit au coin d'une place un homme qui cheminait à califourchon sur un bœuf. Il s'approcha, lui dit :

— Sage entre les sages, instruis-moi ! Pourquoi les gens d'ici sont-ils si malheureux ?

L'homme brandit son bâton sur sa tête.

— Passe ton chemin, étranger ! cria-t-il. Dans la forêt, là-bas, est un vivant qui n'a ni bras ni jambes. Va le consulter, il te renseignera. Moi je n'ai pas le cœur de parler davantage !

Akhmed le salua et sortit de la ville.

Mille chants d'oiseaux l'accueillirent dans le grand bois. Il marcha jusqu'à parvenir au bord d'une clairière où était une hutte. Près d'elle un infirme en haillons se traînait dans l'herbe ensoleillée. Akhmed mit un morceau de pain dans la bouche de ce malheureux, puis il lui demanda pourquoi on pleurait tant dans la ville voisine.

— Pourquoi, pourquoi, dit l'homme, en gémissant.

D'un coup de menton il désigna le lointain.

— Vois-tu ce pic neigeux ? Grimpe jusque là-haut. Au fond d'un précipice tu entendras hurler un monstre à face vaguement humaine. S'il accepte de te parler, tu auras ta réponse.

Akhmed remercia le manchot cul-de-jatte, sortit de la forêt, prit le sentier de la montagne, s'arrêta essoufflé au bord d'un gouffre. Il ventait fort. Il se pencha, vit en bas, dans un chaos de rocs, un être au corps de singe, à la tête méchante.

— Hé, ho, lui cria-t-il, quel malheur t'a jeté dans cette fosse inconnue du soleil ?

L'autre leva la tête et gronda, grimaçant :

— Si tu veux le savoir, va le demander au roi du bas pays. Son nom est Sanavar. Et maintenant va-t'en, je ne veux voir personne !

Au-delà de ce mont était une plaine. Dans ses lointains brumeux Akhmed vit une cité blanche. Son sac sur une épaule et son bâton au poing il chemina trois jours vers elle. Parvenu dans ses murs il alla au marché, acheta un panier de pommes, vint devant le palais. Il dit aux gardes :

— Salut à vous ! Je veux offrir ces fruits au très estimé prince Sanavar !

On le trouva aimable. On lui ouvrit la porte. Par des couloirs dorés il fut conduit à la chambre du roi. Sanavar, l'air triste, déjeunait dans son lit. Il tendit ses doigts bagués à son visiteur, puis se remit négligemment à son repas.

— Seigneur, lui dit Akhmed, j'ai rencontré un homme-singe, là-haut, sur la montagne.

— De quoi te mêles-tu ? grogna le roi, l'œil tout à coup mauvais.

— Seigneur, lui dit Akhmed, j'ai marché dix-huit jours sans repos. Seul l'espoir de vous entendre m'a poussé jusqu'ici. Pourquoi ce monstre a-t-il été jeté dans le gouffre où il est ?

Le roi baissa la tête.

— Tu auras ta réponse, dit-il. C'est un secret pesant. Parler m'allégera peut-être. Dieu le veuille ! Sache donc qu'une nuit j'ai vu de ma fenêtre mon épouse sortir du palais. Elle dissimulait son visage sous un capuchon noir. Je me suis étonné. Je me suis rhabillé en hâte et j'ai suivi son ombre, le long des ruelles désertes, jusqu'à une maison isolée, au-delà des remparts. Quand elle fut entrée, je me suis approché sur la pointe des pieds. J'ai regardé dedans par la porte entrebâillée. J'ai vu ma femme ôter son capuchon. Malheur ! Le visage qui m'est apparu était celui de la sorcière Almahuz. En vérité, la reine n'était que cette abominable vieille travestie par magie en parfaite beauté. Je l'ai entendue dire devant la cheminée : « Compère, viens là ! » Un monstre sorti je ne sais d'où s'est dressé devant elle. Il était laid et velu comme un singe. Elle lui a demandé en lui lissant le poil : « M'aimes-tu ? » Il lui a répondu d'un grognement béat. Alors elle lui a dit encore : « Va au palais et tue ce Sanavar qui me sert de mari. » J'ai fui, épouvanté. J'ai mis deux chiens féroces et quatre sentinelles à la porte de mon appartement. Le monstre est arrivé peu de temps après moi. Mes bêtes et mes gardes lui ont bondi dessus et me l'ont amené. Il m'a demandé grâce en geignant comme un enfant coupable. Il m'a dit : « Laisse-moi la vie, je serai ton esclave ! » Je lui ai ordonné de changer mon épouse en poule noire, ce qui fut fait à l'instant même, après quoi mes soldats l'ont jeté dans le gouffre où il est encore. Va maintenant, garçon, je ne veux plus te voir.

Une larme roula sur la barbe du roi. Akhmed sortit de la

chambre. Il quitta du même pas le palais et la ville. Marchant contre le vent il revint à la haute montagne. Debout sur un rocher au bord du gouffre il cria :

— Sorcier, veux-tu sortir de là ?

L'autre lui répondit :

— Quelle question, seigneur ! Si tu m'aides à m'évader de ce trou de perdition, promis, juré, je serai ton serviteur jusqu'au bout de ma vie !

Akhmed lui dit :

— Attrape !

Il lança une corde de chanvre dans le précipice, hissa l'homme-singe, grimpa sur son dos.

— Va, mon âne, va chez l'infirme du bois !

Par buissons, rocailles, broussailles et grands arbres ils parvinrent bientôt au bord de la clairière où était l'homme sans bras ni jambes. Voyant venir le monstre, il se mit à crier :

— Qu'on le tue ! Qu'on l'étripaille ! Qu'on lui crève les yeux ! Qu'on arrache ses dents ! Qu'on coupe ses oreilles !

— Pitié, maître, gémit le Grand Velu.

— Rends ses quatre membres à ce pauvre vivant, dit Akhmed.

Un beau jeune homme aussitôt se dressa. Il prit le monstre au cou en hurlant :

— Qu'as-tu fait de ma femme ?

— Seigneur, dit l'autre, grelottant, je la tiens prisonnière. Épargne-moi et je te la rendrai. Elle est dans ma maison.

Ils s'en furent ensemble. En chemin le jeune homme apprit à son sauveur que ce sorcier qu'il tenait maintenant en laisse s'était un jour travesti en docteur, lui avait enlevé, par magie, son épouse, et avait fait de lui cet infirme promis à la mort lente.

— Qui es-tu donc, ami ? lui demanda Akhmed.

— Je suis le roi Sama, prince de cette cité où sans cesse on me pleure.

Avec son épouse délivrée il revint à la ville des larmes. Aussitôt le soleil brilla dans les regards. Akhmed s'en retourna chez sa bien-aimée. La porte bleue s'ouvrit. La jeune fille dit :

— Bienvenue, homme bon.

Ils vécurent en paix et contents de leur vie.

A quelque temps de là s'en vint un bateleur dans les villages alentour. Il tenait enchaîné un monstre velu qu'il faisait parader pour quelques sous. Les enfants en riant lui grimpaient sur le dos. Il gémissait sans cesse :

— Aimez-moi, s'il vous plaît, aimez-moi, bonnes gens.

Car les monstres aussi sont en peine d'amour.

Lalla Aïcha

Autrefois vécut un sultan à qui Dieu avait donné sept filles, un palais bleu aux plafonds étoilés, douze jardins parfaits et un vizir aux paroles prudentes. Cet homme était l'époux secret d'une femme-génie qu'il rejoignait tous les soirs au pays souterrain. Le sultan l'ignorait. Un matin il lui dit :

— Voici ma fille aînée, vizir. Épouse-la.

— Majesté, j'obéis.

Les musiques de la noce firent trembler le soleil. Quand fut venue l'heure de fermer les volets le vizir fit entrer sa femme chez lui. Il la conduisit dans sa chambre, s'assit près de son lit et se mit à tourner les pages d'un livre ésotérique. Dès qu'elle fut assoupie il la borda, baisa son front et descendit sous terre où sa femme-génie l'attendait pour dîner. Le lendemain, la jeune mariée s'aperçut qu'elle avait dormi seule. Elle en fut si vexée qu'elle s'en retourna au palais de son père.

— Je suis humiliée, dit-elle à sa famille assemblée sous la véranda du premier jardin. Mon époux a méprisé mon corps. Je ne veux plus revoir ce rustre.

Le sultan soupira, leva les yeux au ciel et s'en fut recevoir l'ambassadeur de Chine.

Le lendemain matin, comme il prenait le frais dans son orangeraie, il dit à son vizir qui somnolait près de lui sur une chaise longue :

— L'aînée ne t'a pas plue ? Épouse la deuxième.

— Majesté, j'obéis, répondit le vizir.

On festoya, on but, on mangea des gâteaux, on lança des pétards, on dansa, puis au soir on s'en alla au lit. La deuxième épousée se parfuma les seins de musc et s'orna le nombril d'une pierre précieuse. Le vizir fit un peu de lecture, assis sur l'oreiller, puis sans un mot courut à ses amours souterraines. Le soleil se levait à peine sur la ville quand le sultan, pantois, vit entrer dans sa chambre la nouvelle délaissée. Elle lui hurla au nez :

— Ton vizir est un lâche !

— C'est un homme de bien, répondit son père en se frottant les yeux.

— Un homme ? rugit-elle. Allons, laisse-moi rire !

Elle se mit à pleurer.

« Me faudra-t-il mener mes sept filles au mariage pour qu'une y trouve enfin son bonheur ? » se demanda le vieux sultan. La réponse fut « oui ». Six revinrent furibondes du lit de leur vizir. La septième y resta. Son nom était Aïcha.

Elle avait emporté une poupée d'argent dans sa maison de femme. Tandis que son mari, la nuit des noces, lisait près de sa couche, Aïcha rit et joua un moment avec ce petit être, puis elle s'endormit, et le vizir s'en alla comme à l'accoutumée chez sa femme-génie. Le lendemain matin ses six sœurs vinrent à sa rencontre. Elles l'attendirent en vain. Alors elles envoyèrent une vieille servante à la maison d'Aïcha.

— Ma fille, es-tu heureuse ?

— Servante, je le suis.

Cette réponse fut aussitôt rapportée aux princesses. L'aînée grinça des dents, la deuxième pâlit, la troisième fit « oh », la quatrième grogna, la cinquième tordit méchamment sa bouche et la sixième dit :

— Servante, porte-lui l'anneau d'or que voici. Dis-lui qu'il est à vendre, et que si son époux est un amant véritable il ne peut faire moins que de le lui offrir.

Au soir de ce jour, Aïcha prit sa poupée d'argent sur son lit, la berça un moment, puis soupira et demeura songeuse.

— Je vois de la mélancolie dans le regard de Lalla Aïcha, dit le vizir.

— L'argent rêve d'or, répondit-elle. Qui m'offrira l'anneau que mes sœurs ont à vendre ?

— Demain, dit le vizir, Lalla Aïcha sous l'oreiller trouvera ce qu'il faut pour payer ce qu'elle veut. Qu'elle s'endorme heureuse !

Aïcha ferma les yeux. Son époux s'en alla comme à son habitude.

Le lendemain matin la servante revint frapper à sa porte. Aïcha lui dit :

— Voici.

Elle mit dans sa main une bourse sonnante. L'autre lui répondit :

— L'anneau d'or est à toi.

La servante trotta jusqu'au coin de la ruelle où les sœurs attendaient.

— Il l'aime, dit l'aînée en soupesant la bourse.

La deuxième dit :

— Non.

La troisième :

— Peut-être.

La quatrième :

— Qui sait ?

La cinquième se tut. La sixième grinça :

— Un anneau, même d'or, est peu de chose pour un homme aussi riche. S'il l'aime, il lui paiera ce collier de diamants. Servante, va voir Aïcha et fais-le miroiter devant sa face idiote.

Au soir, tandis que son époux lisait près d'elle, Aïcha parla à sa poupée d'argent. Elle lui dit des mots que l'on dit aux enfants quand ils ont peur de l'ombre, puis elle regarda tristement le lointain.

— J'entends Lalla Aïcha gémir et soupirer, dit le vizir.

— L'or rêve de diamants, répondit-elle. Aurai-je le collier que mes sœurs ont à vendre ?

— Demain, dit le vizir, Lalla Aïcha sous l'oreiller trouvera ce qu'il faut pour payer ce qu'elle veut. Qu'elle s'endorme heureuse !

Aïcha ferma les yeux. Son époux lui baisa les paupières et sortit de la chambre. Le lendemain matin elle paya le collier de trois bourses pesantes.

Les six sœurs ce jour-là tinrent un conseil funèbre. La première gronda :

— Je vous l'avais bien dit.

— Qu'avais-tu dit ? demanda la deuxième.

— Qu'Aïcha était aimée, répliqua la troisième.

— Pourtant, elle est quelconque, estima la quatrième.

La cinquième cria :

— Ce vizir est décidément l'homme le plus sot de la terre !

La sixième leur dit :

— Mes sœurs, j'ai une idée. Demain, allons la voir toutes ensemble. Nous la questionnerons, nous examinerons l'ordre de sa maison, nous épierons ses gestes, et nous saurons alors à coup sûr si son bonheur est vrai.

La servante courut annoncer leur visite.

Au soir, Aïcha attendit son époux assise sur son lit, en reniflant ses larmes. Il entra, vint à elle et dit :

— Je vois des yeux mouillés, Lalla Aïcha. Pourquoi ?

— Mes sœurs viendront demain, répondit-elle. Comment les accueillir ? Notre maison est vide.

— Demain, toutes choses seront comme elles doivent être, dit le vizir.

Aïcha ferma les yeux. Son époux s'en alla passer la nuit ailleurs.

Le lendemain matin dans la cour intérieure parmi les orangers et les fontaines Aïcha vit partout sur des tables couvertes de nappes blanches de grands plateaux de cuivre. Sur ces plateaux étaient des volailles rôties, des méchouis d'agneaux, des corbeilles de fruits, des gâteaux parfumés, des aiguières d'argent, des boissons délicieuses. Lalla Aïcha courut se vêtir dans sa chambre, se fit cerner les yeux de khôl, se fit poudrer les joues de rose, mit son collier, son anneau d'or. Elle dit enfin à sa servante :

— Quand mes sœurs seront là, viens sans cesse m'appeler de la part de mon époux.

A l'instant de sortir dans le jardin elle planta un clou près de la porte ouverte. Les princesses furent bientôt annoncées. On les fit entrer, on leur servit du thé sous les orangers, des coupes de fruits, des biscuits, des olives. Comme Aïcha s'affairait auprès de l'une et l'autre, sa servante accourut et lui dit :

— Notre maître, ô Lalla, se plaint de votre absence. Il désire vous voir.

— Pardonnez-moi, mes sœurs, dit Aïcha en riant, mon époux ne peut pas prendre le thé sans moi. Il est tant amoureux que j'en ai le vertige !

Elle s'en fut à la hâte. Les six princesses, renfrognées, effritant leurs biscuits entre leurs doigts nerveux, l'entendirent rire et parler vivement dans la chambre. Enfin elle sortit. Le clou près de la porte accrocha sa manche.

— Par pitié, mon époux, ne me retenez pas, dit-elle. Je dois aller tenir compagnie à mes sœurs. Ce n'est pas si souvent qu'elles viennent me voir !

On servit les volailles et le rôti d'agneau. Au milieu du repas la servante à nouveau vint se pencher à l'oreille de sa maîtresse.

— Votre époux demande où vous en êtes, ô Lalla. Il soupire après vous.

Aïcha s'en fut encore, rit, joua à grand bruit dans la chambre, revint, prit sa manche au clou près de la porte.

— Mon époux, mon époux, que vont penser mes sœurs ? gronda-t-elle en tirant sur son habit.

On servit les gâteaux. Un joueur de luth vint converser avec les rossignols. La servante accourut encore.

— Votre époux se morfond, ô Lalla !

Elle prit la main d'Aïcha, l'entraîna dans la chambre.

— Elle m'énerve, dit l'aînée des princesses restées seules sous l'oranger.

— Moi, elle m'horripile, renchérit la deuxième.

— Je vais hurler, avertit la troisième.

— J'ai envie d'écorcher quelques oiseaux vivants et de leur enfoncer les ongles dans les yeux, juste pour me calmer, marmonna la quatrième.

La cinquième bâilla.

— Partons, dit la sixième.

Quand, au soir de ce jour, le vizir entra dans la chambre de Lalla Aïcha, elle fit semblant de dormir. Il vint près du lit, lui caressa la joue et s'éloigna sans bruit. Elle le vit manœuvrer une porte secrète et s'enfoncer dans l'étroit escalier qui menait au pays de sa femme-génie. Elle le suivit de loin, parvint derrière lui dans un jardin ensoleillé. Au fond de ce jardin était une maison. Aïcha vit le vizir pousser la porte, entrer. Soudain elle entendit pleurer un nourrisson près d'elle sous un arbre. Elle le prit dans ses bras, le consola, dénoua sa ceinture, suspendit son berceau à l'ombre du feuillage, puis remonta, ferma la porte de sa chambre et bientôt s'endormit.

Dans le pays d'en bas, le vizir et sa femme-génie sortirent au jardin. Ils virent leur enfant apaisé dans sa corbeille que balançait la brise.

— A qui donc appartient cette ceinture ? dit l'épouse-génie. Le sais-tu ?

Le vizir répondit :

— Je l'ignore.

— Homme, ne me mens pas. C'est celle de Lalla Aïcha, béni soit son nom, car elle a pris soin de mon fils nouveau-né. Épouse-la sans crainte. Elle qui a bâti son bonheur de ses mains saura bâtir le tien. Va, et reviens parfois visiter ton enfant.

Le vizir rejoignit Aïcha, sa belle épouse. Il se coucha près d'elle. Jusqu'à l'aube prochaine ils ne dormirent pas.

La caravane

Il était une fois dans la ville du Caire un pauvre cordonnier affligé d'une femme aussi insupportable que le vinaigre dans l'œil. Il s'appelait Marouf. Il vivait sans plaisir, les épaules voûtées sous le fardeau de railleries mesquines et d'insultes criardes que sa rude moitié accumulait tous les jours sur lui. S'il voulait l'embrasser, elle grinçait des dents. S'il lui tendait la main, elle sortait ses griffes. S'il lui parlait d'amour, elle l'envoyait paître. Un soir, elle gifla sa face sous le discutable prétexte de tuer sur sa joue une puce invisible. Ce fut la goutte de trop dans son écuelle quotidienne de soupe à la grimace. Il décida donc d'aller chercher la paix ailleurs.

Il s'en fut par les ruelles, la bouche sanglotante, l'esprit tumultueux et le front tourmenté. Il marcha au hasard jusqu'à parvenir dans une ruine ouverte sur le ciel. C'était un vieux couvent. Là il posa le front au creux de ses mains et se mit à prier.

— Ô Seigneur tout-puissant et miséricordieux, dit-il, emporte-moi d'ici, conduis-moi en un lieu à l'abri des chagrins !

Tout au long de la nuit il répéta ces paroles. Comme la lune déclinait, un homme haut de taille sortit soudain de la muraille. Son corps était baigné de lumière, comme si dans son cœur brûlait une chandelle.

— Je suis l'Abdel Makan, le serviteur du lieu, dit-il. Que me veux-tu ?

Marouf lui confia ses peines et son espoir. Quand il eut parlé, l'Abdel Makan lui dit :

— Ne crains pas.

Il le prit par le col, et tous les deux s'envolèrent dans le jour naissant.

Au-dessous d'eux passèrent des fleuves, des bateaux, des déserts, des villages. Longtemps ils voyagèrent parmi les oiseaux étonnés. Et pourtant le soleil sortait à peine des brumes quand Marouf se posa, comme au sortir d'un songe, au milieu d'une ruelle, parmi des charretées d'oranges et d'épices. Il demanda :

— Où suis-je ?

On lui dit qu'il était dans la ville d'Ikhtiar. Sa mine abasourdie amusa les gens autour de lui. On le poussa du coude. On lui dit :

— D'où viens-tu ?

Marouf montra le ciel. Alors on ricana. Comme il restait stupéfait on lui cracha aux pieds. Des poings bientôt le tiraillèrent. Il voulut s'en aller. On le bouscula rudement. Un homme bien vêtu fendit alors la foule en criant :

— Honte sur vous, gens d'Ikhtiar ! Êtes-vous des chiens pour maltraiter ainsi un voyageur perdu ?

L'homme entraîna Marouf vers un porche à la voûte ornée de vigne vierge. Il le fit entrer chez lui et lui offrit du thé. Après quoi il lui dit :

— Quand je suis arrivé dans cette cité, j'étais aussi pauvre que toi. Sais-tu ce que j'ai fait ? J'ai dit partout en ville que j'étais fortuné et que j'attendais une caravane chargée de bois précieux et de tissus de Chine. Sur la foi de cette rumeur on m'a prêté de l'or que j'ai, bien sûr, promis de rembourser dès que m'arriveraient ces trésors inventés. Avec cet or j'ai fait quelques bonnes affaires, j'ai rendu mes emprunts, j'ai fait fructifier le bénéfice acquis et je suis devenu, en une année de négoce, un commerçant aisé. Prends dans ma garde-robe un bel habit brodé (quand on emprunte il faut payer de mine !) et fais comme j'ai fait.

Marouf remercia ce compagnon inespéré et se déguisa en marchand respectable. C'était un rêveur de haut vol. De si rares merveilles, à ce qu'il prétendit, faisaient route vers lui que lui furent ouvertes les portes de quelques palais. Il ne s'enrichit pas pour autant, au contraire. Il était généreux, grave défaut pour un homme d'affaires. Il ne supportait pas le feu de la misère dans le regard des mendiants. Il distribua donc tout l'or qu'il emprunta. Du coup, les riches se disputèrent l'honneur d'être de ses amis intimes. Sa caravane avait quelque retard ? « Qu'importe, disait-on, un homme assez sûr de sa fortune pour la semer en œuvres charitables est digne, assurément, de confiance infinie. » Il emprunta encore. Encore on lui prêta. Encore il donna tout aux pauvres. Encore on patienta. Sa caravane n'arrivant toujours pas, on se mit enfin à douter. Ses créanciers se dirent : « Ce n'est pas son or qu'il offre aux miséreux, sacrédieu, c'est le nôtre ! Et si ce bon Marouf était un imposteur ? » Ils allèrent se plaindre au roi de la cité.

« Un vrai marchand, pensa le roi, sait estimer le prix d'une pierre précieuse. Je vais donc présenter à cet homme ma perle la plus rare. S'il connaît sa valeur, c'est qu'il en a vu d'autres. Et s'il en a vu d'autres, c'est qu'il n'est pas l'escroc que l'on prétend. » Il convoqua Marouf.

— Ami, lui dit-il, regarde ce joyau. Selon toi, que vaut-il ?

« Comment savoir ? pensa Marouf. Je vends des courants d'air, et point de ces cailloux luisants. Mais si j'avoue mon ignorance, je suis perdu ! »

— Sire, répondit-il, le cœur en débandade, votre perle est de belle mine. Pourtant, auprès de celles que transporte la caravane que j'attends, soit dit sans offenser votre gloire, elle ne vaut pas plus qu'un galet de rivière.

— Oh, vraiment, dit le roi.

« Cet homme, pensa-t-il, est mille fois plus riche que je n'imaginais. Il me le faut pour gendre. »

— C'est un menteur, lui souffla son vizir.

Le roi lui répondit :

— Oh, toi, tu es jaloux. Tu aurais bien aimé que je t'offre ma fille. Que j'aie choisi Marouf t'enrage, voilà tout.

« Les rêves ont une fin, pensa Marouf. J'accumule les dettes et je ne gagne rien. Un jour, il faudra bien qu'on me jette en prison. Épouser la princesse, pour le lamentable brigand que je suis, ne serait pas convenable. Que faire, Dieu du Ciel ? Gagner du temps, encore. » Il dit au roi :

— Seigneur, tant que la caravane qui me viendra bientôt n'est pas dans ma maison, je ne peux pas pourvoir aux besoins d'une épouse princière. Je vous suggère donc de repousser la date du mariage.

« Décidément, pensa le roi, voilà bien le plus honnête homme qu'il m'ait été donné de voir. »

— Épouse ma fille, lui dit-il. C'est un ordre. Embrasse-moi, mon fils.

Il offrit à Marouf de puiser sans souci dans le trésor royal, en attendant sa caravane. Et donc Marouf puisa. Ses noces furent inoubliables. Une pluie d'or tomba sur les dix mille mendiants de la ville. Trente jours, trente nuits on festoya partout. Quand les nouveaux époux se retirèrent dans leurs appartements, Marouf se déchaussa, massa longuement ses orteils et dit à son épouse :

— Femme, je suis inquiet. Nous avons dépensé autant de pièces d'or qu'il y a d'étoiles au ciel.

— Pourquoi t'en préoccuper, lui répondit la princesse, puisque ta caravane arrivera bientôt ?

Marouf la regarda. Elle lui sourit, heureuse et confiante. Alors il décida de ne pas lui mentir.

— Femme, lui dit-il, ma caravane est un rêve. Elle n'existe pas, n'a jamais existé, n'existera jamais. Je suis un imposteur. Le vizir a raison, bien qu'il m'ait accusé par convoitise. Par convoitise aussi ton père m'a flatté en me donnant sa fille, mais qu'importe. Tu sais la vérité maintenant. Que vas-tu faire ?

— L'épouse ne peut déshonorer l'époux sans tomber elle-même en déshonneur, répondit la princesse. Marouf, fais-moi confiance. Prends l'or qui nous reste et quitte le pays. Dès que je le pourrai, je viendrai te rejoindre.

Marouf baisa ses mains. Déguisé en esclave il sortit de la ville et s'en alla sur le chemin désert.

Le lendemain matin, la princesse vint dans la salle du trône où se tenait le roi.

— Où est ton époux ? lui demanda son père.

Elle lui répondit :

— Sire, il a dû partir. Des brigands du désert ont attaqué sa caravane. Un messager hier soir est venu le lui dire. Ils ont tué cinquante de ses gardes et pris cent charges de chameaux, ce qui n'est rien pour lui. Sa fortune est si vaste ! Mais il a décidé d'aller au-devant de ces trésors qui cheminent vers nous pour rassurer ses gens et marcher à leur tête.

— Quel homme ! dit le roi.

— Je maintiens, Majesté, que c'est un imposteur, murmura le vizir.

La princesse salua son père et se retira dans sa chambre.

Or, Marouf courant sur son chemin parvint au jour naissant au bord d'un champ que labourait un homme. Il s'assit sous un arbre, dans l'herbe. L'homme vint vers lui et lui dit :

— As-tu faim ? Tu m'as l'air fatigué. Attends-moi un moment, je vais chercher du pain et du fromage, là-bas, dans ma cabane, et nous déjeunerons ensemble.

Il s'éloigna en sifflant une mélodie fraîche. Marouf pensa : « Ce frère de misère m'offre ce qu'il a sans rien me demander. Que puis-je faire, moi, pour lui rendre service ? » Il regarda le champ. « Labourer un sillon pendant qu'il n'est pas là, se dit-il encore, voilà le seul moyen de payer sa bonté. » Il vint à la charrue, empoigna les mancherons et se mit à pousser. A peine avait-il fait trois pas que le soc heurta une pierre. Il se pencha, la souleva et découvrit un trou. Il se pencha plus près. Un escalier s'enfonçait sous la terre. Il descendit vingt marches, parvint dans une grotte. Aux murs brûlaient des lampes perpétuelles. Partout étaient des coffres. Ils débordaient d'or, de diamants, de bijoux. Marouf, les bras ouverts, s'avança parmi ces merveilles. Son pied buta contre une boîte. Il la ramassa, l'ouvrit, n'y trouva qu'un anneau. Il le prit, le frotta contre sa manche. Une fumée jaillit, et dans cette fumée prit forme un être énorme. Ce n'était pas un ogre, il avait l'air aimable.

— Maître de l'anneau, dit-il, je suis ton serviteur!

Il s'inclina.

— Qui es-tu? dit Marouf. A qui sont ces trésors?

— Le Père-du-Bonheur, c'est ainsi qu'on m'appelle, lui répondit le djinn. Ces biens furent ceux de Shaddad, fils d'Aad, vieux roi de ce pays.

Marouf lui ordonna de vider la caverne et de tout ramener dans le champ, au soleil du matin. A l'instant ce fut fait. D'innombrables chameaux, ânes, mulets, chevaux, par la magie du djinn, aussitôt apparurent. Ils furent chargés par mille mamelouks nés d'un clignement d'œil du Père-du-Bonheur.

Le paysan revint avec son déjeuner, prit sa tête à deux mains et crut perdre le sens.

— Mangeons, lui dit Marouf.

Ensemble ils déjeunèrent de pain, d'oignons crus, de fromage.

— Que veux-tu? lui demanda Marouf. Un château? Des servantes?

— Une maison de pierre et quatre sacs de blé à semer dans mon champ, répondit le bonhomme. Je labourais pour rien. Je n'avais pas de grains.

Le Père-du-Bonheur se chargea du travail.

Au soir de ce jour Marouf entra dans la ville à la tête d'une caravane prodigieuse. Son épouse à sa fenêtre en fut bouleversée. Elle crut que son mari lui avait menti pour éprouver sa loyauté. Le roi et les marchands furent tous considérablement éblouis, mais à peine étonnés : les trésors attendus arrivaient enfin. Ils ne virent rien là de surprenant. Seul le vizir grogna qu'il y avait là-dessous quelque inavouable magie. Il était envieux. On s'amusa de lui.

Ainsi finit l'histoire de Marouf et de sa caravane de rêves. Amis, que la vôtre, comme la sienne, arrive un jour à bon port.

Le fils du roi et la princesse muette

Un roi avait sept fils. A l'heure de sa mort il les fit tous venir au chevet de son lit et la voix presque éteinte il leur dit :

— Mes enfants, les Bienheureux m'attendent au jardin des Délices. Je vais bientôt partir. Je vous laisse mes biens et mon royaume en bon état. Faites votre bonheur de tout, même de l'imprévu, la vie est un voyage. Je n'exige de vous que peu de chose : un serment. Au milieu du jardin, ces temps derniers j'ai fait dresser une tour blanche. Promettez-moi de ne jamais l'ouvrir, et je mourrai tranquille.

— Roi, répondirent les sept frères, ton désir sera respecté.

Ce fut dit, ce ne fut pas fait. L'aîné quatorze nuits se tint à sa fenêtre, captivé par la tour obscure sous la lune, au milieu du jardin. Au quinzième matin, comme un assoiffé court à l'oasis dans le désert il se précipita, ouvrit sa porte bleue. Une gazelle sortit à l'air du jour et s'enfuit si vivement que le prince la vit à peine s'éloigner. Il la poursuivit à travers les prés, les vallons, les ruisseaux, les forêts, les montagnes. Il vit une ville au bout de sa course. Il y entra, pour son malheur, car à peine la nuit passée, à l'aube rouge on lui trancha le cou et l'on jeta son corps aux chiens.

Après un an son frère le deuxième pareillement contraint par l'élan de son cœur ouvrit la porte bleue. Après deux ans son frère le troisième vit la gazelle vive s'enfuir par les champs et les monts. Après trois ans son frère le quatrième poursuivit jusqu'au crépuscule la bête magnifique. Après quatre ans son frère le cinquième au soir entra dans la ville maudite. Après cinq ans son frère le sixième fut au matin, comme les autres, décapité par le bourreau.

Après six ans le septième suivit enfin la même route. Il parvint au portail de la même cité. Il vit là suspendues six têtes aux murailles. Il reconnut ses frères. Comme il restait saisi d'horreur, un garde vint à lui.

— Que fais-tu là, garçon ?

— Je regarde ces morts. Quel crime ont-ils commis ?

— Aucun, sauf de venir d'ailleurs. La princesse d'ici a perdu la parole. Chaque étranger qui passe est mené au palais. Le roi lui dit : « Choisis. Après avoir passé une nuit avec toi ma fille parle enfin, et tu la prends pour femme. Elle reste muette et tu es mis à mort. » Aucun jusqu'à présent n'a survécu. Retourne chez toi, sinon demain matin ta tête pendra là, à côté des six autres.

Le prince répondit :

— Mène-moi au palais. Je veux voir cette fille par qui sont morts six frères aussi vaillants que beaux.

On le conduisit donc au roi de la cité. C'était un pauvre roi. Il avait les yeux tristes.

— Étranger, lui dit-il, tu es jeune. Renonce. Il ne me plairait pas de voir ton cou tranché.

— Seigneur, où sont passés mes frères je passerai.

— Descends dans le jardin, assieds-toi sous un arbre, médite jusqu'au soir. Si, quand viendra la nuit, tu as changé d'avis, j'en serai bien content.

Le prince descendit parmi les feuillages et les chants d'oiseaux. Comme il goûtait la brise sous un olivier, un rossignol menu tomba sur son épaule. Il le prit, caressa son plumage froissé, puis il leva le front. Il vit, au bord du nid, sur une branche haute, sa mère voleter, impuissante, affolée. Il lui dit :

— Ne crains pas, ton petit n'est pas mort !

Il grimpa dans l'arbre et remit l'oisillon au chaud de la

couvée. Alors la mère oiseau, voletant encore autour de lui, se mit à roucouler, et le prince entendit ces mots, à voix de femme :

— Tu as sauvé mon fils, je te dois une vie. Je sauverai la tienne. Souviens-toi : Cette nuit, chez la fille du roi, parle à son chandelier. Je serai là cachée. Dieu te garde, jeune homme !

Il ne répondit pas. Jusqu'au soir il resta ébahi à rire doucement.

Quand parut la première étoile, deux gardes vinrent le chercher.

— Puisque tu veux mourir, lui dirent-ils, voici : La princesse vit là, dans ce pavillon. Nous entrons avec toi. Nous resterons derrière les rideaux, et nous guetterons un mot d'elle, un seul mot. Mais autant espérer un discours d'une carpe !

Le jeune homme entra dans la chambre. La princesse n'eut pas un regard pour lui. Elle resta rêveuse au bord de la fenêtre. Sur la table près d'elle était un chandelier.

— Salut aux habitants de ce lieu ! dit le prince.

Il s'assit, se pencha.

— Que Dieu te donne longue vie, chandelier ! Parlons un peu, veux-tu ?

— Volontiers, seigneur, répondit la voix du rossignol. J'aimerais te conter une histoire que j'ai autrefois entendue d'un amoureux aveugle. A la fin du récit est une question grave. Que tu saches répondre ou non, qu'importe ! Le jeu nous aidera à traverser la nuit !

La princesse surprise écarquilla les yeux, mais elle resta bouche close.

— Raconte, ami, dit plaisamment le prince. Cela me distraira de cette fille de roi qui se prétend muette et qui doit jacasser comme une pie derrière son front pâle.

— Écoute donc, seigneur. Trois hommes voyageaient. L'un était menuisier, le deuxième tailleur, le troisième étudiant. Comme ils traversaient un pays de brigands, un soir au campement ils convinrent de veiller près du feu chacun un tiers de nuit. Le premier tour de garde échut au menuisier. Cet homme, pour tromper ses heures solitaires, sculpta une statue de femme dans un tronc de bois sec. Quand fut venue son heure, le tailleur la vêtit de quelques bouts d'étoffe, puis s'endormit près d'elle. L'étudiant s'éveilla, vit cette créature de bois devant lui habillée, et soudain ébloui par sa beauté : « Dieu tout-puissant, dit-il, faites qu'elle ait une âme ! » Dieu exauça son vœu. La statue s'anima. Chacun des voyageurs, au matin, la voulut toute à lui. Seigneur, à ton avis, à qui revenait-elle ?

— Au menuisier, répondit le jeune homme. Il a sculpté sa tête, son corps, ses membres. Il l'a créée de rien.

— Fils de roi, ta sentence est absurde, dit une voix maussade au bord de la fenêtre.

— Qui parle ? dit le prince. Une femme ? Un fantôme ?

— C'est moi, répondit la princesse. Qu'a fait le menuisier ? Une forme sans vie. Le tailleur l'a vêtue. Ne parlons pas de lui, il n'a pas fait grand-chose. C'est à l'étudiant seul qu'elle doit revenir, car sa prière était d'un amant véritable, et Dieu l'a entendue, et Dieu a tout donné, parole, cœur et sens, par amour de l'amour !

— Fille, gronda le prince, que sais-tu de l'amour, toi par qui mes six frères ont eu le cou tranché ?

— Tel était leur destin, dit-elle, comme le tien était de me rendre ma langue avant de m'épouser.

— Qu'il en soit donc selon la volonté de Dieu, lui répondit le prince. Et maintenant, silence ! Car je hais plus que tout les femmes bavardes !

Ils se marièrent. Elle parla parfois mais peu, et fut heureuse. Le conte prudemment n'en dit pas davantage.

Le trésor

Il était une fois un homme marié à une femme simple. Certes, elle avait bon cœur, mais elle était naïve. Elle gobait tout ce qu'on lui disait. Quelque farceur l'aurait-il informée que cent chameaux chargés de sucre et de diamants faisaient route vers elle, elle aurait aussitôt balayé le chemin devant sa porte pour accueillir ce miracle. Or, son mari était un pauvre entre les pauvres. Il gagnait là trois sous à porter des fardeaux, là un os de mouton pour une course en ville, bref, à peine de quoi survivre.

Sa femme un jour lui dit :

— Tu me sembles en souci. Tu as besoin, mon homme, de faire un bon repas. Que voudrais-tu manger ?

— Un bœuf entier, répondit le bonhomme, un bœuf tendre et doré que je partagerais avec quelques amis sur des coussins moelleux, dans une maison neuve. Femme, qu'en penses-tu ?

— C'est une idée splendide !

Il haussa les épaules et s'en fut au travail, pensant, mélancolique : « La sotte ! Elle sait bien que comme chaque jour nous n'aurons à dîner qu'une galette sèche. Pourquoi donc me trouble-t-elle avec ses rêveries ? » Quand il revint chez lui, à l'heure où s'allument les étoiles, il la trouva dehors, assise devant sa porte. A côté d'elle étaient un sac de vêtements, leur couverture bleue déchirée en carrés et un fagot de bois. Il se frotta les yeux, mit les poings à ses hanches.

— Que fais-tu là ? dit-il.

Elle lui répondit :

— J'attends le bœuf à cuire et la belle maison. J'ai le bois pour le feu, le tissu découpé pour les coussins moelleux, et puisque ce logis ne nous est plus utile je l'ai donné à des mendiants. Mon homme, ai-je mal fait ?

Il gémit, accablé :

— Nous étions pauvres, hélas, nous voilà misérables !

Il s'en alla s'asseoir au bout de la ruelle sur un tas de cailloux et se mit à pleurer. La lune était levée, les passants étaient rares. Vers minuit, un vieillard s'arrêta devant lui.

— Salut, dit-il. Tu as l'air malheureux.

— Salut, grand-père. Je n'ai rien à manger.

— Prends ces quelques olives. Je cherche un ouvrier.

— Merci, grand-père. Je te suis à l'instant.

Le vieillard l'entraîna parmi les maisons basses jusqu'au fond d'une impasse obscure où il poussa une porte. Là était un jardin. Ils entrèrent. Parmi les fleurs, au centre, était une fontaine.

— Vide l'eau du bassin, dit le vieux au pauvre homme.

L'autre l'eut bientôt fait. Au fond, il découvrit une pierre carrée.

— Soulève cette dalle.

La dalle fermait un caveau. Tous deux y descendirent. La lueur de leurs torches éclaira dans un coin un tas de pièces d'or terreuses.

— Nettoie-les une à une, dit le vieillard. Je paierai ton travail du tiers de ce trésor. Dans dix jours je reviendrai te voir, et nous ferons nos comptes.

L'homme se mit donc à l'ouvrage. Au matin il courut louer une cabane. Il y mena sa femme avec dix pains de seigle et dix fromages blancs.

— Reste là, lui dit-il. Je reviendrai bientôt.

En hâte il retourna au travail, dans son trou. Quand le temps fut venu il attendit le vieux, mais personne ne vint. Il sortit dans l'impasse, interrogea les gens, demanda où trouver le maître du jardin.

— Voilà presque dix jours qu'il est mort, lui dit-on. Il n'a pas d'héritier, sa maison est à vendre.

— Peut-on la visiter ? demanda le bonhomme.

Elle était vaste et blanche, ornée de beaux tapis, de sofas, de coussins. Errant dans ses couloirs, ses salles d'eau, ses chambres, l'homme s'extasia longtemps à respirer le parfum de la richesse. Enfin, en grand secret, il revint au caveau, prit un tiers du trésor : quatre poignées d'or, c'était là son salaire. D'une seule il paya la demeure du vieux, puis il engagea trois servantes, leur ordonna d'aller chercher sa femme, de la conduire au hammam et de lui faire choisir quelques habits de fête. Les trois filles aussitôt s'en allèrent. Dès qu'elles furent entrées dans l'ombre du taudis :

— Vous voici enfin, mes bonnes enfants, leur dit la pauvre épouse. Je commençais à m'ennuyer.

Elle fut menée au bain des princesses, puis quatre couturiers vinrent lui présenter de riches vêtements ornés de broderies et de dentelles fines. Quand elle fut parée, fardée, coiffée et parfumée, on la conduisit où était son époux. Il l'accueillit à l'entrée du jardin.

— Tu voulais une belle maison ? lui dit-il. La voici. Entre donc.

Elle entra, éblouie, puis elle demanda :

— Et le bœuf ? Le gros bœuf pour le dîner d'amis ?

L'homme envoya chercher un bestiau colossal, invita à dîner les gens de la ruelle. Il fit entrer son monde avec des musiciens.

— C'est bien, lui dit la femme. Tout est comme prévu.

Elle rit, et son mari la menant par la main l'installa dignement à la place d'honneur.

La musique du cœur du monde

Il était trois sœurs, belles, pauvres. Elles travaillaient nuit et jour. Il était un roi nuit et jour inquiet. Dès le soir venu il allait en ville déguisé en gueux, il écoutait les gens dire parfois du bien, parfois du mal de lui. Or un soir il vint à passer devant la maison des sœurs laborieuses. Par un soupirail il vit leur chandelle, entendit leurs voix monter dans l'air doux. Il tendit l'oreille.

— Moi, disait l'aînée, si le roi voulait me prendre pour femme, je l'aimerais tant que pour lui je tisserais un tapis plus grand que les mers du monde.

— Moi, disait la deuxième, je ferais pour lui un abri de toile assez souple et grand pour envelopper une armée entière.

— Si le roi voulait me prendre pour femme, disait la troisième, je lui donnerais deux enfants parfaits. L'un serait garçon. Il aurait au front un croissant de lune. L'autre serait fille et sa chevelure serait comme un ciel étoilé.

Ces paroles émurent grandement le roi. A l'aube il revint rêveur au palais. Il fit appeler l'aînée des trois sœurs.

— Saurais-tu tisser ce tapis superbe ?

— Sire, assurément.

Le roi l'épousa, puis lui rappela la promesse faite. Elle répondit :

— Sire, je suis reine, et point tisserande. Moi, tordre le fil ? Demandez à d'autres.

Le roi la chassa.

— Servante aux cuisines, voilà désormais ce que tu seras.

Il fit appeler la deuxième fille.

— Feras-tu pour moi cet abri de toile ?

— Sire, assurément.

Le roi l'épousa. Dès le soir des noces il lui dit :

— J'attends.

Elle lui répondit, ivre de parfums, d'ors et de musique :

— Je suis riche et belle. Plus jamais, seigneur, je n'abîmerai mes mains à l'ouvrage. J'ai travaillé dur, je veux vivre doux.

Le roi dépité l'envoya rejoindre sa sœur aux fourneaux. Il fit devant lui venir la cadette.

— Me donneras-tu ces enfants étranges que tu m'as promis ?

— Sire, si Dieu veut.

Le roi la combla d'amour fort et tendre. Bientôt l'épousée fut grosse d'enfant. Ses sœurs aux cuisines en furent si rogneuses que leur teint jaunit.

Vint la mise au monde. Le roi ce jour-là était à la chasse. Sa femme accoucha d'un fils au front orné d'un croissant de lune et d'une fille aux cheveux pareils au ciel étoilé. Ses sœurs aussitôt vinrent en visite. L'une avait un chien caché dans sa robe, et l'autre une chienne. Elles firent des mines à la jeune mère, la félicitèrent, baisèrent son front, mais dès qu'elle fut endormie les bougresses jalouses prirent le fils au front lunaire et sa sœur la fille étoilée, mirent à leur place le chien et la chienne, bouclèrent les enfants dans un coffre de bois, et le dos courbé dans la nuit s'en furent les jeter au fleuve.

Au petit jour le roi revint de sa chasse lointaine. Il courut à la chambre où était son épouse. Dans les berceaux jumeaux il découvrit les bêtes. Il en fut pris de rage. Il renversa le lit, fouetta sa pauvre femme, ordonna qu'elle soit enchaînée sur la place publique avec ses deux chiots, et qu'elle soit nourrie comme le sont les chiens.

Or, au bord de la mer, vivait un vieux avec sa vieille. Ils n'avaient pour tout bien qu'une chèvre au long poil qui s'en allait trottant, le matin, toute seule, et revenait le soir, le pis gonflé de lait. De ce lait les deux vieux faisaient quelques fromages. De fromage ils vivaient tous les soirs de leur vie. Il en fut ainsi jusqu'au jour où la chèvre revint sans lait dans ses mamelles. La vieille devant elle resta perplexe un long moment. Le lendemain, même misère. Les deux époux, inquiets, se regardèrent. Quand le surlendemain la chèvre s'en revint sèche autant que la veille, le vieux fit la grimace. Il pensa : « On nous vole. » Dès le matin suivant il la suivit de loin, parmi les dunes. Il la vit disparaître entre deux buissons bas. Il s'approcha. Il vit deux nourrissons qui tétaient goulûment aux tétins de sa bête. Au front de l'un brillait le croissant de la lune et les cheveux de l'autre étaient tout étoilés. Le vieux prit dans ses bras le garçon et la fille. Il les mena chez lui. La vieille, en les voyant, joignit les mains sous le menton.

— Ils seront nos enfants, dit-elle, tout heureuse.

Une nouvelle vie commença. Ces deux enfants étaient en vérité des vivants magnifiques. Quand le garçon pleurait, ses larmes étaient des perles. Quand la fille au matin peignait sa chevelure, de la poudre d'or tombait sur ses épaules. Après quatorze années les deux vieux moururent. Le garçon et sa sœur, riches de perles et d'or, s'établirent dans une maison forte au bord d'un bois touffu.

Vint le jour mémorable où le garçon s'en fut poursuivre une gazelle. Vers midi, parvenu au pied d'un rocher blanc, il vit venir une troupe superbe. C'était le roi son père avec ses courtisans. Le roi vit ce garçon, vit luire sur son front le croissant de la lune. Il pensa : « Cet enfant me ressemble. » Il en fut troublé à l'extrême. Il resta immobile à le regarder, puis brusquement tourna bride, revint à son palais et s'enferma dans sa chambre. Chacun s'interrogea sur son étrange peine. Les deux mauvaises sœurs entendirent bientôt le récit que partout on faisait à la Cour : Le roi, dans la forêt, avait croisé la route d'un adolescent au front orné d'un croissant de lune. Les sœurs s'effrayèrent. Les deux jumeaux vivaient, voilà ce qu'elles se dirent. Ils reviendraient un jour, tôt ou tard, les confondre.

— Il faut les éloigner, dit l'aînée. Comment faire ?

L'autre lui répondit :

— Déguisons-nous en vieilles. Allons rôder chez eux.

Elles allèrent donc et trouvèrent la fille seule dans sa maison. Son frère tous les jours allait à la chasse et ne rentrait que le soir.

— Tu t'ennuies, fille belle, oh, comme tu t'ennuies ! lui dirent les sorcières.

L'enfant leur répondit :

— Peut-être, bonnes vieilles.

Elle ignorait pourtant jusqu'à ce mauvais jour ce qu'ennui voulait dire.

— Enfant, nous savons bien ce qui manque à ta vie.

— Et quoi donc, bonnes vieilles ?

— La musique du cœur du monde. Elle seule pourrait t'offrir ce bonheur qui te fuit sans cesse.

C'était chose introuvable. Les vieilles le savaient. Au soir, quand le garçon revint de la forêt :

— Mon frère, dit l'enfant, l'ennui ronge mon cœur. J'aimerais tant entendre une fois dans ma vie la musique du cœur du monde !

— Ma sœur, où la trouver ?

— Mon frère, je l'ignore, mais je sens que sans elle je vais mourir bientôt.

Elle pleura deux jours. Au troisième matin le jeune homme sella son cheval et partit à la recherche de ce remède impalpable et secret.

Il voyagea longtemps, demanda çà et là si quelqu'un connaissait ce lieu où se cachait la musique du cœur du monde. Personne ne savait. Encore il chevaucha jusqu'au seuil d'un désert. Là il vit un vieillard sur une pierre plate. Il semblait méditer dans le manteau de sable que lui faisait le vent. Le garçon s'approcha, s'assit auprès de lui.

— Vieux père, lui dit-il, je cherche le chemin qui mène au cœur du monde.

— Et que veux-tu trouver, mon fils, au cœur du monde ?

— Vieux père, une musique.

— Mon fils, donne du pain au pauvre que je suis.

Ils mangèrent ensemble. Quand ce fut fait :

— Mon fils, dit le vieillard, ta route est difficile et peut-être mortelle. C'est tout ce que je sais. Mais va sur ce chemin. Là-bas, à l'horizon, vit un homme de bien. Il t'aidera peut-être.

Le garçon se leva. Le vieillard le retint.

— Attends encore, attends. A toi qui m'as donné du pain, je veux faire un cadeau. Prends ce clou. Garde-le. Il te sera utile.

Le jeune homme chevaucha jusqu'à l'horizon lointain et là contre un buisson il vit un pauvre hère apparemment semblable au vieillard rencontré à l'entrée du désert. Il lui donna du pain, de l'eau et du fromage. Ils mangèrent ensemble.

— Mon fils, lui dit le vieil homme, je sais bien peu de chose. Mais j'ai là-bas un frère infiniment savant. Il vit dans une hutte au fond d'une vallée. Va le voir de ma part, il t'aidera sans doute.

Le garçon se leva.

— A toi qui m'as nourri, dit encore le vieux, je veux faire un cadeau. Prends ce couteau, et que Dieu te protège.

Le jeune homme s'en fut, chemina quatre jours. Au matin du cinquième il vit deux monts brumeux. Entre eux il s'engagea dans l'étroite vallée, remonta le torrent, aperçut sur un roc une hutte bancale. Là il mit pied à terre. Un ermite parut, vêtu de pauvre laine comme l'étaient ses frères aux deux bouts du désert. Assis devant la porte ils burent et mangèrent.

— Mon fils, je peux t'aider, dit enfin le vieil homme en s'essuyant la bouche. Si tu veux ramener du lieu où elle se trouve la musique du cœur du monde, tu devras traverser une plaine effrayante. Regarde, on la devine au fond de la vallée. Là sont des milliers d'hommes, tous debout, tous changés en statues par la peur qu'ils ont eue sur ce chemin terrible où ils étaient allés chercher ce que tu cherches. La peur, mon fils, voilà ton ennemie. Avance bravement parmi ces gens pierreux. Va jusqu'au puits creusé au milieu de la plaine et penche-toi sur lui. Alors appelle, sans que ta voix ne tremble, la musique du cœur du monde. Du fond du puits elle montera jusqu'à toi. Saisis-la promptement et fuis à toute bride, fuis sans te retourner, car le charme qui tient ces guerriers dans la plaine sera du coup rompu, et tous te poursuivront pour t'arracher ce qu'ils ont tant voulu. Quand ils te rejoindront jette d'abord le clou que t'a donné mon frère à l'entrée du désert. Puis jette le couteau, puis jette cette fiole d'eau que je te donne, et si Dieu veut, tu pourras te sauver. Pour l'heure, dors ici, tu as besoin de forces.

Le jeune homme dormit sur un lit d'herbes sèches. Au matin il s'en alla. Au fond de la vallée il vit la vaste plaine, les milliers de statues. Toutes le regardèrent. Elles étaient en pierre et pourtant semblaient vivre. Il verrouilla son cœur, serra les dents, marcha. La peur lui vint dessus comme un brouillard épais. Il poussa sa monture à travers ses fumées. Alors il vit un puits. A pied il s'approcha, se pencha, murmura :

— Musique, viens à moi.

Il entendit l'eau bruire. Un chant monta vers lui, et sur ce chant il vit une feuille petite, verte, luisante, simple. Il la prit prestement, la mit dans sa chemise.

Alors une clameur s'éleva de la plaine. Les guerriers réveillés, terribles, ferraillants, se ruèrent vers lui. Il bondit à cheval, chercha son clou dans sa besace, le lança par-dessus l'épaule. Un champ de pieux en fer surgit derrière lui. Cent de ses poursuivants s'y trouèrent la peau. Les autres s'acharnant à grands coups d'éperons eurent tôt fait de le rejoindre. Il jeta son couteau. Un champ de longues lames surgit derrière lui. Deux cents furent tranchés, hachés, taillés en pièces. Les autres cravachant et cravachant encore levèrent leurs épées sur la croupe de son cheval. Il lança la fiole d'eau claire. Les derniers acharnés furent bientôt noyés dans le torrent furieux soudain tombé du ciel sur la plaine infinie.

Cent jours après qu'il fut parti le jeune homme parvint en vue de sa maison. Alors la feuille verte au chaud de sa tunique lui parla à voix basse.

— Près de ta sœur, dit-elle, sont deux vieilles sorcières. Mon maître, chasse-les.

A peine entré chez lui il les prit par le col et les jeta dehors.

— Maintenant, dit la feuille verte, pose-moi dans l'armoire.

Dans l'armoire il la mit, prit sa sœur par l'épaule, et tous deux regardèrent. Alors ils virent s'ouvrir une fenêtre. Une musique vint, plus simple que le ciel, plus pure que la source, plus tendre que la vie quand il fait doux le soir. Et par cette musique ils virent leur naissance, ils virent tout d'eux-mêmes, et de leurs père et mère, et de la vérité.

Ils s'en allèrent à la ville du roi. Sur la place publique ils virent une femme enchaînée contre un mur. Ils s'agenouillèrent près d'elle, lavèrent son visage avec un mouchoir blanc. Le roi, de son balcon, leur cria rudement :

— Passez votre chemin, cette femme est maudite !

Le jeune homme lui dit :

— Jetez-moi donc du fer pour nourrir mon cheval !

— Tu te moques de moi, lui répondit le roi. Depuis quand les chevaux mangent-ils des ferrailles ?

— Sire, dit le garçon, pourquoi ne pas me croire, puisque vous avez cru qu'une femme pouvait mettre des chiens au monde ?

La lumière aussitôt illumina le roi. Fils, fille, père et mère furent bientôt ensemble avec la feuille verte au milieu, sur la table, d'où montait pour eux seuls, éblouis et muets, la musique du cœur du monde.

Nurudin le cordelier

En ce temps-là vivait dans la ville du Caire un cordelier nommé Nurudin. C'était un homme pauvre et simple. Il travaillait sans guère de repos dans la lumière d'un rayon de soleil poussiéreux sous sa lucarne étroite, usant de l'aube au soir ses yeux, ses mains, sa vie. Il gagnait peu, se contentait de presque rien et chantonnait parfois, pour se donner du cœur, courbé sur son ouvrage. Et chaque jour était aux autres jours semblable.

Or, un matin, comme deux inconnus discrètement entrés examinaient dans son échoppe quelques lots de cordages en vente çà et là, Nurudin entendit l'un de ces hommes dire à l'autre :

— Aussi sûr que nous avons tous une origine, mon cher ami, nous avons tous un destin. Mais ce destin n'est pas rigoureusement fixe. Il peut prendre tel ou tel chemin, selon la chance, ou l'occasion. Par exemple, voyez ce pauvre cordelier. Sa vie semble tracée. Il est né misérable, misérable il mourra, s'il suit sa route prévisible. Supposez maintenant que le hasard lui offre un sac de pièces d'or. Sa vie prendrait un cours sûrement différent.

Nurudin, dans son coin, sourit, hocha la tête et dit timidement :

— Excusez, monseigneur, mais j'ai sans le vouloir entendu vos paroles. Elles sont belles, certes. Hélas, comment les croire ? Comment imaginer qu'un sac d'or puisse un jour franchir un pas de porte aussi peu engageant que le mien? L'argent va à l'argent, voilà la vérité.

— Mon ami, lui répondit l'homme, Dieu s'est montré si généreux avec moi que je ne peux dépenser seul la fortune qu'il m'a donnée. Aussi j'aide les pauvres, autant qu'il m'est possible. Dis-moi, que faudrait-il pour que tu sois heureux?

— Que vous dire, monseigneur, balbutia Nurudin, le cœur soudain battant et les mains toutes moites, si j'avais, par exemple, un bel atelier neuf, spacieux, bien aéré, et trois ou quatre ouvriers pour m'aider au travail, je vivrais à mon aise. Sauf malheur imprévu, oui, je vivrais heureux.

L'homme prit une bourse à sa large ceinture, la posa sur la table.

— Ces quelques pièces d'or, dit-il, suffiraient-elles à payer les travaux que tu veux entreprendre?

— Seigneur, bien largement, répondit Nurudin. Oh, merci mille fois! Que les grâces du Ciel soient à jamais sur vous!

— Le bonjour, cordelier. Mon ami et moi-même reviendrons dans trois mois voir comment la fortune a changé ton destin.

Les deux hommes sortirent, laissant là Nurudin, son sac d'or à la main. Il resta un moment pantois, puis jetant tout à coup un coup d'œil effrayé par la lucarne il ne vit partout dans la ruelle que des voleurs possibles. Il chercha aussitôt où cacher son trésor, découvrit dans un coin un vieux pot de farine. Il y enfouit sa bourse et s'en fut au café boire au dieu du Hasard et rêver d'avenir opulent et paisible.

Quand il revint chez lui, la nuit était déserte. Sa femme Yashmina dormait sur la paillasse. Il s'allongea près d'elle, resta les yeux ouverts dans le noir, mille pensées en tête. Il s'endormit à l'aube. Quand il se réveilla, le soleil de midi par les fentes du toit éclairait vaguement le plancher de la chambre. Il se leva d'un bond, courut à l'atelier et là, estomaqué, poussa un cri d'horreur. Le vieux pot de farine avait quitté son coin. Il hurla :

— Yashmina !

Elle vint. Il lui dit :

— Il y avait là un pot, un vieux pot de farine. Femme, qu'en as-tu fait ?

— Il ne servait à rien, nous n'avions plus un sou, la femme du coiffeur m'a donné du henné, je lui en ai fait cadeau. Mon homme, qu'as-tu donc ?

— Yashmina, je suis mort, répondit Nurudin.

Il lui conta sa miraculeuse aventure, lui dit sa crainte des voleurs, son idée de cacher son trésor dans ce pot. Yashmina l'écouta, effarée, puis releva sa jupe et s'en alla en courant dans la longue ruelle. Elle aperçut au loin la femme du coiffeur qui s'en revenait du marché. Elle lui fit de grands signes, la rejoignit, s'emberlificota dans des phrases confuses.

— C'est le pot que tu veux ? Le vieux pot de farine ? lui répondit la femme. Je te l'aurais rendu de bon cœur, mais mon mari tout à l'heure l'a vendu à un colporteur de passage, avec quelques vieilleries qui encombraient la maison. Si tu manques d'argent, prends donc ces quatre sous. Ce que tu m'as donné ne valait guère plus.

Quand Nurudin la vit revenir les mains vides, il se sentit soudain infiniment fatigué. Il lui fallait pourtant survivre. Il soupira, baissa la tête, et se remit à son ouvrage.

Trois mois passèrent, durs et lents. Puis vint enfin le jour où son bienfaiteur franchit à nouveau le seuil de son échoppe avec son compagnon silencieux et fidèle. Les deux hommes s'étonnèrent. Dans le pauvre atelier tout était à sa place : la porte vermoulue, les vieilles étagères, la petite lucarne et les murs bosselés.

— Hélas, dit Nurudin, un terrible accident, seigneur, est arrivé.

Il conta ses malheurs. L'inconnu lui sourit.

— Rassure-toi, dit-il. Un sac de pièces d'or, pour moi, n'est pas grand-chose. En voici donc un autre. J'espère que cette fois tu sauras trouver le chemin du bonheur.

— Seigneur, répondit Nurudin, je ne peux accepter. Je ne pourrai jamais vous payer en retour. Or, je suis pauvre et sot, mais je suis honnête homme.

— Ami, dit l'inconnu, prends ce que je te donne. Tu ne me devras rien. C'est à moi, sache-le, que tu feras du bien.

Nurudin s'inclina. Quand il se redressa, les deux hommes étaient déjà dans la ruelle. Yashmina doucement entra dans l'atelier.

— Vois, lui dit son mari.

Ils s'embrassèrent en riant et pleurant. Puis Nurudin chercha où cacher sa fortune nouvelle.

— Mets-la dans ton turban, lui dit sa femme. Tu ne le quittes jamais, sauf pour dormir. Ainsi tu l'auras toujours à portée de la main, et tu seras tranquille.

Nurudin trouva l'idée bonne. Il passa tout le jour à se palper le crâne. La nuit venue il mit son turban sous le lit, ferma soigneusement la porte et la lucarne, et s'endormit heureux près de sa Yashima.

Si, jusque vers minuit, le sommeil l'avait fui, peut-être aurait-il entendu craquer obstinément le plancher sous sa couche. Ce fut juste à cette heure qu'une mère souris, cherchant de quoi nourrir sa nombreuse famille, découvrit ce chiffon qui sentait fort la sueur d'homme. « Voilà qui nous tiendra au chaud toute l'année », pensa-t-elle. Et poussant et tirant des griffes et des dents elle fit basculer le turban dans son trou, avec la bourse d'or.

Au matin Nurudin tomba du lit content et se releva pâle. Il chercha, hébété, ne trouva ni ne comprit rien, se dit qu'il était fou, ou que quelque démon jouait à l'enrager. En vérité il faillit presque perdre le sens à ressasser son malheur. Il se remit pourtant à son travail de pauvre.

Après trois nouveaux mois les deux hommes revinrent. Nurudin, tête basse, dit tout ce qu'il savait.

— Deux fois tu as perdu l'or que je t'ai offert. C'est une

fois de trop, lui dit son bienfaiteur. Dieu t'aime, puisqu'il aime tout être. Mais il ne permet pas que tu changes de vie. Cela me paraît clair. Adieu donc, cordelier.

Il tourna les talons et s'en alla sans autre mot. Alors l'inconnu qui l'avait trois fois accompagné s'attarda un instant dans l'atelier et dit à Nurudin qui pleurait sur son tabouret :

— Je ne veux pas partir sans t'avoir rien donné. Oh, je n'ai pas grand-chose. Mais j'ai trouvé ceci, tout à l'heure, en venant. C'est un petit cadeau, presque rien. La paix sur toi !

Il lui tendit une boule de plomb et rejoignit son compagnon dans la ruelle. Nurudin regarda le misérable objet dans le creux de sa main, puis haussa les épaules, chercha où le jeter, le posa sur un bout d'étagère bancale et se remit en ronchonnant à son travail de pauvre diable.

La nuit venue, comme il allait au lit, sa bougie à la main, il entendit quelqu'un l'appeler dans la rue. Il alla prudemment entrebâiller la porte. Il reconnut la femme de son voisin pêcheur.

— Cordelier, lui dit-elle, mon mari doit aller demain matin au fleuve et il n'a rien trouvé pour lester son filet. Aurais-tu quelque bout de ferraille qui fasse son affaire ?

— Un client m'a donné une boule de plomb, répondit Nurudin. Elle est sur l'étagère. Prends-la. Bien le bonsoir.

Il s'en fut se coucher en traînant la savate.

Le lendemain vers l'heure de midi l'épouse du pêcheur entra dans l'atelier avec un beau poisson. Elle vint le brandir au nez de Nurudin.

— Regarde, lui dit-elle. Il pèse bien trois livres. Mon homme ce matin a fait si belle pêche qu'il m'a dit : « Nos voisins doivent en profiter ! » Ton bout de plomb, je crois, lui a porté bonheur.

— Voisine, grand merci, répondit Nurudin. Ton mari est un homme de bien.

Il trotta jusqu'à la cuisine, confia le poisson à Yashmina sa femme qui aussitôt sortit ses oignons, sa farine, sa planche à découper, puis retroussa ses manches et fendit sans tarder le ventre de la bête. Or, comme elle s'affairait à vider ses entrailles, dans la main lui vint une pierre étrange aux couleurs irisées. Elle l'examina, la trouva à son goût et la posa près d'elle.

Au soir de ce jour, Nurudin attablé devant les reliefs de ce poisson princier qu'il venait de savourer resta soudain perplexe, et se grattant le crâne considéra sa lampe éteinte sur la table. Il faisait nuit dehors. Et tout, autour de lui, baignait dans la lumière. Il dit à Yashmina :

— Ma femme, comprends-tu ?

Elle lui répondit :

— Mon homme, c'est tout simple. J'ai trouvé tout à l'heure une pierre bizarre dans les entrailles du poisson. Vois, elle est lumineuse.

Leurs visages penchés en furent éblouis.

Le lendemain matin, une riche voisine aux gros doigts bagués d'or s'en vint voir Nurudin.

— Voisin, bien le bonjour, dit-elle en s'asseyant sans autre politesse. Hier soir, comme je passais sous ta fenêtre, j'ai vu briller chez toi une lumière étrange. D'où venait donc ce jour, dis-moi, en pleine nuit ?

— D'une pierre trouvée, de rien d'autre, voisine.

— Je t'en donnerais bien cinquante pièces d'or.

Nurudin lui sourit. Il ne sut que répondre.

— Cent pièces, dit la femme. Allons, décide-toi.

Nurudin, ébahi, écarquilla les yeux.

— Cinq cents, gronda la femme. Je n'aurais jamais cru que tu sois si coriace.

Nurudin bredouilla un balbutiement bref, deux ou trois gargouillis et quelques borborygmes.

— J'accepte, dit la femme. Mille pièces d'or. Marché conclu, bonhomme.

Elle mit dans sa main une bourse de cuir. Nurudin lui tendit la pierre, du bout des doigts.

— Vaut-elle donc si cher ? dit-il, la voix brisée.

— Plus encore, voisin, lui répondit la femme en riant aux éclats. Elle orna la couronne du grand roi Salomon, fils de David, la paix sur lui. Celui qui la possède n'a plus besoin de rien. Il est riche à tout jamais.

La femme s'en alla avec la pierre rare. De ce jour Nurudin découvrit l'opulence.

Il décida bientôt d'abattre sa demeure et de bâtir enfin l'atelier de ses rêves. Un matin, comme il veillait aux travaux sur le chantier, dans les décombres de sa chambre il retrouva son vieux turban, et dans ses plis crasseux l'or qu'il avait perdu. Comme il s'extasiait, un homme vint à lui. C'était un brocanteur. Il semblait misérable. Il avait un vieux pot à vendre, rien de plus. Nurudin reconnut celui que Yashmina son épouse avait donné à la femme du coiffeur, contre un peu de henné. Il découvrit au fond sa première fortune. Elle était toujours là, sous la farine.

— Seigneur, murmura Nurudin, voilà que tout me vient, moi qui étais si pauvre.

— A qui donc parles-tu, bonhomme ? lui demanda le brocanteur.

Nurudin répondit :

— Ami, il y a longtemps cet or me fut offert par un inconnu. Je n'en ai plus besoin. Prends-le, toi qui me l'as innocemment rendu. Sois heureux toi aussi. Que Dieu te soit clément comme il le fut pour moi.

— Ami, merci. Tu as parlé comme je l'espérais, lui dit le brocanteur.

Nurudin regarda cet homme à la voix douce et soudain reconnut celui qui par deux fois avait donné sa chance au pauvre qu'il était. Les yeux mouillés de larmes, il lui dit :

— Qui es-tu ?

L'homme lui répondit :

— Qu'importe, tu es digne. Cela suffit à mon bonheur. Et que le tien témoigne de la bonté de Dieu !

A peine ces paroles dites, il disparut.

Ainsi finit l'histoire de Nurudin le cordelier. Que la paix soit sur vous qui l'avez entendue.

Layla

Il était une fois un vieux roi sans enfants. A la première année de son règne il avait espéré avoir douze garçons. Le ventre de sa femme était resté stérile. A la dixième année il avait prié Dieu de lui donner au moins un fils. Le berceau préparé était resté vide. A la vingtième année il avait supplié ainsi le Créateur :

— Seigneur, accordez-moi une fille, une seule, et je mourrai content.

Alors le Tout-Puissant lui avait répondu :

— Roi du Temps, voilà l'appel que j'attendais.

Une fille naquit. Son père aussitôt fut en souci pour elle. Il voulut qu'aucun mal ne l'atteigne jamais. Il fit élever un palais haut et fort autour de son lit bleu. Ses quatre murs étaient de verre teinté d'or. Au travers de ces murs on ne distinguait rien de la terre ni du ciel. Seule entrait la lumière. Jusqu'à ses dix-huit ans la princesse vécut dans sa chambre fermée, nourrie de pain sans croûte et de viande sans os. Vint un jour où sa jeune servante étourdie par l'amour (le premier de sa vie) oublia l'os dans le rôti d'agneau et la croûte autour de la mie. La princesse s'étonna.

— Pourquoi ai-je ignoré cette chose rugueuse et cette chose dure ? dit-elle.

Elle prit l'os dans une main, la croûte dans l'autre, heurta le mur de verre, et le mur se brisa. Le dehors apparut : un jardin, des buissons, des fleurs, une fontaine bruissante. Dans ce jardin était un jeune homme aussi beau qu'un matin d'avril. La princesse le vit, et son regard brilla.

— Quel aimable garçon au bord de la fontaine ! dit-elle en respirant la brise du matin.

L'inconnu répondit :

— Quel palais magnifique ! S'il avait des fenêtres autant qu'il y a de jours dans la vie d'une fille âgée de dix-huit ans, quel lieu incomparable il serait !

Leurs yeux se rencontrèrent. Entre eux l'amour naquit. Le garçon s'en alla. La princesse tomba en silence obstiné. Le roi, tout alarmé, vint aussitôt gémir à son chevet :

— Ma Layla, que veux-tu ? Des bijoux ? Un parfumeur nouveau ? Des robes d'Occident ? Mille têtes tranchées autour de ton lit bleu ?

— Mon père, je voudrais des fenêtres dans ces murs, et j'en voudrais autant que j'ai vécu de jours.

Le roi mit sur l'instant trois cents artisans et soixante-douze ingénieurs à ce travail urgent. Quand il fut accompli le jeune homme revint, en bas, dans le jardin. La princesse le vit. Elle soupira :

— Quel aimable garçon au bord de la fontaine !

L'inconnu répondit :

— Quel palais magnifique ! Aux murs de verre teinté d'or sont autant de fenêtres que de jours dans la vie de la fille du roi ! Quel bonheur ce serait si, devant sa porte, étaient deux bancs sculptés, l'un dans l'ambre femelle, l'autre dans l'ambre mâle !

La garçon s'en alla. La princesse tomba en mélancolie grave. Son père accourut, effrayé, suppliant.

— Ma Layla, que veux-tu ? Un eunuque chanteur ? Un oiseau d'Amérique ? Un coiffeur vénitien ? Dix écartèlements de brigands du désert sur la place publique ?

— Mon père, je voudrais au seuil de mon jardin deux bancs sculptés, l'un dans l'ambre femelle, l'autre dans l'ambre mâle.

Ce fut fait le jour même. Le lendemain matin :

— Quel aimable garçon au bord de la fontaine ! dit la princesse heureuse.

L'inconnu répondit :

— Quel palais magnifique ! Aux murs de verre teinté d'or sont autant de fenêtres que de jours dans la vie de la fille du roi ! Deux bancs sculptés dans l'ambre ornent le seuil de son jardin ! Quel paradis ce serait là si l'on pouvait dresser auprès des deux bancs d'ambre deux colonnes de musc !

La princesse tomba en langueur maladive. Son père vint à elle, échevelé, tremblant.

— Ma Layla, que veux-tu ? Un théâtre chinois ? Une conteuse juive ? Une baleine rouge ? Un esclave empalé sur un pieu de cristal ?

— Mon père, je voudrais deux colonnes de musc auprès des deux bancs d'ambre.

Elles furent dressées avant qu'il soit midi. Comme la nuit tombait :

— Quel aimable garçon au bord de la fontaine !

L'inconnu répondit :

— Quel palais magnifique ! Aux murs de verre teinté d'or sont autant de fenêtres que de jours dans la vie de la fille du roi ! Deux bancs sculptés dans l'ambre ornent le seuil de son jardin. Deux colonnes de musc près d'eux embaument l'air du soir ! Quels mots d'amour les oiseaux entendraient si sur un banc était la beauté de Layla, et sur le banc voisin le prince El Hadj Ahmed !

La princesse tomba en extrême faiblesse. Sa servante la veilla toute la nuit, soufflant sur ses paupières et lui baisant les mains. Quand le jour se leva elle ouvrit les yeux et dit :

— Où est El Hadj Ahmed ?

— Princesse, il est parti.

— Il me faut le rejoindre.

Elle jeta sur son dos une guenille d'esclave et quitta le palais.

Elle marcha longtemps dans la poussière des caravanes, cherchant El Hadj Ahmed partout dans les villages, les déserts, les auberges. Elle parvint enfin dans une cité blanche. Là vivait une femme. Elle était noble et seule. Un jour elle trouva la princesse Layla dans ses haillons crasseux endormie devant sa porte, à l'ombre d'un figuier. Elle la fit entrer, lui lava la figure et lui offrit du lait avec du pain aux raisins. Layla but et mangea, puis elle dit, comme partout elle faisait sur sa route :

— Je cherche El Hadj Ahmed. Connaissez-vous ce nom ?

La femme répondit :

— Fille, c'est mon frère. Il sera là ce soir. Il vient une fois l'an passer la nuit chez moi. Le reste du temps, je ne sais où il est, et cela me soucie. Dieu l'aide ! El Hadj Ahmed n'est pas un homme heureux !

Au crépuscule il vint. Il frappa à la porte, il entra, il s'assit et se tint sans rien dire. La princesse Layla, accroupie dans un coin, n'osa pas lui parler. Toute la nuit elle veilla sur lui. Il n'eut pas un regard pour la fille en haillons qui se tenait dans l'ombre et ne cessait de contempler son visage. Au matin, il s'en fut. Layla resta dans la maison. Elle se fit servante, travailla vaillamment au ménage, à la lessive, au feu où cuisaient des galettes. El Hadj Ahmed, un soir, après un an entra à nouveau sans un mot, s'assit contre le mur et se perdit dans ses songes. Layla pensa : « Va-t-il me reconnaître ? » Elle lui servit du thé, qu'il ne but pas. Près du prince rêveur elle prit place et resta sans bouger. La nuit passa ainsi. Au matin il partit comme il était venu.

Le temps s'en fut, revint. El Hadj Ahmed aussi. La princesse Layla avait lavé le carrelage et disposé des coussins sur un tapis moelleux. Quand il se fut assis, elle s'agenouilla devant lui.

— Je cherche El Hadj Ahmed. Connaissez-vous ce nom ? dit-elle doucement.

Il releva le front, regarda Layla, la reconnut enfin. Il dit :

— Dieu tout-puissant, voilà celle que j'aime ! Elle est venue à moi, qui suis ensorcelé !

Elle lui répondit :

— Je te délivrerai. Parle, mon bien-aimé. Que faut-il faire ?

— De bien étranges choses ! Me prendre dans la bouche le dernier pain du jour, m'arracher sept cheveux sans que j'en sente rien, suivre mes pas demain sans que je le soupçonne, aller jusqu'où j'irai, jeter le pain au feu, brûler les sept cheveux et rester trente nuits sans dormir, à m'attendre.

— Aie confiance, dit Layla. Je ne faillirai pas.

Elle lui servit un repas confortable, prit entre ses dents le dernier pain du jour, le berça, l'endormit, arracha sept cheveux sur sa tête sans qu'il s'en aperçoive, le suivit au matin jusqu'au bord de la mer, le vit entrer dans une grotte obscure. Au seuil de cette grotte elle alluma le feu et dans ce feu jeta ce qui devait brûler. Enfin elle s'assit au bord des vagues et veilla.

Dix jours, dix nuits passèrent, et vingt, et neuf encore. Les larmes et le vent salé tinrent ses yeux ouverts. Le dernier soir venu une pêcheuse d'algues s'approcha d'elle et dit :

— Que fais-tu là, beauté triste ?

Layla lui conta son histoire, puis sa tête fléchit, son regard s'embruma, et le sommeil la prit. La pêcheuse lui fit un oreiller de sable. Après quoi elle attendit le jour. A l'aube un poisson monstrueux apparut sur la mer. Sa gueule béante était un soleil noir. Dans un hoquet puissant il vomit le prince El Hadj Ahmed sur la rive. La pêcheuse aussitôt courut à sa rencontre. Il lui dit :

— Qui es-tu ?

Elle lui répondit :

— Layla, ta bien-aimée ! Prince El Hadj Ahmed, ne me repousse pas !

Elle lui raconta la longue histoire qu'elle avait entendue de la pauvre endormie. El Hadj Ahmed la crut. Ils s'en allèrent ensemble.

La princesse Layla enfin se réveilla au bord des vagues. Elle se vit trahie. Elle revint en ville et partout demanda :

— Je cherche El Hadj Ahmed. Connaissez-vous ce nom ?

Après longtemps d'errance elle découvrit la demeure du prince. C'était un soir d'été. Sous l'olivier devant la porte ouverte elle se mit à chanter le palais magnifique aux quatre murs de verre, et le jeune homme aimable au bord de la fontaine, les fenêtres nombreuses autant qu'il y a de jours dans la vie d'une fille âgée de dix-huit ans, les bancs sculptés dans l'ambre, des colonnes de musc. La lune monta dans l'olivier. Alors El Hadj Ahmed sortit de sa maison.

— Approche-toi, dit-il.

Elle fit un pas vers lui.

— Approche-toi encore.

Elle fit deux et trois pas.

— Layla ! dit-il.

Il lui ouvrit les bras. Béni soit le Vivant, elle s'enfouit dedans.

Amériques

HAÏTI

Ma-Beauté

Malade, très malade était la pauvre femme, si malade qu'un matin elle vit venir la Mort par la fenêtre. Alors elle appela ses deux fils et Ma-Beauté sa fille, que l'on nommait ainsi parce qu'elle était belle comme la lumière de l'œil.

— Mes enfants, je me meurs, leur dit-elle. Je ne vous quitte pas, c'est la vie qui me quitte. Vous allez souffrir, tendres comme vous êtes. Votre père est trop faible, il ne peut rien pour vous, mais moi je peux encore. Approchez-vous, que je touche vos fronts.

Au bord de l'oreiller tous les trois se penchèrent. Sur le front de chacun elle posa un grain de blé, et ce grain de blé s'enfonça dans la chair des enfants, et quand il fut niché entre la peau et l'os on ne vit sur la peau qu'une petite étoile. La femme dit encore :

— Quand le malheur viendra, pensez à votre mère, touchez-vous le front et faites trois vœux. Ils seront exaucés. Laissez-moi maintenant. La Mort essuie ses pieds sur la pierre du seuil. L'entendez-vous ? Allez jouer, qu'elle ne vous voie pas !

Ils allèrent jouer sous l'arbre de la cour, et leur mère mourut. Après un an de deuil, leur père épousa sa voisine. C'était une mégère épaisse et malveillante. Dès qu'il eut dix-sept ans le fils aîné s'en alla vivre à la grande ville. Il emmena son frère. Ma-Beauté resta seule avec la grosse femme et son triste mari qui partait tous les matins à son travail sans un mot pour sa fille.

Un jour, l'épouse de son père était à la rivière à faire sa lessive. Après qu'elle eut frotté, battu, rincé son linge, elle en fit un grand tas dans son panier, mit sa planche dessus, son battoir, son savon, et voulut charger son fardeau sur la tête. Elle ne put le hisser plus haut que ses sandales. Elle se mit à gémir, les manches retroussées sur ses gros bras suants :

— Misère noire ! Il me faudrait de l'aide !

L'eau soudain bouillonna, un visage apparut, content et monstrueux, puis un corps écailleux, puis deux longs bras semblables à des serpents.

— Tu m'appelles, je viens, dit la Chose d'Enfer. Que me donneras-tu si je porte ton fardeau ?

— Une poule rousse.

— Femme, ce n'est rien.

— Une chèvre blanche.

— Femme, c'est bien peu.

— Une vache grasse.

— Femme, dis encore.

— Je n'ai rien de mieux.

— Tu portes un enfant. C'est lui que je veux.

— On peut marchander ?

— Marchande, marchande !

— Je garde l'enfant, tu prends Ma-Beauté, la dernière-née de mon mari.

— Bien, dit le démon. Je prends Ma-Beauté

— Je l'enverrai tout à l'heure à la rivière. Tu la reconnaîtras, elle aura douze fleurs piquées dans les cheveux.

La femme s'en revint chez elle, poussa la porte du jardin.

— Ma-Beauté, viens là, viens que je te coiffe !

Ma-Beauté jouait avec ses cousines à l'ombre du mur. La femme s'assit près d'elle et des filles sur un tabouret et cueillit des fleurs.

— Belle, belle, belle !

A chaque mot « belle » elle les piqua dans la chevelure de Ma-Beauté.

— Cours à la rivière, j'ai perdu un drap !

Ma-Beauté s'en fut avec ses cousines. Les filles aussi se voulurent belles. En chemin, elles cueillirent des marguerites, douze chacune, ornèrent leur front et leur tête brune. Le démon les vit. Elles étaient semblables. Il gronda :

— Qui est Ma-Beauté ?

Il ne put le savoir. Il s'enfonça dans l'eau.

Quand le lendemain la femme revint sur la rive :

— Tu m'as trompé, bougresse !

— Pardon, pardon, répondit la femme. Demain, c'est promis, Ma-Beauté viendra seule. Elle portera un collier de grains, de grains de réglisse, de réglisse rouge.

De retour chez elle :

— Cadeau, un cadeau, Ma-Beauté, pour toi !

Elle lui mit au cou un beau collier rouge.

— Va chercher de l'eau !

— Venez avec moi, dit Ma-Beauté à ses cousines.

En chemin, toutes voulurent la même parure que Ma-Beauté. Toutes arrivèrent pareillement ornées au bord de la rivière.

— Qui est Ma-Beauté ? gronda le démon.

Pas plus que la veille il ne put savoir.

Le lendemain au point du jour la femme s'en vint aux nouvelles.

Le monstre lui dit :

— Je veux Ma-Beauté ! Ce soir à minuit je viendrai l'attendre devant ta maison. Fais en sorte que je la trouve, sinon c'est toi que je prendrai !

Le soir vint.

— Ma-Beauté, dit la mauvaise femme, on danse ce soir dans la vallée. Va au bal, ma fille, et prends du bon temps. Reviens à minuit, à minuit sonnant, ton père l'exige !

Ma-Beauté s'en fut, Ma-Beauté dansa. A minuit sonnant, Ma-Beauté revint.

— Père, père, ouvrez, c'est l'heure du diable, père, père, ouvrez, je le sens qui vient !

Le démon surgit au pas de la porte. Alors Ma-Beauté se souvint de sa mère. Elle toucha son étoile au front.
— Démon de l'enfer, loin d'ici ! dit-elle.
Le monstre recula dans l'ombre.
— Père, père, ouvrez, le diable s'en vient !
Son père remua, là-haut, dans sa chambre.
— Femme, il m'a semblé entendre crier.
— Dors, mon homme, dors, c'est le bruit du vent.
Dehors le démon s'avança d'un pas hors de l'ombre noire. Alors Ma-Beauté, sa main sur l'étoile, appela ses frères.

Dans sa chambre de la grande ville, l'aîné bondit hors de son lit.
— Ma-Beauté m'appelle !
Il toucha son front. Il fut aussitôt près de Ma-Beauté.
Son frère cadet au bord de la mer lançait des galets sur les vagues. Il était avec quatre matelots.
— Adieu, les amis, il faut que je parte !
Il prit son couteau, il toucha son front, il fut aussitôt devant la maison où était sa sœur, où était son frère. Le démon bondit, la gueule grinçante. Les couteaux luisants tranchèrent la nuit comme deux éclairs. Le démon tomba, saignant de partout. Ils le découpèrent en petits morceaux. Ma-Beauté avec ses deux frères s'en alla dormir au jardin.

Le lendemain matin la femme vit le sang et la chair dispersée devant sa porte.
— Ma-Beauté ! Ma-Beauté ! cria-t-elle. Elle est morte !
Ma-Beauté parut entre les garçons. Elle était belle comme la lumière de l'œil. Tous les trois passèrent devant les voisins rassemblés. Sans un mot de salut ils s'en allèrent ensemble au travail de la vie.

AMÉRIQUE DU NORD

Les trois clefs

Quand Vieux Père céleste eut fait l'homme et la femme, il les mit tous les deux dans la même maison pour qu'ils y vivent ensemble et s'entraident l'un l'autre. Mais ils y furent mal. Ils étaient trop semblables. Car Dieu, étourdiment, les avait faits de même force. Ils se disputaient donc les mêmes territoires avec la même hargne et la même vigueur. Comme ils avaient autant l'un que l'autre de muscle et de malignité, il n'y avait jamais de vainqueur.

Or, il advint qu'un jour l'homme s'exaspéra. « Cette vie, se dit-il, est trop inconfortable. Il faut que l'un de nous, décidément, gouverne. Autant que ce soit moi. » Il s'en alla voir Dieu dans son pays d'En-Haut.

— Bonjour à toi, mon fils, lui dit le Créateur.

— Bien le bonjour, Vieux Père. J'ai des soucis, dit l'homme.

— Et quels sont-ils, mon fils ? Parle donc, je t'écoute.

L'homme prit un grand souffle.

— Ô Vieux Faiseur des choses, dit-il, toi dont la chevelure est couronnée d'étoiles, toi qui fais naître un monde à chacun de tes pas, toi dont la main droite lance tous les matins le soleil dans le ciel jusque dans ta main gauche où il tombe le soir, tu sais que ma compagne est forte autant que moi. Ce n'est pas bon, Seigneur. Nos guerres s'éternisent, et le bonheur nous fuit. Aussi je te supplie de faire de moi seul le maître du ménage. Il me faut pour cela des épaules plus larges, une taille plus haute et des cuisses plus fermes.

— As-tu bien réfléchi ? demanda Dieu, songeur.

L'autre lui répondit qu'il avait tout pesé, le pour comme le contre.

— Qu'il en soit donc selon ton désir, dit Vieux Père après un long silence. Retourne-t'en sur Terre et règne sagement.

L'homme redescendit les escaliers célestes, courut à sa maison, entra dans la cuisine.

— Femme, regarde-moi et tâte un peu mon corps, dit-il, bombant le torse. Je suis plus fort que toi. Désormais devant moi tu baisseras les yeux et tu fileras doux. Dieu est de mon côté. C'est lui qui m'a donné le pouvoir de te vaincre.

La femme protesta. Il lui gifla la face. Elle lui bondit dessus, mordit, griffa, cogna. Il la prit par la nuque, il la jeta par terre, puis la tint d'une main le front contre le sol et la fessa de l'autre jusqu'à ce qu'elle demande grâce. Enfin, sûr de sa force, il lui dit :

— Si tu sais obéir, tu vivras décemment. Mais si tu te rebiffes, tu n'auras à manger que la poussière de mes sandales, et tes larmes à boire. Va maintenant, travaille. Je vais dormir un peu.

La femme s'en alla, mais point à son ouvrage. Elle s'en fut tout droit au royaume d'En-Haut.

— Bonjour à toi, ma fille, lui dit le Créateur.

Elle tremblait de rage.

— Père, bien le bonjour. J'ai beaucoup à me plaindre. La force que j'avais, pourquoi me l'as-tu prise ?

— Fille, répondit Dieu, tu es forte aujourd'hui comme tu l'étais hier.

— Si c'était vrai, Vieux Père, mon époux n'aurait pu poser son pied crasseux entre mes deux épaules.

Vieux Père lui conta la visite de l'homme. La femme l'écouta, puis :

— En bonne justice, ô Seigneur de nos vies, dit-elle, tu dois à moi aussi accorder plus de muscle afin que nous soyons égaux, comme autrefois.

Vieux Père hocha la tête.

— Il est trop tard, ma fille. Ce que Dieu a donné, Dieu ne le reprend pas. Ton compagnon voulait être plus fort que toi. Il l'est. Il le sera jusqu'à la fin des temps.

La femme furibonde serra les poings et tourna les talons. Le pas vif et sonnant elle s'en alla droit chez Vieil Oncle le diable. En pleurant et geignant elle lui raconta ce qui s'était passé. Le diable lui sourit, la prit aimablement par le bras et lui dit :

— Femme, rien n'est perdu. Retourne-t'en voir Dieu et fais-lui bon visage. Flatte-le, il aime cela. Enfin demande-lui qu'il te donne les clefs que tu verras pendues près de sa cheminée. Tu me les porteras. Je te dirai qu'en faire.

La femme reprit donc le chemin du royaume d'En-Haut. D'escaliers en sentiers abrupts toute la nuit elle grimpa. Au matin elle était à la porte du Ciel. Elle risqua son visage par l'entrebâillement et dit à voix fluette :

— Je peux entrer, Seigneur ?

Elle vint devant Dieu sur la pointe des pieds, se fit tout miel tout sucre.

— Je connais ta grandeur, ô Vieux Père, dit-elle. Tu n'as jamais créé deux montagnes arides sans faire entre elles une vallée accueillante aux vivants. Plus tes hivers sont rudes, plus tes printemps sont beaux. Même un bâton tordu dans ton poing infaillible assène des coups droits. Ta justice me plaît.

— Fille, répondit Dieu, que désires-tu donc ?

— Vieux Père, pas grand-chose. Ces trois clefs suspendues près de la cheminée.

L'œil de Dieu pétilla. Il répondit :

— Prends-les.

Elle les empocha, redescendit sur Terre et s'enfonça encore jusqu'au royaume d'En-Bas. Vieil Oncle le diable l'accueillit au seuil de sa demeure.

— Regarde, lui dit-elle.

Elle brandit le trousseau, rieuse, sous son nez.

— Tu tiens là un trésor, lui répondit le diable. Il y a, dans ces trois clefs, si tu sais t'en servir, un pouvoir si puissant que ton balourd d'époux en sera désarmé. La première est celle de la cuisine, et tu sais combien l'homme aime se mettre à table. La deuxième est celle de la chambre, et tu sais combien l'homme aime se mettre au lit. La troisième est celle du berceau, et tu sais combien l'homme aime avoir de beaux enfants. Prends-les donc, ma jolie, verrouille les trois portes, et quand ton époux rentrera ne lui en ouvre aucune tant qu'il n'aura pas mis sa force à ton service.

— Beau diable, grand merci. Permets que je t'embrasse.

La femme mit les clefs dans sa poche profonde et retourna chez elle.

L'homme au soir la trouva nonchalamment assise sur la pierre du seuil. Un brin d'herbe à la bouche, elle fredonnait tout doux.

— Je te ferai chanter un autre air tout à l'heure, grogna-t-il en passant.

Il entra, fit grand bruit partout dans la maison, puis bientôt s'en revint où était son épouse.

— Qui a fermé ces portes ? rugit-il, désignant la pénombre, dedans.

— C'est moi, lui dit la femme.

— Comment donc as-tu fait ?

— Je n'ai eu qu'à tourner trois clefs dans trois serrures.

— Misère de mes os ! Ces clefs, d'où les tiens-tu ?

— Dieu me les a données.

L'homme grogna trois coups, courut à l'escalier qui grimpait chez Vieux Père, marcha jusqu'à son trône.

— Ô Faiseur de miracles, j'ai besoin de ton aide. La femme m'interdit ma cuisine, ma chambre, et le berceau de mes enfants. Les trois portes sont closes. Et cette garce dit qu'elle tient de toi les clefs qui les ont verrouillées.

— C'est vrai, dit Dieu. Je les lui ai offertes. Le diable seul pouvait lui apprendre à s'en servir. Sans doute l'a-t-il fait.

— Le diable l'a aidée ? Donc elle t'a trahi. Vieux Père, punis-la. Confisque son pouvoir.

— Impossible, mon fils. Ce que Dieu a donné, Dieu ne le reprend pas. La femme aura les clefs, toujours.

— Et mon ventre affamé, qui donc le nourrira ? Et mon corps fatigué, qui donc l'apaisera ? Et mes enfants futurs, qui donc les sèmera ?

— Demande à ton épouse, ô fils, répondit Dieu.

L'homme revint chez lui. De mauvais gré d'abord il honora sa femme puis, les portes s'ouvrant, il le fit de bon cœur. Et la marmite au feu ronronna doucement, et le grand lit bruissa, et le berceau chanta.

Depuis ce temps la femme est gardienne des clefs dans la maison commune, et l'homme n'y peut rien. Il est fort au-dehors, il est faible au-dedans. A chacun son pouvoir. Et puisque Dieu et diable ont ensemble voulu qu'il en soit ainsi, ce doit être bonne justice.

Comment se rencontrèrent les hommes et les femmes

Qui créa le monde ? Vieil Homme. Il fit bien toutes choses sauf une, qu'il fit mal. Dans un village il mit les hommes (avec les hommes il habita) et dans un autre il mit les femmes. Il mit entre eux une forêt. Hommes et femmes ainsi vécurent, chacun chez soi, chacun pour soi, les hommes ignorant l'existence des femmes, les femmes ignorant l'existence des hommes.

Leur vie d'abord fut en tout point semblable. Armés de presque rien, de bâtons, de cailloux, ils chassèrent le buffle, ils firent de leurs peaux des vêtements grossiers et se nourrirent de viande crue, de rien d'autre, car en ces temps lointains aucun d'eux ne savait que les fruits, le maïs, les légumes étaient bons.

Plus tard, beaucoup plus tard, les hommes apprirent à tendre des arcs et à tailler des flèches, les femmes à tanner et assouplir le cuir. Elles en couvrirent leurs tentes, puis s'en firent des robes ornées de belles pierres et de piquants de hérissons. Alors Vieil Homme un jour dans sa hutte de branches prit sa tête à deux mains et se dit : « Ma Création pourrait être meilleure. J'ai mis hommes et femmes en des lieux séparés. J'ai eu tort. Il n'y a là ni plaisir ni chance de bonheur. En vérité il faudrait qu'ils s'unissent, afin que naissent d'autres êtres. Et il faudrait que cette union soit tant agréable qu'aucun n'y puisse résister, sinon ils resteront mains saura bâtir le tien. Va, et reviens parfois visiter ton enfant.

Le vizir rejoignit Aïcha, sa belle épouse. Il se coucha près d'elle. Jusqu'à l'aube prochaine ils ne dormirent pas.

On servit les gâteaux. Un joueur de luth vint converser avec les rossignols. La servante accourut encore.

— Votre époux se morfond, ô Lalla !

Elle prit la main d'Aïcha, l'entraîna dans la chambre.

— Elle m'énerve, dit l'aînée des princesses restées seules sous l'oranger.

— Moi, elle m'horripile, renchérit la deuxième.

— Je vais hurler, avertit la troisième.

— J'ai envie d'écorcher quelques oiseaux vivants et de leur enfoncer les ongles dans les yeux, juste pour me calmer, marmonna la quatrième.

La cinquième bâilla.

— Partons, dit la sixième.

Quand, au soir de ce jour, le vizir entra dans la chambre de Lalla Aïcha, elle fit semblant de dormir. Il vint près du lit, lui caressa la joue et s'éloigna sans bruit. Elle le vit manœuvrer une porte secrète et s'enfoncer dans l'étroit escalier qui menait au pays de sa femme-génie. Elle le suivit de loin, parvint derrière lui dans un jardin ensoleillé. Au fond de ce jardin était une maison. Aïcha vit le vizir pousser la porte, entrer. Soudain elle entendit pleurer un nourrisson près d'elle sous un arbre. Elle le prit dans ses bras, le consola, dénoua sa ceinture, suspendit son berceau à l'ombre du feuillage, puis remonta, ferma la porte de sa chambre et bientôt s'endormit.

Dans le pays d'en bas, le vizir et sa femme-génie sortirent au jardin. Ils virent leur enfant apaisé dans sa corbeille que balançait la brise.

— A qui donc appartient cette ceinture ? dit l'épouse-génie. Le sais-tu ?

Le vizir répondit :

— Je l'ignore.

— Homme, ne me mens pas. C'est celle de Lalla Aïcha, béni soit son nom, car elle a pris soin de mon fils nouveau-né. Épouse-la sans crainte. Elle qui a bâti son bonheur de ses chacun de son côté. Qui doit donner l'exemple ? C'est moi, bien sûr, c'est moi, pauvre vieux fatigué ! »

Vieil Homme s'en fut donc où les femmes vivaient. Au sortir de la forêt, de derrière un buisson il observa longtemps, dans le pré, leur village. « Comme leurs tentes sont lisses et hautes, comme leurs robes sont belles ! se dit-il. Quels grossiers arriérés nous sommes, pauvres hommes, nous qui n'avons pour toit que des branches mal jointes, et pour tout vêtement du cuir brut et puant ! Il faut que cela change. Il faut absolument qu'elles viennent chez nous. » Le Vieux s'en retourna au village des hommes et conta ce qu'il avait vu. Chacun s'extasia et tous dirent ensemble :

— Allons à leur rencontre ! Unissons-nous à elles !

— Outre qu'elles ont ce qui vous fait envie, dit encore Vieil Homme, vous trouverez aussi, à caresser leur corps, une sensation neuve et plus agréable que vous ne sauriez l'imaginer. Attendons quelque temps. A la belle saison, nous irons tous les voir.

Comme il parlait ainsi, Vieille Femme étonnée découvrait dans le bois les empreintes de pas qu'avait laissées Vieil Homme. Elle suivit ces traces, chemina quatre jours, aperçut dans un pré un camp de huttes basses. C'était celui des hommes. Elle les épia, puis s'en revint chez elle et dit à ses compagnes :

— Il y a là-bas un lieu où vivent des humains. Ils sont plus grands que nous. Ils sont plus forts aussi. Ils possèdent des armes et tuent tant de gibier qu'ils ne connaissent pas, comme nous, la famine.

Les femmes émerveillées répondirent :

— Si nous vivions près d'eux, quel bonheur ce serait !

Un jour, comme elles allaient, rêveuses, à leur travail (c'était le premier jour de la saison nouvelle), les hommes apparurent au bord de la forêt. Ils s'approchèrent d'elles. Ils étaient tous vêtus de lambeaux de cuir brut. Leur peau était crasseuse, leurs cheveux hirsutes. Ils puaient. Elles dirent :

— Ces êtres-là sont-ils des humains ou des bêtes ? Ils sont sales comme des porcs. Ils empestent.

Vieille Femme cria :

— Allez-vous-en d'ici !

— Allez-vous-en d'ici ! braillèrent ses compagnes en jetant des cailloux, des branches, de la boue à leurs faces barbues.

En hâte ils reculèrent, revinrent dans le bois. Le Vieux leur dit alors :

— J'ai bien fait de planter leur village loin de chez nous. Ces femmes sont cruelles. Je vais peut-être bien les jeter hors du monde.

Il rameuta ses hommes et tous s'en retournèrent.

Dès qu'ils furent partis, Vieille Femme se retira dans sa tente de buffle, s'assit sur un tapis, resta la tête basse quatre jours pleins à réfléchir, puis elle se dit : « Nous aurions dû tenter d'aider ces pauvres êtres. Nous avons été sottes, orgueilleuses, méchantes. Pourquoi ne pas aller vers eux tout humblement, vêtues comme ils le sont, aussi crasseuses qu'eux ? Nos beaux habits les intimident. Il faut que nous soyons comme ils se voient eux-mêmes. »

Vieil Homme revenu dans sa hutte de branches au même instant pensait : « Peut-être sommes-nous des êtres repoussants. Peut-être est-ce pour cela que les femmes nous ont chassés comme des chiens errants. Peut-être serait-ce une bonne idée de nous laver et de nous vêtir aussi bien que possible avant de revenir les voir. » Il alla se baigner au pied d'une cascade, peigna sa chevelure, l'orna de plumes d'aigle et s'habilla de daim. Quand ses compagnons le virent ainsi s'avancer parmi eux :

— Vieil Homme, dirent-ils, tu es beau comme un astre !

— Décrasser votre corps, rasez votre figure, habillez-vous de peau souple et douce au toucher, et retournons ensemble au village des femmes, leur dit Vieil Homme.

Le jour même ils se mirent en route. Quand ils y arrivèrent, ils ne virent partout que des mégères sales. Toutes s'étaient vêtues de peaux de chèvres souillées de sang caillé, leurs joues étaient boueuses, leurs nattes emmêlées. Ainsi pour plaire aux hommes s'étaient-elles enlaidies.

— Horreur ! dirent-ils tous. Quelles affreuses bêtes !

— En vérité, dit Vieil Homme, elles sont infréquentables. Fuyons, frères, fuyons avant que leurs guenilles sanglantes n'aient gâché nos ornements !

— Apparemment, nous faisons tout de travers, ronchonna Vieille Femme en les regardant fuir. Et pourtant, je le sens, nous devons nous unir à ces êtres bizarres, car ils ont Dieu sait quoi qui nous fait grande envie, nous avons Dieu sait quoi qu'ils aimeraient avoir, et ces deux Dieu sait quoi devraient aller ensemble. Femmes, essayons encore de les amadouer. Allons nous faire une beauté.

Elles allèrent à la rivière, et leurs cheveux lavés furent bientôt tressés, ornés de coquillages, de cordons colorés. Puis elles se vêtirent de robes de daim blanc, mirent autour du cou des colliers de graines multicolores, aux poignets des bracelets d'écaille, se chaussèrent enfin de mocassins souples. Ainsi parées elles prirent le chemin du village des hommes.

Vieil Homme dans sa hutte était de mauvaise humeur. Plus rien ne lui plaisait. Il mangeait sans envie, faisait des rêves troubles. Pour un rien il hurlait. Et tous autour de lui étaient comme il était : pâles, les joues creusées, négligés et fiévreux. Le Vieux, voyant ainsi dépérir sa tribu, se dit : « Ils ont été déçus par ces créatures imprévisibles. Un jour elles sont crasseuses, un autre jour cruelles. Ils les espéraient belles, accueillantes et tendres. Pourquoi diable se sont-elles enlaidies ? Il doit y avoir une raison à cela. » Comme il pensait ainsi, il entendit dehors crier des sentinelles. Il sortit.

— Une troupe de femmes marche sur notre camp ! hurlaiton çà et là. Gare, elles sont féroces ! Tous à vos arcs, vos flèches, vos lances, vos épieux !

— Du calme, dit Vieil Homme.

Il étendit ses mains. Les guerriers alentour cessèrent de courir. Alors il dit encore :

— Je crois que j'ai compris. Allez à la cascade et lavez votre corps, frottez vos muscles d'huile, parfumez-vous d'encens et coiffez votre front de plumage brillant.

Lui-même se vêtit de ses plus beaux habits, mit sa grande coiffure, son collier de dents d'ours, puis entraîna ses frères à l'entrée du village. Ils attendirent là, en silence, les femmes.

Elles sortirent du bois en chantant et riant. Leurs robes de daim blanc étaient éblouissantes. Leurs parures étaient comme des arcs-en-ciel. Vieil Homme émerveillé dit à ses compagnons :

— Voyez-vous ce que je vois ?

Les hommes répondirent :

— Courons à leur rencontre, nos cœurs dans nos poitrines sont comme des pur-sang, ils bondissent, ils s'emballent, ils vont nous échapper !

Tandis qu'ils parlaient ainsi Vieille Femme disait à ses compagnes :

— Regardez ces êtres. Ne sont-ils pas superbes ? Leur rudesse me plaît. Leur voix rauque m'émeut. Ne les effrayons pas. Allons vers eux sans hâte.

Vieil Homme et Vieille Femme s'avancèrent l'un vers l'autre. Quand ils furent face à face, le Vieux dit :

— Parlons ensemble à l'écart de nos gens.

— Je te suis, lui dit-elle.

Ils allèrent sous les arbres. Là ils se regardèrent. Ils se trouvèrent beaux.

— J'aimerais découvrir avec toi un plaisir inconnu et secret, dit Vieil Homme.

— C'est une bonne idée, répondit Vieille Femme.

— Peut-être faudrait-il nous allonger, dit Vieil Homme.

— Peut-être faudrait-il, dit-elle.

Ils s'allongèrent. Plus tard, Vieil Homme dit :

— Jamais je n'aurais cru me sentir aussi bien.

— C'est trop beau, c'est trop bon pour être mis en mots, répondit Vieille Femme en s'étirant dans l'herbe.

— Allons apprendre aux autres ce que nous avons découvert, dit Vieil Homme.

Ils retournèrent au village, le cœur léger, les jambes lentes. Ils n'y trouvèrent personne. Les hommes et les femmes s'en étaient tous allés, chaque couple en son lieu.

— Nous n'aurons pas à les instruire, dit Vieil Homme. Ils ont trouvé tout seuls.

Quand les hommes et les femmes s'en revinrent au camp, ils souriaient. Leurs yeux souriaient. Leurs lèvres souriaient. Leurs corps même semblaient sourire. Les femmes au village des hommes apportèrent tout ce qu'elles avaient, tout ce qu'elles savaient, l'art de tanner le cuir et de le décorer, de faire la cuisine, de tisser des tapis, des couvertures chaudes. Les hommes chassèrent pour elles. Ainsi vint l'amour. Ainsi vint le bonheur. Ainsi vinrent les épousailles. Ainsi vinrent les enfants.

Le chant des flûtes

En ce temps-là les hommes blancs étaient encore sur leurs terres, au-delà des mers. En ce temps-là les ancêtres des vieux pères peuplaient la grande prairie. Ils jouaient des sonnailles, de la corne de buffle et du tambour, aux fêtes des saisons. Ils ne connaissaient pas la flûte à bec d'oiseau. C'était en ce temps-là que vivait le jeune homme qui inventa le langage d'amour.

Un jour, il s'en alla chasser dans la forêt. Il suivit un cerf sous le couvert des arbres. Il était bon chasseur, il avait un bel arc, des flèches aux pointes de pierre noire, mais l'animal resta sans cesse hors de portée. Trois fois il s'arrêta pour brouter du feuillage, trois fois il reprit sa course bondissante avant que le garçon ait eu le temps d'ajuster son tir. Ainsi au long du jour ils s'enfoncèrent ensemble jusqu'au cœur de la forêt, où personne n'était encore allé. Comme la nuit venait, la bête disparut. Le jeune homme voulut retourner au village, mais il était perdu. Il s'assit sous un arbre, dîna de viande sèche, puis s'enroula dans une couverture et se coucha dans l'herbe.

Il ne put dormir. De l'ombre lui venaient de longs hululements, des cris d'animaux invisibles, des grincements de branches, des menaces lointaines. Longtemps il écouta, respirant à peine. Il entendit soudain, parmi ces mille bruits nocturnes, une plainte hésitante. Le vent se leva. La vague musique se gonfla de désir, d'espoir, de joie timide. Il l'écouta encore. Il se dit que c'était peut-être un chant de fantôme amoureux. Le sommeil l'envahit. Alors il rêva qu'un pivert à crête rouge apparaissait dans la lumière de la lune, chantait au-dessus de sa tête à voix mélancolique et lui disait enfin : « Viens, je vais te l'apprendre. »

Quand il se réveilla, le soleil était haut. A peine avait-il ouvert les yeux qu'il aperçut sur une branche le pivert de son rêve. L'oiseau le regarda, s'envola tout à coup, se posa sur un buisson, revint comme pour inviter le garçon à le suivre. Il se laissa conduire. Il entendit au loin la plainte douce entre les arbres. Il se mit à courir vers elle. Il arriva bientôt dans une clairière où était un cèdre solitaire. Le pivert était là, rouge dans le feuillage. La brise s'était tue, le chant aussi. Alors l'oiseau se mit à cogner du bec contre une branche creuse et cela fit, dans le silence, un bruit de petit tambour vif. Le vent revint sur les verdures et avec lui le chant, tout proche. Il était là, dans l'arbre. Le garçon s'approcha. Il découvrit alors que la musique sortait de la branche creuse que le pivert martelait. Il découvrit aussi que seul le souffle de la brise lui donnait force et vie. Il examina le bout de bois. Il était plein de trous. Il le prit et s'en alla. Il retrouva sans peine le chemin du village.

Dès qu'il fut revenu parmi les siens il s'assit devant sa tente et voulut à nouveau entendre la musique. Il souffla dans la branche. Aucun son n'en sortit. Il resta longtemps pensif, puis se dressa et s'en alla seul, sans rien dire à personne. A la nuit il grimpa parmi les rocs jusqu'à la cime d'une colline et là pria l'Esprit de lui envoyer un songe. Il attendit trois jours sans manger ni boire, espérant une vision qui lui dirait comment faire chanter la branche. A la quatrième nuit, quand la lune se leva, l'oiseau à crête rouge apparut devant lui.

— Regarde, lui dit-il.

Le garçon regarda.

Au matin il s'en alla couper une branche de cèdre. Il y creusa un trou droit, tout du long, avec soin et patience. Enfin il la sculpta en forme de long cou avec, au bout du cou, la tête de l'oiseau et son bec grand ouvert. Il teinta sa crête de rouge, puis il alluma un feu de sauge. Au-dessus de ce feu il parfuma son œuvre. A nouveau il pria. Puis il posa ses doigts sur les trous de la flûte, il souffla doucement, et le chant s'éleva, si beau que les bêtes et le vent, tout à coup apaisé, autour de lui l'écoutèrent.

Il revint au village. Sous un arbre au bord de la rivière il se mit à jouer. La fille aînée du chef dînait dans sa tente. Elle était orgueilleuse et belle. Beaucoup de jeunes hommes avaient tenté de lui plaire. Elle les avait chassés, d'un geste, en riant d'eux. Quand elle entendit le chant de la flûte, elle sortit devant sa porte. Sa tête lui dit : « Reste là. » Ses pieds lui dirent : « Va, ma fille. » Elle s'en fut vers la rivière. Sa tête lui dit : « Doucement ». Ses pieds lui dirent : « Vite, vite ». Avant qu'elle ait compris comment, elle était devant le garçon. Sa tête lui dit : « Tais-toi ! » Son cœur lui dit : « Parle, ma fille. » Elle parla. Elle dit :

— Je t'aime.

Les hommes étaient timides en ce temps-là. Ils ne savaient comment rendre les filles amoureuses. Depuis, ils savent. Quand vient la bien-aimée au bord de la rivière, ils jouent de la flûte à bec d'oiseau, et leur chant dit pour eux leur lumière secrète.

L'homme-lièvre

Savez-vous ce que disait l'ancêtre, autrefois, quand il priait le Grand Esprit ? Il disait : « Protégez ma famille et protégez mes proches. » Et savez-vous qui était la famille de l'ancêtre et qui étaient ses proches ? C'était tout ce qui vit dans le cercle du monde, ses frères humains, les bisons, les coyotes, ses cousins les oiseaux, les fourmis, les poux même, tout ce qui saute, vole, marche, tout ce qui pousse aussi, les arbres, les buissons, les herbes, les fleurs. Et donc dans le cercle du monde tous les vivants parlaient le même langage, les bêtes pouvaient se transformer en hommes, les hommes pouvaient se changer en renards, en cerfs, en loups, en biches. Ce temps-là maintenant est au fond de la vie, caché par une brume. Ceux qui osent la traverser sont d'étranges chasseurs. Leur mémoire est puissante et courageuse. Ils ne tuent pas, ils réveillent. Bénis soient-ils.

Un lièvre gambadait un matin au soleil. Or, comme il traversait un buisson, il découvrit dans la rosée, à la sortie des feuilles, une sorte de vessie gonflée, molle et rouge. Il risqua un coup de patte. La chose s'éloigna pesamment, sans hâte. Il lui bondit devant. La chose s'étira. Le museau frémissant il la flaira deux fois. Aux deux endroits flairés deux bras sortirent. Il s'étonna. Il la flaira encore. Deux jambes et deux pieds aussitôt apparurent. Il en fut amusé. Il se mit à lécher ce corps. Un cœur se mit à battre, un visage prit forme. La chose se changea en garçon nouveau-né.

Le lièvre en fut content. Il appela sa femme. Tous deux prirent l'enfant et le menèrent chez eux. Ils lui firent un berceau de duvet doux et chaud. Ils veillèrent sur lui comme une mère aimante et comme un père sûr. L'enfant grandit dans la tribu des lièvres. Sa mère le vêtit d'une belle tunique en peau de daim ornée de figures célestes. Quand il fut presque un homme, son père lui dit :

— Il faut que je te parle. Sache, mon fils, que tu n'es pas de notre race. Tu es un être humain. Ta place est donc parmi eux. J'en ai beaucoup de peine et vois, ta mère pleure, mais tu dois t'en aller.

Le garçon embrassa ses parents et s'en alla. Il chemina longtemps sous le vaste ciel, puis au bout de sa route il aperçut des fumées et des tentes. Il s'approcha, salua les hommes. Les gens le regardèrent. Ils le trouvèrent beau dans sa tunique ornée. Ils lui demandèrent d'où il venait.

— Je suis d'ailleurs, dit-il. Je suis un homme-lièvre.

Il s'installa dans ce village. Son corps était puissant et son cœur tendre. Une fille tomba amoureuse de lui. Il en fut tellement heureux qu'il eut une vision. Il se vit poursuivant le soleil dans le ciel, il se vit le combattre, le broyer, l'effriter en petits cailloux d'or et disperser ces mille enfants soleils vers les mille horizons. La fille était très belle. Il voulut l'épouser.

Alors parmi les hommes Ikotomé le fourbe se mit à le haïr. Il convoitait la fille. Un soir, il dit aux autres :

— Cet homme-lièvre est un arrogant. Voyez comme il nous nargue dans sa tunique ornée. Il veut nous rabaisser parce que nous sommes pauvres.

Il leur dit encore :

— Allez-vous laisser un étranger séduire vos filles et vos femmes ?

Derrière lui des gens murmurèrent entre eux :

— L'homme-lièvre dit qu'il vient d'ailleurs. Mais d'où exactement ? Il est peut-être pervers. Il nous cache des choses. Il n'est pas comme nous.

— Combattez-le donc, gronda Ikotomé. Je vais lancer sur lui mon cerceau magique. Il sera sans défense.

Les gens lui répondirent :

— Lance, Ikotomé, lance !

Il lança son cerceau. L'homme-lièvre fut pris. On lui lia les poings. On sortit les couteaux. Devant son visage on fit luire les lames. Il n'en fut pas troublé. Il dit à tous :

— Amis, permettez que je chante mon dernier chant de vie. Après, vous me tuerez.

Il chanta ces paroles :

Je suis monté au ciel
j'ai vaincu le soleil
en mille cailloux d'or
j'ai dispersé son corps.
Amis j'ai fait cela
pour l'amour d'une femme.

Il dit, puis il se tut. Les couteaux s'abattirent sur sa poitrine. On découpa son corps. On le mit à cuire dans un chaudron de fer. Alors de ce chaudron une épaisse fumée monta vers le soleil, et la nuit envahit le village. Quand la lumière revint le feu était éteint, le chaudron renversé, et chacun levant le front put voir l'homme-lièvre s'élever dans les airs, droit comme un trait de flèche et beau, dans sa tunique ornée, comme un Esprit. Les vieux du village le regardèrent disparaître dans le ciel, hochèrent gravement la tête et dirent :

— Cet homme est fort. Ses magies surpassent les nôtres. Il reviendra bientôt, et mieux vaudra, alors, être son allié. Nous le marierons donc à cette fille qui l'aime et qui l'appelle.

Ikotomé cria :

— Vous avez peur de lui ? Pas moi. Mes pouvoirs sont plus puissants que ceux de cet homme sans père, je vais vous le prouver. Attachez-moi les poings et laissez-moi chanter.

Je suis monté au ciel
et j'ai vaincu la lune
j'ai dispersé sa face
en mille cailloux blancs.

Bon, j'en ai dit assez. Coupez-moi en morceaux. Mettez mon corps à cuire.

On fit ce qu'il voulait. Il mourut, resta mort, et tandis qu'il bouillait dans le chaudron de fer l'homme-lièvre dîna de viande tendre et de galettes au miel avec la jeune fille, dans sa tente fermée.

La lumière et le corbeau

Lorsque Corbeau naquit, son père, réjoui, lui fit cette promesse :

— Mon fils, toi qui me viens je ne sais d'où, je te donnerai la force de créer un monde !

Il l'instruisit. Quand l'heure fut venue, il lui donna la force de créer un monde. Et Corbeau créa un monde. Mais ce monde était noir. La nuit seule y régnait. « Voilà qui n'est pas bon, se dit Corbeau, perplexe. Il faut aussi du jour dans un monde bien fait. » Il chercha la lumière. Partout il demanda si quelqu'un l'avait vue. C'est ainsi qu'il apprit qu'en haut de la rivière Nass dans une maison basse était un homme blanc qui la gardait pour lui, enfermée dans un sac.

Cet homme était puissant. Il avait une fille. Corbeau se dit ceci : « Je vais rapetisser, me faire grain de sable et plonger dans le bol où cette fille boit. » La fille but son eau, elle avala Corbeau et se trouva enceinte. Après neuf mois lui naquit un enfant. Les yeux de cet enfant brillaient comme des perles. A peine mis au monde il jeta un coup d'œil à droite, puis à gauche. Au mur face à la porte étaient des sacs pendus. Il était où il voulait être : dans la maison de l'homme en haut de la rivière Nass.

Il grandit le temps d'une année. Quand il sut marcher presque, il se fit pleurnichard, se mit à harceler sa mère et son grand-père, rampant de l'un à l'autre et désignant le mur. Une semaine il fit ainsi. Alors l'homme grogna :

— Fille, donne à mon petit-fils le sac au bout du rang. C'est celui des étoiles.

L'enfant joua par terre avec le sac d'étoiles, puis il le fit rouler jusqu'à la cheminée. Là il le tirailla, le mordit, le fendit, et toutes les étoiles aussitôt s'échappèrent, montèrent dans le ciel par le trou de fumée, et dans le ciel obscur partout se dispersèrent.

Le lendemain l'enfant se remit à pleurer. Il s'égosilla tant qu'il en perdit le souffle, et tant il s'essouffla qu'on craignit qu'il en meure. Sa mère le berça, lui donna à sucer un bout de bois sucré, le prit entre les seins, lui chanta des complaintes. Rien ne put le calmer.

— Je sais bien ce qu'il veut, dit enfin le grand-père. Il veut le sac de lune. Donne-le-lui, ma fille.

Un moment il joua avec le sac de lune. Du front et de l'épaule il le poussa jusqu'à la cheminée, travailla des doigts et des ongles, dénoua les cordons, et la lune monta par le trou de fumée, et s'en fut dans le ciel, et au ciel demeura.

Alors l'enfant se mit à hurler si puissamment que les poutres du toit frémirent et que les murs tremblèrent. Dans ses yeux grands ouverts où les larmes brillaient apparurent les sept couleurs de l'arc-en-ciel. On vit bien que ce n'était pas un enfant ordinaire, mais un grand-père plus que sa propre fille aime son petit-fils, surtout s'il est l'aîné, et l'homme ne vit rien que son garçon en pleurs, et ne ressentit rien qu'une inquiétude sourde.

— Ma fille, dit-il enfin, il veut le dernier sac. Donne-le-lui, je crois qu'il en sera content.

Quand l'enfant l'eut il fit « croâ », à l'instant redevint corbeau et prit le sac entre ses pattes, s'envola par la cheminée, ouvrit le sac dans l'air du ciel.

Et l'homme dans sa maison basse au bord de la rivière Nass voyant cela frappa du pied, tendit le poing, cogna son crâne, cria par le trou de fumée :

— Corbeau, Corbeau, tu m'as roulé ! Ah, j'aurais dû te reconnaître ! Sacrédieu, rends-moi mes affaires !

Mais le corbeau n'entendit pas. Il était haut dans la lumière. Le premier jour venait de naître. Ainsi le monde fut bien fait.

Comment les hommes firent le soleil et la lune

Au commencement fut le ciel, après le ciel la terre, après la terre la vie, après la vie la ville, après la ville un roi. Ce roi dans son palais un jour dit à son peuple :

— Le ciel est beau mais il est vide. Je n'aime pas ce vide. Il nous faut un soleil. Qui veut être soleil ?

Corbeau lui répondit :

— J'ai envie d'essayer.

Il s'en fut droit à l'est, s'enfonça dans la terre, cria :

— Regardez bien. D'abord je vais vous faire l'aube !

Il sortit lentement à l'horizon de l'est.

— Il est un peu pâlot, dirent les gens, perplexes.

Il grimpa dans le ciel. Tous levèrent la tête en grimaçant du nez. Les uns dirent aux autres :

— Il est gris. Il est terne. Il est froid. Il joue mal.

Quand Corbeau descendit, au soir, parmi les gens, il les vit tous déçus.

— N'ai-je pas été bon ? dit-il, la mine inquiète.

On lui répondit :

— Non. Tu manques de chaleur, de force, de lumière.

— Moi, demain, j'essaierai, dit Faucon.

Le lendemain matin il s'éleva d'un trait à l'horizon de l'est. Il était comme l'or. Il se dit, tout fringant : « Je sens que je vais plaire. » Dans la ville et les champs les gens se regardèrent. Ils étaient jaune d'œuf. Jaunes étaient leurs cheveux, leur figure, leurs yeux, leurs habits, leurs sandales, et jaunes étaient les rocs, les herbes, les arbres. Le ciel même était jaune. Quand Faucon revint au crépuscule :

— Un soleil, lui dit-on, ne saurait être jaune. Or toi tu étais jaune, et tu as tout jauni. Nous refusons un monde où la vie serait jaune.

— Vous cherchez un soleil, un beau, un bien chauffant ? glapit soudain Coyote. Je serai celui-là. Je vais vous étonner.

— Il a l'air sûr de lui, dit-on de-ci, de-là. Espérons qu'il sera meilleur que les deux autres.

Soleil Coyote à l'aube apparut dans le ciel. Il était magnifique.

— Voilà un vrai soleil, dirent les gens. Bravo.

Au milieu du matin :

— Il chauffe vraiment bien. Nous pourrions vivre nus, dirent-ils, le front moite.

A l'heure de midi la viande rôtissait sans feu dans les cuisines.

— Hé, nous allons crever, dirent partout les gens. Regardez nos enfants, leur peau se ratatine !

Tous coururent à l'eau, mais elle était bouillante. Le soleil descendit, enfin, à l'horizon. L'air se fit respirable. Les gens exténués remuèrent un peu dans l'ombre des maisons.

— Je crois bien, bonnes gens, que j'ai été parfait, leur dit soleil Coyote en souriant, modeste. N'est-ce pas votre avis ?

— Non, lui dirent les gens. Trop chaud. Trop ravageur. Terrible. Insupportable. N'importe quoi plutôt qu'un soleil tel que toi !

Parmi le peuple étaient deux frères. L'aîné dit au cadet :

— J'aimerais bien jouer au soleil, moi aussi.

Ils vinrent sur la place où les gens palabraient.

— Demain, leur dit l'aîné, je tenterai ma chance.

Le lendemain parmi de longues brumes rouges à l'est il se leva. Les gens dirent :

— Il fait frais. C'est bien. Le temps doit être ainsi quand le soleil paraît.

A midi il fit chaud. A l'ombre des murs et des arbres les gens s'assirent, regardèrent le ciel et se dirent :

— Il fait bon.

Enfin au crépuscule ils allèrent au fleuve. L'eau était presque tiède.

— Quelle belle journée, dirent-ils. Ce jeune homme est le soleil qu'il faut, tous les jours, sur nos têtes.

Quand le garçon revint, on le félicita. Alors il dit aux gens :

— Il faut aussi un astre à la nuit. Mon cadet le jouera. Nous l'appellerons : Lune. Quand Lune paraîtra, moi je me coucherai. Ainsi nous veillerons sur vous, l'un après l'autre.

Tout le monde applaudit à cet arrangement. Seul Coyote bouda. « Les gens ne savent pas ce qu'est la vraie lumière, pensa-t-il, furibond. Ce garçon ne vaut rien. Son soi-disant soleil manque d'autorité. Demain je le tuerai, et je prendrai sa place. » Une heure avant le jour, avec son arc, ses flèches, aux frontières de l'est à l'ombre d'un rocher il alla s'aplatir. Quand le soleil parut il le visa au front, mais il ne put tirer. Sa flèche s'enflamma, son arc aussi prit feu. Il les lança au loin. Les buissons s'embrasèrent, et Coyote se vit environné de flammes. Il courut en couinant se jeter dans le fleuve.

— Ce voyou de Coyote a mis le feu partout, dirent les gens. Nous ne le voulons plus chez nous. Qu'il s'en aille !

Depuis ce temps il hurle au loin, sur les montagnes où personne ne vit. Il ne fréquente plus les vivants ordinaires. Et les étoiles au ciel sont peu à peu venues. Toutes celles qu'on voit sont les âmes des morts. La nuit est leur pays, et le jour est le nôtre.

BRÉSIL

Le conte des empreintes

Depuis presque cent ans le vieil homme marchait. Il avait traversé l'enfance, la jeunesse, mille joies et douleurs, mille espoirs et fatigues. Des femmes, des enfants, des pays, des soleils peuplaient encore sa mémoire. Il les avait aimés. Ils étaient maintenant derrière lui, lointains, presque effacés. Aucun ne l'avait suivi jusqu'à ce bout du monde où il était parvenu. Il était seul désormais face au vaste océan.

Au bord des vagues il fit halte et se retourna. Sur le sable qui se perdait dans des brumes infinies il vit alors l'empreinte de ses pas. Chacun était un jour de sa longue existence. Il les reconnut tous, les trébuchements, les passes difficiles, les détours et les marches heureuses, les pas pesants des jours où l'accablaient des peines. Il les compta. Pas un ne manquait. Il se souvint, sourit au chemin de sa vie.

Comme il se détournait pour entrer dans l'eau sombre qui mouillait ses sandales, il hésita soudain. Il lui avait semblé voir, à côté de ses pas, quelque chose d'étrange. A nouveau il regarda. En vérité il n'avait pas cheminé seul. D'autres traces, tout au long de sa route, allaient auprès des siennes. Il s'étonna. Il n'avait aucun souvenir d'une présence aussi proche et fidèle. Il se demanda qui l'avait accompagné. Une voix familière et portant son visage lui répondit :

— C'est moi.

Il reconnut son propre ancêtre, le premier père de la longue lignée d'hommes qui lui avaient donné la vie, celui que l'on appelait Dieu. Il se souvint qu'à l'instant de sa naissance ce Père de tous les pères lui avait promis de ne jamais l'abandonner. Il sentit dans son cœur monter une allégresse ancienne et pourtant neuve. Il n'en avait jamais éprouvé de semblable depuis l'enfance. Il regarda encore. Alors, de loin en loin, il vit le long ruban d'empreintes parallèles plus étroit, plus ténu. Une trace de pas, certains jours de sa vie, était seule visible. Il se souvint de ces jours. Comment les aurait-il oubliés ? C'étaient les plus terribles, les plus désespérés. Au souvenir des heures misérables entre toutes où il avait pensé qu'il n'y avait de pitié ni au Ciel ni sur Terre il se sentit soudain amer, mélancolique.

— Vois ces jours de malheur, dit-il. J'ai marché seul. Où étais-tu, Seigneur, quand je pleurais sur ton absence ?

— Mon fils, mon bien-aimé, lui répondit la voix, ces traces solitaires sont celles de mes pas. Ces jours où tu croyais cheminer en aveugle, abandonné de tous, j'étais là, sur ta route. Ces jours où tu pleurais sur moi, je te portais.

Sources

Roger D. Abrahams, *Afro-American Folk Tales,* New York, 1985.
Luis Ansa, *Le Quatrième Royaume,* Paris, 1989.
Ulli Beier, *Comment le monde fut créé d'une goutte de lait,* Lyon, 1976.
Franz Bras, *Kutenaï Tales,* Washington, 1918.
Henry Carnoy, *Littérature orale de Picardie,* Paris, 1967.
Le Chant des flûtes, Lyon, 1978.
Contes des peuples de l'URSS, Moscou, 1987.
Jacques Dars, *Contes de la montagne sereine,* Paris, 1987.
Deshimaru, *Le Bol et le Bâton,* Paris, 1979.
Georges Dumézil, *Contes et Légendes des Oubykhs,* Paris, 1957.
Richard Erdoes et Alfonso Ortiz, *American Indian Myths and Legends,* New York, 1985.
Mohammed el-Fasi et Émile Dermenghem, *Contes fasis,* Paris, 1978.
Veronika Gorog-Karady et Gérard Meyer, *Contes bambara,* Paris, 1985.
Giselle de Goustine, *Contes sous la Croix-du-Sud,* Paris, 1967.
Robert Graves, *Les Mythes grecs,* Paris, 1967.
Dominique Hoizey, *Le Laurier de la lune,* Paris, 1987.
Vouk Karadjitch, *Contes populaires serbes,* Genève, 1987.
Alpha Kouyaté, *Kotendimina,* Paris, 1988.
Kanagita Kunio, *Contes du Japon d'autrefois,* Paris, 1983.
Luda, *Cet endroit-là dans la taïga,* Paris, 1986.
A. W. MacDonald, *Matériaux pour l'étude de la littérature populaire tibétaine,* Paris, 1972.
Geneviève Massignon, *Contes corses,* Paris, 1984.

O. V. de Milosz, *Contes et Fabliaux de la vieille Lituanie,* Paris, 1972.

Dominique Noye, *Le Menuisier et le Cobra,* Paris, 1980.

Benjamin Péret, *Anthologie des mythes, légendes et contes populaires d'Amérique,* Paris, 1960.

Jacques Pucheu, *Contes haoussa du Niger,* Paris, 1982.

Vladimir Reis, *Contes des cinq continents,* Paris, 1988.

Luda Schnitzer, *Ce que disent les contes,* Paris, 1985.

Ahmed Sefrioui, *Le Jardin des sortilèges ou le Parfum des légendes,* Paris, 1989.

Idries Shah, *Contes derviches,* 1978.

Idries Shah, *Chercheur de vérité,* Paris, 1984.

Idries Shah, *Les Exploits de l'incomparable Mullah Nasruddin,* Paris, 1979.

Mircea Slavescu, *Contes populaires roumains,* Bucarest, 1979.

L. V. Thomas, *Les Religions d'Afrique noire,* Paris, 1969.

Jaroslav Tichy, *La Steppe enchantée,* Paris, 1968.

André Voisin, *Les Contes du roi-singe,* Paris, 1988.

Zahiri de Samarkand, *Le Livre des sept vizirs,* Paris, 1986.

Table

Europe

Asie

Afrique

Amériques

Du même auteur

AUX MÊMES ÉDITIONS

Le Grand Partir
roman, 1978
Grand prix de l'Humour noir
coll. « Points Roman » n° 537

L'Arbre à soleils
1979
coll. « Points Roman » n° 150

Le Trouveur de feu
roman, 1980

Bélibaste
roman, 1982
coll. « Points Roman » n° 101

L'Inquisiteur
roman, 1984
coll. « Points Roman » n° 206

Le Fils de l'ogre
roman, 1986

L'Arbre aux trésors
1987
coll. « Points Roman » n° 345

L'Homme à la vie inexplicable
roman, 1989
coll. « Points Roman » n° 406

L'Expédition
roman, 1991
coll. « Points Roman » n° 575

Départements et territoires d'outre-mort
coll. « Points Roman » n° 456

La Bible du Hibou
1994

CHEZ D'AUTRES ÉDITEURS

Démons et Merveilles de la science-fiction
Julliard

Souvenirs invivables
Ipomée

La Chanson de la croisade albigeoise
(traduction)
Berg International

IMPRIMERIE B.C.A. À SAINT-AMAND (CHER)
DÉPÔT LÉGAL MARS 1994. Nº 21594 (94/164)

Collection Points

SÉRIE ROMAN

DERNIERS TITRES PARUS

R270. Parias, *par Pascal Bruckner*
R271. Le Soleil et la Roue, *par Rose Vincent*
R272. Le Malfaiteur, *par Julien Green*
R273. Scarlett si possible, *par Katherine Pancol*
R274. Journal d'une fille de Harlem, *par Julius Horwitz*
R275. Le Nez de Mazarin, *par Anny Duperey*
R276. La Chasse à la licorne, *par Emmanuel Roblès*
R277. Red Fox, *par Anthony Hyde*
R278. Minuit, *par Julien Green*
R279. L'Enfer, *par René Belletto*
R280. Et si on parlait d'amour, *par Claire Gallois*
R281. Pologne, *par James A. Michener*
R282. Notre homme, *par Louis Gardel*
R283. La Nuit du solstice, *par Herbert Lieberman*
R284. Place de Sienne, côté ombre
par Carlo Fruttero et Franco Lucentini
R285. Meurtre au comité central
par Manuel Vázquez Montalbán
R286. L'Isolé soleil, *par Daniel Maximin*
R287. Samedi soir, dimanche matin, *par Alan Sillitoe*
R288. Petit Louis, dit XIV, *par Claude Duneton*
R289. Le Perchoir du perroquet, *par Michel Rio*
R290. L'Enfant pain, *par Agustin Gomez-Arcos*
R291. Les Années Lula, *par Rezvani*
R292. Michael K, sa vie, son temps, *par J. M. Coetzee*
R293. La Connaissance de la douleur
par Carlo Emilio Gadda
R294. Complot à Genève, *par Eric Ambler*
R295. Serena, *par Giovanni Arpino*
R296. L'Enfant de sable, *par Tahar Ben Jelloun*
R297. Le Premier Regard, *par Marie Susini*
R298. Regardez-moi, *par Anita Brookner*
R299. La Vie fantôme, *par Danièle Sallenave*
R300. L'Enchanteur, *par Vladimir Nabokov*
R301. L'Ile atlantique, *par Tony Duvert*
R302. Le Grand Cahier, *par Agota Kristof*

R303. Le Manège espagnol, *par Michel del Castillo*
R304. Le Berceau du chat, *par Kurt Vonnegut*
R305. Une histoire américaine, *par Jacques Godbout*
R306. Les Fontaines du grand abîme, *par Luc Estang*
R307. Le Mauvais Lieu, *par Julien Green*
R308. Aventures dans le commerce des peaux en Alaska *par John Hawkes*
R309. La Vie et demie, *par Sony Labou Tansi*
R310. Jeune Fille en silence, *par Raphaële Billetdoux*
R311. La Maison près du marais, *par Herbert Lieberman*
R312. Godelureaux, *par Eric Ollivier*
R313. La Chambre ouverte, *par France Huser*
R314. L'Œuvre de Dieu, la part du Diable, *par John Irving*
R315. Les Silences ou la vie d'une femme *par Marie Chaix*
R316. Les Vacances du fantôme, *par Didier van Cauwelaert*
R317. Le Levantin, *par Eric Ambler*
R318. Beno s'en va-t-en guerre, *par Jean-Luc Benoziglio*
R319. Miss Lonelyhearts, *par Nathanaël West*
R320. Cosmicomics, *par Italo Calvino*
R321. Un été à Jérusalem, *par Chochana Boukhobza*
R322. Liaisons étrangères, *par Alison Lurie*
R323. L'Amazone, *par Michel Braudeau*
R324. Le Mystère de la crypte ensorcelée *par Eduardo Mendoza*
R325. Le Cri, *par Chochana Boukhobza*
R326. Femmes devant un paysage fluvial, *par Heinrich Böll*
R327. La Grotte, *par Georges Buis*
R328. Bar des flots noirs, *par Olivier Rolin*
R329. Le Stade de Wimbledon, *par Daniele Del Giudice*
R330. Le Bruit du temps, *par Ossip E. Mandelstam*
R331. La Diane rousse, *par Patrick Grainville*
R332. Les Éblouissements, *par Pierre Mertens*
R333. Talgo, *par Vassilis Alexakis*
R334. La Vie trop brève d'Edwin Mullhouse *par Steven Millhauser*
R335. Les Enfants pillards, *par Jean Cayrol*
R336. Les Mystères de Buenos Aires, *par Manuel Puig*
R337. Le Démon de l'oubli, *par Michel del Castillo*
R338. Christophe Colomb, *par Stephen Marlowe*
R339. Le Chevalier et la Reine, *par Christopher Frank*
R340. Autobiographie de tout le monde, *par Gertrude Stein*
R341. Archipel, *par Michel Rio*

R342. Texas, tome 1, *par James A. Michener*
R343. Texas, tome 2, *par James A. Michener*
R344. Loyola's blues, *par Erik Orsenna*
R345. L'Arbre aux trésors, légendes, *par Henri Gougaud*
R346. Les Enfants des morts, *par Henrich Böll*
R347. Les Cent Premières Années de Niño Cochise *par A. Kinney Griffith et Niño Cochise*
R348. Vente à la criée du lot 49, *par Thomas Pynchon*
R349. Confessions d'un enfant gâté *par Jacques-Pierre Amette*
R350. Boulevard des trahisons, *par Thomas Sanchez*
R351. L'Incendie, *par Mohammed Dib*
R352. Le Centaure, *par John Updike*
R353. Une fille cousue de fil blanc, *par Claire Gallois*
R354. L'Adieu aux champs, *par Rose Vincent*
R355. La Ratte, *par Günter Grass*
R356. Le Monde hallucinant, *par Reinaldo Arenas*
R357. L'Anniversaire, *par Mouloud Feraoun*
R358. Le Premier Jardin, *par Anne Hébert*
R359. L'Amant sans domicile fixe *par Carlo Fruttero et Franco Lucentini*
R360. L'Atelier du peintre, *par Patrick Grainville*
R361. Le Train vert, *par Herbert Lieberman*
R362. Autopsie d'une étoile, *par Didier Decoin*
R363. Un joli coup de lune, *par Chester Himes*
R364. La Nuit sacrée, *par Tahar Ben Jelloun*
R365. Le Chasseur, *par Carlo Cassola*
R366. Mon père américain, *par Jean-Marc Roberts*
R367. Remise de peine, *par Patrick Modiano*
R368. Le Rêve du singe fou, *par Christopher Frank*
R369. Angelica, *par Bertrand Visage*
R370. Le Grand Homme, *par Claude Delarue*
R371. La Vie comme à Lausanne, *par Erik Orsenna*
R372. Une amie d'Angleterre, *par Anita Brookner*
R373. Norma ou l'exil infini, *par Emmanuel Roblès*
R374. Les Jungles pensives, *par Michel Rio*
R375. Les Plumes du pigeon, *par John Updike*
R376. L'Héritage Schirmer, *par Eric Ambler*
R377. Les Flamboyants, *par Patrick Grainville*
R378. L'Objet perdu de l'amour, *par Michel Braudeau*
R379. Le Boucher, *par Alina Reyes*
R380. Le Labyrinthe aux olives, *par Eduardo Mendoza*
R381. Les Pays lointains, *par Julien Green*

R382. L'Épopée du buveur d'eau, *par John Irving*
R383. L'Écrivain public, *par Tahar Ben Jelloun*
R384. Les Nouvelles Confessions, *par William Boyd*
R385. Les Lèvres nues, *par France Huser*
R386. La Famille de Pascal Duarte, *par Camilo José Cela*
R387. Une enfance à l'eau bénite, *par Denise Bombardier*
R388. La Preuve, *par Agota Kristof*
R389. Tarabas, *par Joseph Roth*
R390. Replay, *par Ken Grimwood*
R391. Rabbit Boss, *par Thomas Sanchez*
R392. Aden Arabie, *par Paul Nizan*
R393. La Ferme, *par John Updike*
R394. L'Obscène Oiseau de la nuit, *par José Donoso*
R395. Un printemps d'Italie, *par Emmanuel Roblès*
R396. L'Année des méduses, *par Christopher Frank*
R397. Miss Missouri, *par Michel Boujut*
R398. Le Figuier, *par François Maspero*
R399. La Solitude du coureur de fond, *par Alan Sillitoe*
R400. L'Exposition coloniale, *par Erik Orsenna*
R401. La Ville des prodiges, *par Eduardo Mendoza*
R402. La Croyance des voleurs, *par Michel Chaillou*
R403. Rock Springs, *par Richard Ford*
R404. L'Orange amère, *par Didier van Cauwelaert*
R405. Tara, *par Michel del Castillo*
R406. L'Homme à la vie inexplicable, *par Henri Gougaud*
R407. Le Beau Rôle, *par Louis Gardel*
R408. Le Messie de Stockholm, *par Cynthia Ozick*
R409. Les Exagérés, *par Jean-François Vilar*
R410. L'Objet du scandale, *par Robertson Davies*
R411. Berlin mercredi, *par François Weyergans*
R412. L'Inondation, *par Evguéni Zamiatine*
R413. Rentrez chez vous Bogner !, *par Heinrich Böll*
R414. Les Herbes amères, *par Chochana Boukhobza*
R415. Le Pianiste, *par Manuel Vázquez Montalbán*
R416. Une mort secrète, *par Richard Ford*
R417. La Journée d'un scrutateur, *par Italo Calvino*
R418. Collection de sable, *par Italo Calvino*
R419. Les Soleils des indépendances, *par Ahmadou Kourouma*
R420. Lacenaire (un film de Francis Girod)
par Georges Conchon
R421. Œuvres pré-posthumes, *par Robert Musil*
R422. Merlin, *par Michel Rio*
R423. Charité, *par Éric Jourdan*

R424. Le Visiteur, *par György Konrad*
R425. Monsieur Adrien, *par Franz-Olivier Giesbert*
R426. Palinure de Mexico, *par Fernando Del Paso*
R427. L'Amour du prochain, *par Hugo Claus*
R428. L'Oublié, *par Elie Wiesel*
R429. Temps zéro, *par Italo Calvino*
R430. Les Comptoirs du Sud, *par Philippe Doumenc*
R431. Le Jeu des décapitations, *par Jose Lezama Lima*
R432. Tableaux d'une ex, *par Jean-Luc Benoziglio*
R433. Les Effrois de la glace et des ténèbres
par Christoph Ransmayr
R434. Paris-Athènes, *par Vassilis Alexakis*
R435. La Porte de Brandebourg, *par Anita Brookner*
R436. Le Jardin à la dérive, *par Ida Fink*
R437. Malina, *par Ingeborg Bachmann*
R438. Moi, laminaire, *par Aimé Césaire*
R439. Histoire d'un idiot racontée par lui-même
par Félix de Azúa
R440. La Résurrection des morts, *par Scott Spencer*
R441. La Caverne, *par Eugène Zamiatine*
R442. Le Manticore, *par Robertson Davies*
R443. Perdre, *par Pierre Mertens*
R444. La Rébellion, *par Joseph Roth*
R445. D'amour P. Q., *par Jacques Godbout*
R446. Un oiseau brûlé vif, *par Agustin Gomez-Arcos*
R447. Le Blues de Buddy Bolden, *par Michael Ondaatje*
R448. Étrange séduction (Un bonheur de rencontre)
par Ian McEwan
R449. La Diable, *par Fay Weldon*
R450. L'Envie, *par Iouri Olecha*
R451. La Maison du Mesnil, *par Maurice Genevoix*
R452. La Joyeuse Bande d'Atzavara
par Manuel Vázquez Montalbán
R453. Le Photographe et ses Modèles, *par John Hawkes*
R454. Rendez-vous sur la terre, *par Bertrand Visage*
R455. Les Aventures singulières du soldat Ivan Tchonkine
par Vladimir Voïnovitch
R456. Départements et Territoires d'outre-mort
par Henri Gougaud
R457. Vendredi des douleurs, *par Miguel Angel Asturias*
R458. L'Avortement, *par Richard Brautigan*
R459. Histoire du ciel, *par Jean Cayrol*
R460. Une prière pour Owen, *par John Irving*

R461. L'Orgie, la Neige, *par Patrick Grainville*
R462. Le Tueur et son ombre, *par Herbert Lieberman*
R463. Les Grosses Rêveuses, *par Paul Fournel*
R464. Un week-end dans le Michigan, *par Richard Ford*
R465. Les Marches du palais, *par David Shahar*
R466. Les hommes cruels ne courent pas les rues *par Katherine Pancol*
R467. La Vie exagérée de Martín Romaña *par Alfredo Bryce-Echenique*
R468. Les Étoiles du Sud, *par Julien Green*
R469. Aventures, *par Italo Calvino*
R470. Jour de silence à Tanger, *par Tahar Ben Jelloun*
R471. Sous le soleil jaguar, *par Italo Calvino*
R472. Les cyprès meurent en Italie, *par Michel del Castillo*
R473. Kilomètre zéro, *par Thomas Sanchez*
R474. Singulières Jeunes Filles, *par Henry James*
R475. Franny et Zooey, *par J. D. Salinger*
R476. Vaulascar, *par Michel Braudeau*
R477. La Vérité sur l'affaire Savolta, *par Eduardo Mendoza*
R478. Les Visiteurs du crépuscule, *par Eric Ambler*
R479. L'Ancienne Comédie, *par Jean-Claude Guillebaud*
R480. La Chasse au lézard, *par William Boyd*
R481. Les Yaquils, *suivi de* Ile déserte *par Emmanuel Roblès*
R482. Proses éparses, *par Robert Musil*
R483. Le Loum, *par René-Victor Pilhes*
R484. La Fascination de l'étang, *par Virginia Woolf*
R485. Journaux de jeunesse, *par Rainer Maria Rilke*
R486. Tirano Banderas, *par Ramón del Valle-Inclán*
R487. Une trop bruyante solitude, *par Bohumil Hrabal*
R488. En attendant les barbares, *par J. M. Coetzee*
R489. Les Hauts-Quartiers, *par Paul Gadenne*
R490. Je lègue mon âme au diable *par Germán Castro Caycedo*
R491. Le Monde des merveilles, *par Robertson Davies*
R492. Louve basse, *par Denis Roche*
R493. La Couleur du destin *par Carlo Fruttero et Franco Lucentini*
R494. Poupée blonde *par Patrick Modiano, dessins de Pierre Le-Tan*
R495. La Mort de Lohengrin, *par Heinrich Böll*
R496. L'Aïeul, *par Aris Fakinos*
R497. Le Héros des femmes, *par Adolfo Bioy Casares*

R498. 1492. Les Aventures de Juan Cabezón de Castille
par Homero Aridjis
R499. L'Angoisse du tigre, *par Jean-Marc Roberts*
R500. Les Yeux baissés, *par Tahar Ben Jelloun*
R501. L'Innocent, *par Ian McEwan*
R502. Les Passagers du Roissy-Express
par François Maspero
R503. Adieu à Berlin, *par Christopher Isherwood*
R504. Remèdes désespérés, *par Thomas Hardy*
R505. Le Larron qui ne croyait pas au ciel
par Miguel Angel Asturias
R506. Madame de Mauves, *par Henry James*
R507. L'Année de la mort de Ricardo Reis, *par José Saramago*
R508. Abattoir 5, *par Kurt Vonnegut*
R509. Comme je l'entends, *par John Cowper Powys*
R510. Madrapour, *par Robert Merle*
R511. Ménage à quatre, *par Manuel Vázquez Montalbán*
R512. Tremblement de cœur, *par Denise Bombardier*
R513. Monnè, Outrages et Défis, *par Ahmadou Kourouma*
R514. L'Ultime Alliance, *par Pierre Billon*
R515. Le Café des fous, *par Felipe Alfau*
R516. Morphine, *par Mikhaïl Boulgakov*
R517. Le Fou du tzar, *par Jaan Kross*
R518. Wolf et Doris, *par Martin Walser*
R519. La Course au mouton sauvage, *par Haruki Murakami*
R520. Adios Schéhérazade, *par Donald Westlake*
R521. Les Feux du Bengale, *par Amitav Ghosh*
R522. La Spéculation immobilière, *par Italo Calvino*
R523. L'homme qui parlait d'Octavia de Cadix
par Alfredo Bryce-Echenique
R524. V., *par Thomas Pynchon*
R525. Les Anges rebelles, *par Robertson Davies*
R526. Nouveaux Contes de Bustos Domecq
par Jorge Luis Borges et Adolfo Bioy Casares
R527. Josepha, *par Christopher Frank*
R528. L'Amour sorcier, *par Louise Erdrich*
R529. L'Europe mordue par un chien, *par Christophe Donner*
R530. Les hommes qui ont aimé Evelyn Cotton
par Frank Ronan
R531. Agadir, *par Mohammed Khaïr-Eddine*
R532. Brigitta, *par Adalbert Stifter*
R533. Lune de miel et d'or, *par David Shahar*
R534. Histoires de vertige, *par Julien Green*

R535. Voyage en France, *par Henry James*
R536. La Femme de chambre du Titanic, *par Didier Decoin*
R537. Le Grand Partir, *par Henri Gougaud*
R538. La Boîte noire, *par Jean-Luc Benoziglio*
R539. Le Prochain sur la liste, *par Dan Greenburg*
R540. Topkapi, *par Eric Ambler*
R541. Hôtel du lac, *par Anita Brookner*
R542. L'Aimé, *par Axel Gauvin*
R543. Vends maison, où je ne veux plus vivre
par Bohumil Hrabal
R544. Enquête sous la neige, *par Michael Malone*
R545. Sérénissime, *par Frédéric Vitoux*
R546. Fleurs de ruine, *par Patrick Modiano*
R547. Les Girls du City-Boum-Boum, *par Vassilis Alexakis*
R548. Les Rives du fleuve Bleu, *par Emmanuel Roblès*
R549. Le Complexe polonais, *par Tadeusz Konwicki*
R550. La Patte du scarabée, *par John Hawkes*
R551. Sale Histoire, *par Eric Ambler*
R552. Le Silence des pierres, *par Michel del Castillo*
R553. Une rencontre en Westphalie, *par Günter Grass*
R554. Ludo & Compagnie, *par Patrick Lapeyre*
R555. Les Calendes grecques, *par Dan Franck*
R556. Chaque homme dans sa nuit, *par Julien Green*
R557. Nous sommes au regret de..., *par Dino Buzzati*
R558. La Bête dans la jungle, *par Henry James*
R559. Nouvelles démesurées, *par Adolfo Bioy Casares*
R560. Sylvie et Bruno, *par Lewis Carroll*
R561. L'Homme de Kiev, *par Bernard Malamud*
R562. Le Brochet, *par Eric Ambler*
R563. Mon valet et moi, *par Hervé Guibert*
R564. Les Européens, *par Henry James*
R565. Le Royaume enchanté de l'amour, *par Max Brod*
R566. Le Fou noir *suivi de* Le poing fermé, *par Arrigo Boito*
R567. La Fin d'une époque, *par Evelyn Waugh*
R568. Franza, *par Ingeborg Bachmann*
R569. Les Noces dans la maison, *par Bohumil Hrabal*
R570. Journal, *par Jean-René Huguenin*
R571. Une saison ardente, *par Richard Ford*
R572. Le Dernier Été des Indiens, *par Robert Lalonde*
R573. Beatus Ille, *par Antonio Muñoz Molina*
R574. Les Révoltés de la « Bounty »
par Charles Nordhoff et James Norman Hall
R575. L'Expédition, *par Henri Gougaud*

R576. La Loi du capitaine, *par Mike Nicol*
R577. La Séparation, *par Dan Franck*
R578. Voyage autour de mon crâne, *par Frigyes Karinthy*
R579. Monsieur Pinocchio, *par Jean-Marc Roberts*
R580 Les Feux, *par Raymond Carver*
R581. Mémoires d'un vieux crocodile, *par Tennessee Williams*
R582. Patty Diphusa, la Vénus des lavabos
par Pedro Almodóvar
R583. Le Voyage de Hölderlin en France
par Jacques-Pierre Amette
R584. Les Noms, *par Don DeLillo*
R585. Le Châle, *par Cynthia Ozick*
R586. Contes d'amour de folie et de mort, *par Horacio Quiroga*
R587. Liberté pour les ours !, *par John Irving*
R588. Mr. Stone, *par V. S. Naipaul*
R589. Loin de la troupe, *par Heinrich Böll*
R590. Dieu et nous seuls pouvons, *par Michel Folco*
R591. La Route de San Giovanni, *par Italo Calvino*
R592. En la forêt de longue attente, *par Hella S. Haasse*
R593. Lewis Percy, *par Anita Brookner*
R594. L'Affaire D., *par Charles Dickens*
Carlo Fruttero et Franco Lucentini
R595. La Pianiste, *par Elfriede Jelinek*
R596. Un air de famille, *par Michael Ondaatje*
R597. L'Ile enchantée, *par Eduardo Mendoza*
R598. Vineland, *par Thomas Pynchon*
R599. Jolie, la fille !, *par André Dubus*
R600. Le Troisième Mensonge, *par Agota Kristof*
R601. American Psycho, *par Bret Easton Ellis*
R602. Le Déménagement, *par Jean Cayrol*
R603. Arrêt de jeu, *par Dan Kavanagh*
R604. Brazzaville Plage, *par William Boyd*
R605. La Belle Affaire, *par T. C. Boyle*
R606. La Rivière du sixième jour, *par Norman Maclean*
R607. Le Tarbouche, *par Robert Solé*
R608. Leurs mains sont bleues, *par Paul Bowles*
R609. Une femme en soi, *par Michel del Castillo*
R610. Le Parapluie jaune, *par Elsa Lewin*
R611. L'Amateur, *par André Balland*
R612. Le Suspect, *par L. R. Wright*
R613. Le Tueur des abattoirs, *par Manuel Vázquez Montalbán*
R614. Mémoires du Capitán Alonso de Contreras
par Alonso de Contreras

R615. Colère, *par Patrick Grainville*
R616. Le Livre de John, *par Michel Braudeau*
R617. Faux Pas, *par Michel Rio*
R618. Quelqu'unbis est mort, *par Jean-Luc Benoziglio*
R619. La Vie quelque part, *par Anita Brookner*
R620. Iblis ou la Défroque du serpent, *par Armande Gobry-Valle*
R621. Fin de mission, *par Heinrich Böll*
R622. Les Mains vides, *par Maurice Genevoix*
R623. Un amour de chat, *par Frédéric Vitoux*
R624. Johnny s'en va-t-en guerre, *par Dalton Trumbo*
R625. La Remontée des cendres, *par Tahar Ben Jelloun*
R626. L'Enfant chargé de songes, *par Anne Hébert*
R627. L'Homme sans postérité, *par Adalbert Stifter*
R628. La Terre et le Sang, *par Mouloud Feraoun*
R629. Le Cimetière des fous, *par Dan Franck*
R630. Cytomégalovirus, *par Hervé Guibert*
R631. La Maison Pouchkine, *par Andreï Bitov*
R632. La Mémoire brûlée, *par Jean-Noël Pancrazi*
R633. Le taxi mène l'enquête, *par Sam Reaves*
R634. Les Sept Fous, *par Roberto Arlt*
R635. La Colline rouge, *par France Huser*
R636. Les Athlètes dans leur tête, *par Paul Fournel*
R637. San Camilo 1936, *par Camilo José Cela*
R638. Galíndez, *par Manuel Vázquez Montalbán*
R639. China Lake, *par Anthony Hyde*
R640. Tlacuilo, *par Michel Rio*
R641. L'Élève, *par Henry James*
R642. Aden, *par Anne-Marie Garat*
R643. L'Ange aveugle, *par Tahar Ben Jelloun*
R644. Dis-moi qui tuer, *par V. S. Naipaul*
R645. L'Arbre d'amour et de sagesse, *par Henri Gougaud*
R646. L'Étrange Histoire de Sir Hugo et de son valet Fletge *par Patrick McGrath*
R647. L'Herbe des ruines, *par Emmanuel Roblès*
R648. La Première Femme, *par Nedim Gürsel*
R649. Les Exclus, *par Elfriede Jelinek*
R650. Providence, *par Anita Brookner*
R651. Les Nouvelles Mille et Une Nuits, vol. 1 *par Robert Louis Stevenson*
R652. Les Nouvelles Mille et Une Nuits, vol. 2 *par Robert Louis Stevenson*
R653. Les Nouvelles Mille et Une Nuits, vol. 3 *par Robert Louis Stevenson*